Christelijke oriëntatie in medisch-ethische onderwerpen

Christelijke oriëntatie in medisch-ethische onderwerpen

(geactualiseerde 2e druk)

Eindredactie:
B. S. Cusveller
N. A. de Ridder-Sneep
H. Jochemsen

Buijten en Schipperheijn *Motief*
Amsterdam

Lindeboomreeks nr. 13

De Lindeboomreeks verschijnt
onder auspiciën van het
Prof. dr. G.A. Lindeboom Instituut

ISBN 905881 135 2

Eerste druk 1992 (in samenwerking met de Nederlandse Patiënten Vereniging)

Omslagontwerp: Buijten & Schipperheijn

Inhoud

Woord vooraf bij de tweede druk

Er waren twee belangrijke redenen om van dit boek, *Christelijke oriëntatie in medisch-ethische onderwerpen*, een nieuwe herziene uitgave te verzorgen. In de eerste plaats was het boek al enige tijd uitverkocht, maar bleef er wel vraag naar. Deze vraag leefde zowel binnen de Nederlandse Patiënten Vereniging als in het (HBO-)onderwijs. De vrij brede diversiteit van onderwerpen en de wijze van behandelen heeft lezers en docenten kennelijk aangesproken.
De tweede belangrijke reden tot herziening en niet slechts heruitgave van deze uitgave wordt gevormd door allerlei nieuwe ontwikkelingen in de geneeskunde en gezondheidszorg waardoor de tekst op veel plaatsen verouderd is, vooral waar het de beschrijving betreft van de stand van zaken.
Met gebruikmaking van vragen en reacties van NPV-medewerkers en van docenten over de behandelde onderwerpen heeft de redactie van de Lindeboomreeks zich bezonnen op de inhoud van een herziene uitgave. Daarbij is besloten enkele hoofdstukken te laten vervallen, te weten het hoofdstuk over AIDS en het aparte hoofdstuk over medisch-ethische commissies.
Laatstgenoemd onderwerp is in het kort behandeld in het nieuwe eerste hoofdstuk, dat ook overigens volledig is herschreven. De overige hoofdstukken zijn geactualiseerd, bewerkt en deels herschreven. Dit geldt ook het laatste hoofdstuk (nu hoofdstuk 8) dat nu een meer algemene beschrijving geeft van de organisatie en de gezondheidszorg. Verder zijn twee nieuwe hoofdstukken toegevoegd, namelijk een hoofdstuk over alternatieve geneeswijzen en een hoofdstuk over patiëntenrechten. Deze onderwerpen werden aangedragen door NPV-leden en medewerkers. De redactie meent dat op deze wijze het boek niet alleen is geactualiseerd, maar ook verbeterd.
Evenals bij de vorige uitgave zijn de hoofdstukken zo geschreven, dat zij afzonderlijk gelezen kunnen worden. Ook hoofdstuk 1 is meer een inleiding in de gezondheidszorgethiek dan een inleiding in het boek als geheel. De structuur van de hoofdstukken met eerst een beschrijvend gedeelte en daarna een ethisch evaluerend deel is gehandhaafd. Elk hoofdstuk heeft een hoofdauteur (of auteurs) die bij het betreffende hoofdstuk in de inhoudsopgave vermeld staat. In een voetnoot is daarbij tevens aangegeven van welke andere bestaande teksten de auteur gebruik heeft gemaakt. Doordat verschillende hoofdstukken door verschillende auteurs zijn geschreven, bestaat er tussen de hoofdstukken verschil in stijl en in ethische aanpak van de problematiek. Met dit laatste wordt overigens bedoeld de manier waarop de ethische problemen benaderd worden; qua fundamentele ethische positie-

bepaling is het boek niet veranderd en sluit aan bij de lijn van het Prof. dr. G.A. Lindeboom Instituut en van de NPV.
Dit boek heeft een wat andere opzet en bredere doelgroep dan de meeste uitgaven in de Lindeboomreeks. Toch heeft de redactie gemeend er goed aan te doen deze uitgave op te nemen in deze serie. De thematiek past daar goed in, de soms uitgebreide literatuurvermeldingen bieden mogelijkheden voor verdere studie en in verscheidene hoofdstukken wordt eerder ontwikkeld gedachtegoed van het Lindeboom Instituut voor een bredere lezersgroep toegankelijk en vruchtbaar gemaakt. Met het oog op die wat bredere doelgroep zijn in de tekst geen literatuurverwijzingen en noten opgenomen.

De redactie is de auteurs zeer erkentelijk voor hun bijdragen en bedankt de eindredacteurs hartelijk voor het persklaar maken van de manuscripten. Van harte hopen wij, dat ook deze uitgave velen van dienst zal zijn en zal bijdragen aan de bevordering van de christelijke ethiek in de gezondheidszorg.

Juli 2003 *Redactie van de Lindeboomreeks*

ooo 1 ooo

*Inleiding in de gezondheidszorgethiek**

1. Introductie

Dit boek biedt christenen oriëntatie in medisch-ethische onderwerpen. Daarvoor hebben de auteurs tenminste twee redenen. De ene reden is dat christenen vandaag de dag oriëntatie in medisch-ethische onderwerpen kunnen gebruiken. Patiënten, werkers en bestuurders in de gezondheidszorg kunnen zich afvragen welke voorzieningen en ontwikkelingen in de gezondheidszorg verantwoord kunnen zijn en welke niet. Voorbeelden zijn er vele en dit boek wil bij enkele daarvan een hulp zijn. De andere reden is dat christenen ook zelf oriëntatie kunnen bieden over medisch-ethische onderwerpen. Hun christelijke geloof biedt relevante denk- en handelwijzen voor verantwoord gebruik en ontwikkelen van voorzieningen in de gezondheidszorg. Ook hiervan zijn vele voorbeelden te geven en hierbij wil dit boek eveneens een hulp zijn.
Vanuit de christelijke ethiek worden hier verschillende mogelijkheden en ontwikkelingen in de gezondheidszorg belicht. Voor een goed verstaan kan het behulpzaam zijn om eerst in te gaan op enkele begrippen en stromingen in de ethiek. Zodoende wordt niet alleen het gebruik van dit boek bevorderd, maar ook het beoefenen van ethische bezinning in de praktijk. Achtereenvolgens komen in dit hoofdstuk begrippen en stromingen aan de orde, een hulpmiddel om morele problemen te doordenken, en informatie over de plaats waar ook veel ethische bezinning in de gezondheidszorg plaatsvindt, namelijk ethische commissies. We spreken daarbij veel over artsen, omdat het hier gaat om medisch-ethische onderwerpen, maar veel morele overwegingen gelden ook voor andere werkers in de gezondheidszorg, zoals verpleegkundigen.

---

* Voor dit hoofdstuk is gebruik gemaakt van H. Jochemsen, N.A. de Ridder-Sneep, *Kleur bekennen in de zorg*. Rapport opgesteld door het Prof. dr. G.A. Lindeboom Instituut in opdracht van de FEO, 2002, hoofdstuk 4, en van hoofdstuk 2 van de vorige uitgave van dit boek.

2. *Basis en begrippen van ethiek*

Ethiek & moraal

We nemen als uitgangspunt deze breed aanvaarde definitie van ethiek: *Ethiek is systematische bezinning op moraal.* Medische ethiek is dan bezinning op de moraal van de geneeskunde of, breder, de gezondheidszorg. We zien meteen dat ethiek iets is dat iedereen kan doen: in principe probeert het niet iets van bovenaf of buitenaf, laat staan achteraf op te leggen aan het handelen in de zorg. Ethiek probeert door bezinning juist naar boven of naar voren te halen wat al in de zorg aanwezig is, maar waar geen helder zicht op bestaat, namelijk het morele. Ethiek is eigenlijk net een vergrootglas: het helpt beter licht te werpen (de bezinning) op iets waarmee we eigenlijk al vertrouwd zijn (de zorg), maar waarvan onderdelen (de morele) niet helder in het zicht zijn.

Dat brengt ons bij de vraag: wat is moraal? Moraal is het complex van denken, doen en zijn dat uitdrukking geeft aan goed en kwaad. Dat wil zeggen, moraal is een geheel van opvattingen, handelingen, gevoelens en neigingen, dat wordt beoordeeld in termen als verwerpelijk en prijzenswaardig, rechtvaardigheid en onrecht, eerlijk en oneerlijk, zorgzaamheid en deugdzaamheid. De morele dimensie van geneeskundig handelen moet onderscheiden worden van bijvoorbeeld de sociale, juridische, technische en levensbeschouwelijke dimensie.

Dat het niet makkelijk is om aan te geven wat we precies onder 'moreel' verstaan (ook al weten we het intuïtief wel zo ongeveer) heeft vermoedelijk meerdere oorzaken. Het heeft in ieder geval te maken met het feit dat het in onze samenleving nog wel eens ontbreekt aan *eensgezindheid* over wat goed en kwaad is. Over euthanasie zegt de één dit en de ander dat. Sommigen zeggen dat je niet kunt *weten* wat goed en kwaad is. Hoe kun je nou bepalen of het belang van een ongeboren kind opweegt tegen het belang van de moeder, of tegen het belang van een geneeskundig onderzoek? En er zijn er zelfs die zeggen dat er niet eens zoiets als goed en kwaad *bestaat.*

Zover hoeven we niet te gaan. Dat er soms geen eensgezindheid is over moraal, betekent nog niet dat we niet kunnen weten wat goed en kwaad is. En dat we het soms niet kunnen weten, betekent nog niet dat er geen goed of kwaad bestaat. Gelukkig maar, want anders hadden we in feite niet veel in handen om toch te proberen om te beoordelen wat in een gegeven situatie goed of kwaad is. Zorgverleners zouden dan ook niet iets als een morele beroepsverantwoordelijkheid hebben waarop ze kunnen worden aangesproken. Ze zouden dan in feite overgeleverd zijn aan de individuele voorkeuren van degene met de meeste macht in die situatie: misschien de artsen, de zorgvragers of de managers.

Levensbeschouwelijke en culturele verscheidenheid

We moeten goed onderscheiden dat er tenminste twee redenen zijn waarom er over moraal soms 'ongeneeslijk' verschillend wordt gedacht.

- Moraal is verbonden met levensbeschouwelijke verscheidenheid.
- Moraal is verbonden met personen, plaatsen en tijden.

Ten eerste gaan verschillende morele opvattingen, handelingen, gevoelens, en neigingen samen met verschillende mens-, maatschappij- en wereldopvattingen. Als de mens bijvoorbeeld wordt gezien als een individu dat door eigen vrije keuzen gestalte moet geven aan een goed menselijk leven, dan is het niet ondenkbaar dat aan gehandicapte en dementerende mensen geen volwaardig menselijk leven toegekend wordt. Als de maatschappij daarentegen een geheel is van onderling verbonden leden van de menselijke gemeenschap, dan krijgen ook mensen met beperkingen daarin een waardiger status. Of wanneer men, zoals de schrijvers van dit boek, gelooft in God als de hoogste morele autoriteit, dan zal men het morele denken, doen en zijn anders zien dan wanneer men de werkelijkheid als een product van toeval of lot ziet. Kortom, verschillende benaderingswijzen van goed en kwaad hangen samen met verschillende visies op mens, samenleving en werkelijkheid (zeg maar, levensbeschouwingen). Aangezien onze samenleving in dit opzicht veel verschillen laat zien (levensbeschouwelijk of religieus pluralisme), vertoont de samenleving ook in moreel opzicht veel verschillen (moreel of ethisch pluralisme). Vandaar dat we kunnen spreken van 'christelijke moraal', 'humanistische moraal' of 'joodse moraal'.

Ten tweede, moraal is ten dele gebonden aan specifieke personen, groepen, plaatsen en tijden. Zo vinden we het in het algemeen verkeerd om in andere mensen te knijpen of te prikken. Maar wanneer iemand geneeskundige is, en zich in een operatiekamer bevindt, tijdens de juiste werkuren, dan kan dat wel toegestaan zijn (of zelfs nodig). Men zegt wel eens dat moraal relatief is en dat is in zulke gevallen ook zo. Wat voor geneeskundigen in dit geval goed is, is voor leken kwaad. Relatief betekent dan 'gerelateerd aan', bijvoorbeeld aan de geneeskunde of het vaderschap of Nederlands staatsburgerschap. Vandaar dat men wel spreekt van een artsenmoraal, een mannenmoraal of een Nederlandse moraal. Op grond van die kenmerken beoordelen we hun gedrag als goed of kwaad. Dat moraal deels relatief is wil *niet* zeggen dat artsen zelf mogen weten in wie ze knijpen of prikken, of dat het voor de ene arts goed is en voor de andere kwaad. Het wil zeggen dat ze als medicus een moraal hebben en dat van ze verwacht wordt daarnaar te handelen.

Kortom, artsen en andere werkers in de gezondheidszorg hebben althans ten dele een eigen moraal. Let wel, ze hebben altijd een moraal, of die nu voldoet aan een gewenste moraal of niet. Hun opvattingen, handelingen, gevoelens en houdingen kunnen immers altijd worden bezien vanuit het oogpunt van goed en kwaad.

Dat doen we niet altijd bewust, want vaak is veel van het geneeskundig handelen in moreel opzicht vanzelfsprekend. We vragen ons niet voortdurend af of ons gedrag nu goed of slecht is – ook artsen niet. Alleen, omdat moraal in onze samenleving, zoals gezegd, veel verschillen vertoont, zijn sommige dingen niet zo vanzelfsprekend als ze vroeger wellicht waren. Die veranderingen vragen om bezinning. Daarom wordt er tegenwoordig (in geneeskundige opleidingen bijvoorbeeld) meer aandacht besteed aan ethiek dan vroeger. Het gaat er bij die ethische bezinning dan vooral om, er uit te halen wat er al aan moraal in de geneeskunde zit – en te belichten wat er in behoort te zitten. Waar mensen leven en werken bestaat zodoende altijd al moraal, ook in de gezondheidszorg.

Beroepsverantwoordelijkheid: waarden en normen

Medische moraal en de ethische waardering ervan is al met al geen kwestie van individuele smaak of voorkeur, noch van artsen, noch van zorgvragers. De moraal van de geneeskunde heeft een eigen karakter dat sterk wordt bepaald door de beroepsmatige aard van dat handelen. Dit beroepsmatige karakter heeft uiteraard nog vele andere gevolgen voor het medisch handelen. Het betekent bijvoorbeeld dat artsen ook altijd werkzaam zijn in een organisatie en lid zijn van een beroepsgroep, zodat er voor hen afspraken en methoden gelden. Dat neemt niet weg dat van artsen verwacht wordt dat zij jegens zorgvragers een bepaald soort handelen verrichten, een type gedrag vertonen dat gericht is op de bevordering van gezondheid en welzijn van zorgvragers.

Rond die verwachting (die men natuurlijk al eeuwen heeft van mensen die dat soort zorg kunnen verlenen en die gebaseerd is op een algemeen-menselijke behoefte aan dat soort zorg) is via een ingewikkelde historie de medische professie gegroeid. Merk op dat het bij deze behoefte, verwachting en zorgverlening niet gaat om luxe, maar om noodzaak: het kunnen leven als mens, de menselijkheid van het bestaan is ermee gemoeid. Dit maakt de uiteindelijke bedoeling van het medisch handelen tot een *moreel streven.* Het gaat niet om het vervaardigen of verkopen van een product; geneeskunde is hulp verlenen aan mensen met een bepaalde behoefte of nood. Tot de moraal van de geneeskunde behoort met andere woorden dat de geneeskunde zelf op een centrale manier moreel van aard is. Daarvoor worden artsen geacht bepaalde dingen te doen (en andere dingen niet). Anders gezegd, zij moeten zich aan bepaalde maatstaven, een professionele standaard houden.

Artsen hebben op die verwachting te antwoorden, kunnen daarover ter verantwoording worden geroepen, kortom het is hun *beroepsverantwoordelijkheid* (voor alle duidelijkheid: een morele verantwoordelijkheid). Artsen kunnen niet zomaar wat doen, hun beroepsmatige gedrag is gestructureerd. Zij worden geacht ergens naar te streven – het welzijn van zorgvragers – en zij worden geacht dat op een bepaalde manier te doen, zich daarbij ergens aan te houden – hun methodiek, de professionele standaard, en zo meer. Het medisch handelen wordt gestructureerd, anders gezegd, door *waarden* (datgene waar men naar streeft) en *normen* (datgene waar men zich aan houdt). Waarden zijn de nastrevenswaardige standen van zaken, en normen zijn de gedragslijnen om die te bereiken. Artsen worden geacht de waarden en normen van hun beroep hoog te houden. Het is de beroepsverantwoordelijkheid van artsen de waarden en normen van hun beroep zo in praktijk te brengen, dat ze zo goed mogelijke zorg verlenen.

Zo kunnen we ook duidelijk maken hoe medisch-ethische problemen ontstaan. Allereerst is het natuurlijk mogelijk dat niet goed helder is wat sommige waarden en normen *betekenen*. Als we niet weten wat waardigheid of respect inhoudt, dan is het ook lastig er naar te streven. Maar wanneer we er vanuit gaan dat er veel van de beroepswaarden en -normen wel vastliggen, dan zien we dat er medisch-ethische problemen kunnen ontstaan wanneer artsen worden verhinderd hun beroepswaarden en -normen hoog te houden. Wanneer ze het moreel goede niet kunnen doen dat in hun beroepswaarden en -normen besloten ligt, ontstaat er een moreel probleem. Soms zijn er geen goede afspraken gemaakt; soms ontbreekt het aan tijd, menskracht of middelen; soms schuilen er in de omgangsvormen en samenwerkingscultuur obstakels voor goed handelen; soms ontbreekt het de personen in kwestie zelf aan de benodigde kwaliteiten om verantwoord te handelen. In al deze gevallen wordt het streven naar het medisch-ethisch goede gefrustreerd en ontstaat er een medisch-ethisch probleem. (Het begin van medisch-ethisch denken kan dan zijn om deze structurele, culturele en persoonlijke factoren te analyseren en te verbeteren.) Het is dus niet zonder meer waar dat medisch-ethische problemen worden veroorzaakt door ontwikkelingen die extern zijn aan de geneeskunde, zoals technologische, wetenschappelijke of economische ontwikkelingen.

Codes en kaders

Een belangrijk deel van deze waarden en normen vinden we terug in verschillende documenten die een normatieve rol spelen in de beroepsuitoefening. Beroepscodes, de beroepseed of -belofte, het beroepsprofiel, de wet BIG, de WGBO, eindtermen voor het onderwijs, maar ook CAO's, contracten, protocollen, methodieken en werkafspraken bevatten allemaal waarden en normen voor de geneeskunde. Een groot deel ervan wordt echter niet aan het papier toevertrouwd. Sommige waarden en normen zijn zo vanzelfsprekend dat ze nooit worden opgeschreven. Andere kunnen niet goed worden opgeschreven omdat ze per definitie van praktische aard zijn. Ze worden bijvoorbeeld aangeleerd door het voorbeeld van een ervaren arts te volgen, die dan als een rolmodel fungeert. Hoe dan ook, zulke documenten of voorschriften zijn niet wezensvreemd aan de genees-

kunde; als het goed is vormen ze juist een poging om te verwoorden wat de geneeskundige waarden en normen zijn.
Het verdient hierbij herhaling dat het in de kern van de geneeskunde gaat om een *morele waarde,* namelijk gezondheid en welzijn van de zorgvragers. Dit geldt hiermee nog niet automatisch voor alle normen in de beroepsuitoefening. Ze kunnen bijvoorbeeld ook van technische, wetenschappelijke, juridische, financieel-economische of sociale aard zijn. Deze normen moeten echter hoog gehouden worden voor zover ze bijdragen aan de realisering van de centrale waarde van de medische professie.

3. Stromingen in de ethiek

3.1 Hoofdstromen

Ethiek is bezinning op moraal, en moraal is denken, doen en zijn (en de resultaten hiervan), opgevat in termen van goed en kwaad. Medische ethiek is derhalve bezinning op moraal in de geneeskunde, dat wil zeggen, belichting van de dimensie van goed en kwaad in medisch handelen.
Nu is de vraag hoe ethische bezinning in haar werk gaat. Het zou goed zijn als we daarvoor een aantal ethische begrippen zouden kunnen aanreiken. Maar net zoals er verschillend gedacht wordt over goed en kwaad, zo wordt in de ethiek verschillend gedacht over de manier waarop je goed en kwaad moet belichten. (Misschien moeten we wel zeggen: *omdat* er verschillend gedacht wordt over goed en kwaad, wordt er verschillend gedacht over manieren om je er op te bezinnen.) Dat heeft weer tot gevolg dat er sprake is van stromingen in de ethiek die goed en kwaad van verschillende kanten belichten. Ethische begrippen krijgen in deze ethische stromingen verschillende betekenissen.
We kunnen die niet allemaal behandelen. We beperken ons tot drie klassieke stromingen enerzijds en drie hedendaagse stromingen anderzijds. Zo kan men ethische stromingen om te beginnen indelen aan de hand van het aspect van het handelen dat wordt aangewezen als doorslaggevend voor ethische en morele beoordeling: de context, de handeling en de persoon. Deze indeling maakt dat er stromingen in de ethiek zijn die een centrale plaats toekennen aan het:

- Situatie-perspectief: welke gevolgen moet het handelen hebben (consequentialisme),
- Act-perspectief: waaraan moet de handeling zelf moet voldoen (deontologie), en
- Actor-perspectief: welke gezindheid moet degene die handelt tonen (deugdenethiek)?

Dit zijn drie verschillende perspectieven op morele beoordeling (en dus van ethiek). Nadruk op verschillende aspecten zal verschillende ethische gezichtspunten opleveren. Wie vooral de gevolgen van handelen centraal stelt, zal in de bezinning op moraal tot andere conclusies komen dan iemand die de plichten centraal stelt, of de deugd. Neem liegen. Wie vooral kijkt naar gevolgen, zal zeggen: als liegen goede gevolgen heeft, kan het aanvaardbaar zijn. Wie echter plichten centraal stelt, zal zeggen: liegen is een schending van de plicht waarheid te spreken, en derhalve mag het nooit, wat de gevolgen ook zijn. En wie de deugd centraal stelt, zou kunnen zeggen: het hebben van goede intenties betekent dat liegen in de regel verkeerd is, maar dat het soms nodig kan zijn.

3.2 Varianten

Er zijn nog weer verschillende accenten *binnen* die stromingen, en combinaties *tussen* die stromingen. Belangrijk is bijvoorbeeld de stroming die de gevolgen van handelen centraal stelt, maar dan vooral opgevat als *nut*: goed is wat bijdraagt aan het grootste nut voor het grootste aantal mensen. Deze zeer belangrijke stroming noemen we het utilisme. Binnen het utilisme zijn weer varianten denkbaar: het is nuttig om je aan gezamenlijke regels te houden (regel-utilisme); regels doen er niet toe, we beschouwen in elke situatie afzonderlijk wat nuttig is (act-utilisme); of: nuttig is wat genot oplevert (hedonisme). Bovenstaande indeling is dan ook nogal een ruwe. Maar er zijn ook andere varianten. Zo is in de klassieke oudheid en vroege Middeleeuwen de teleologie bekend (handelen draagt bij aan een hoger doel of groter goed), en is in de moderne tijd een plicht-ethiek (in de moraal theologie ook deontologie) bekend geworden die vaak teruggaat op de filosoof Kant.

Deze stromingen zijn ook in de medische ethiek van invloed. De concentratie op de gevolgen van het handelen zien we in de redenering dat bijvoorbeeld euthanasie tot goed medisch handelen behoort, omdat zowel het staken van behandeling als het toedienen van een levensbeëindigend middel beide tot gevolg heeft dat de patiënt (eerder) overlijdt en dat er daarom geen ethisch relevant onderscheid tussen is. Doden of dood laten gaan is dan ethisch hetzelfde. Maar er wordt ook wel gezegd dat medisch handelen moet voldoen aan bepaalde *plichten*, waarvan de plicht niet te doden er een is (hetgeen dwingt rond het levenseinde naar alternatieve beslissingen te zoeken). En er wordt wel gezegd dat een deugdzame arts niet de *intentie* heeft zorgvragers te doden, ook al zou het levenseinde van een zorgvrager een onbedoeld en te voorzien gevolg zijn van de beslissing van de arts om bijvoorbeeld meer pijnmedicatie toe te dienen. Doden en laten doodgaan is dan ethisch niet hetzelfde.

3.3 Andere varianten

Moraal heeft zoals gezegd meer aspecten die relevant zijn voor ethische bezinning dan alleen gevolgen, plichten en deugden. Dat is in de hedendaagse ethiek wel duidelijk geworden. Er zijn meer varianten opgekomen, die misschien in genoemde stromingen kunnen worden ondergebracht maar toch een heel eigen en invloedrijke uitwerking hebben gekregen. Zo zijn er ethische stromingen waarin rechten van mensen centraal staan. In de medische ethiek en het gezondheidsrecht komen we dat veel tegen: er wordt van uitgegaan dat de mens zoveel mogelijk zelfstandig zijn eigen beslissingen moet kunnen nemen (een autonoom individu is); het zelfbeschikkingsrecht. Dat betekent dat zorgvragers recht hebben op adequate informatie, inzage in de eigen dossiers, recht op een 'second opinion', en zo verder. Niet al deze rechten zijn medisch gezien noodzakelijk of nuttig. De verdienste van dit model is de kern dat er tal van rechten zijn die in de gezondheidszorg gerespecteerd moeten worden, zoals het recht op privacy, het recht op bescherming tegen geweldpleging en mishandeling, en verder.

Een moderne stroming die niet een enkel inhoudelijk principe naar voren brengt als doorslaggevend voor ethische bezinning, is de vier-principes-ethiek of 'principlisme'. Men werkt niet zozeer aan de hand van een enkel ethisch principe, maar geeft een overzicht van ethische principes (vandaar de naam) die door veel van de ethische stromingen in de gezondheidsethiek gedeeld worden. In deze stroming stelt men dat in de gezondheidsethiek vooral vier principes centraal zijn, namelijk

- autonomie,
- rechtvaardigheid,
- wel-doen en
- niet-schaden.

Moraal en ethische bezinning, suggereert deze stroming, is vooral een kwestie van het rationeel en onpartijdig analyseren en toepassen van abstracte, algemeengeldige principes. Hoe de toepassing er uit ziet, hangt mede af van de concrete situatie.

Een volgende stroming die recent is opgekomen en voor een deel gezien kan worden als een reactie op de vier-principes-ethiek is de 'zorg-ethiek'. Het rationele en onpartijdige toepassen van abstracte en algemene principes doet geen recht aan het structureel relationele, situatiegebonden en sociale karakter van het menszijn, menen vertegenwoordigers van deze stroming. Ethische bezinning dient de leefwerelden van individuele mensen, hun unieke kenmerken (bijvoorbeeld zwakheid en afhankelijkheid), hun onderlinge betrokkenheid en ondersteuning in rekening te brengen. Denk aan de relaties tussen ouder en kind, leraar en leerling, of werkgever en werknemer. Wat in die relaties doorslaggevend is voor moreel goed gedrag is niet zozeer het toepassen van bepaalde principes, maar of men jegens elkaar handelt *met zorgzaamheid.* Aan deze stroming is dan ook wel de naam *ethics of care* gegeven, vertaald met 'zorg-ethiek' of 'ethiek van de zorg'. Omdat het hier niet specifiek gaat om ethiek van de zorgverlening lijkt het beter te vertalen met 'ethiek van de zorgzaamheid'. Hoewel hierover veel spraakverwarring bestaat, wint deze ethiek in kringen van zorgverleners momenteel sterk aan populariteit.

3.4 Christelijke benadering

Een christelijke benadering van medisch-ethische ethiek kan niet volstaan met de uitwerking van een van bovengenoemde invalshoeken. Ook al spreekt het Oude Testament van Tien Geboden, een christelijke ethiek is niet alleen een plichtsethiek. Ook al vraagt Jezus van ons onze naaste lief te hebben, christelijke ethiek is niet alleen een gezindheidsethiek. Het gaat om de juiste gevolgen, de juiste principes en de juiste houding. Het gaat om het handelen in een leven dat als geheel beantwoordt aan Gods bedoeling met ons bestaan. We noemen een christelijke ethiek daarom ook liever een verantwoordelijkheidsethiek: mensen worden door God verantwoordelijk gesteld, zij zijn geroepen te verantwoorden of hun leven beantwoordt aan het mandaat dat mensen is gegeven zich te bekeren, de schepping te bebouwen en te bewaren, het evangelie te verbreiden, en vrede en gerechtigheid te bevorderen.
Van veel dingen die christenen weten, inclusief de dingen die zij uit de Bijbel weten, kunnen coördinatiepunten worden afgeleid voor medisch-ethische bezinning, zoals in de vervolghoofdstukken zal worden getoond. We noemen hier vier heilshistorische punten: schepping, val, verlossing en voltooiing.

Schepping

De schepping is een zichtbare uitdrukking van Gods wil en gedachten. Ze vertoont een ordening die de wil van de Maker weerspiegelt en die in acht genomen dient te worden om de schepping tot ontplooiing te brengen. De mens is geschapen naar Gods Beeld. Dit wil zeggen in de betrekking tot God en als Gods representant op aarde. Ethische implicaties hiervan zijn: de waardigheid van het menselijk leven en de menselijke verantwoordelijkheid.
De ordeningen zijn geen starre, maar dynamische structuren die telkens weer geïnterpreteerd en geleefd moeten worden. Het geloof in de werkelijkheid als schepping leidt tot een a priori positieve waardering van de geschapen werkelijkheid, bijvoorbeeld van het lichamelijke bestaan, van de 'natuur' en van de cultuur. Bij een eenzijdige nadruk op dit element bestaat het gevaar dat men te weinig oog heeft voor gebrokenheid van onze wereld; de scheppingsorde is aangetast. En er is het gevaar van conservatisme in de zin dat bepaalde historische vormgevingen van ordeningen voor de ordening zelf worden aangezien.

Val

De relatie met God, met de naaste en met de geschapen wereld (natuur) is verstoord door menselijke schuld; de Bijbel spreekt over zonde als doel missen en ongerechtigheid. Het leven is niet zoals het is bedoeld; de bestemming is van de mens uit onbereikbaar geworden.

De natuur is gevallen schepping waaruit niet zomaar Gods wil en bedoeling is af te lezen. Die verstoring blijkt onder meer uit ziekte, lijden en dood. Het 'onnatuurlijk' zijn van een handeling is niet zonder meer een argument in de christelijke ethiek, maar de natuur blijft ten diepste wel geschapen werkelijkheid waarin zich nog altijd een orde weerspiegelt. Verstoring parasiteert op de orde; er kan ook alleen maar over verstoring worden gesproken in het licht van een orde. Wanneer het onnatuurlijke tevens gezien moet worden als een doorbreking van een geschapen normatieve ordening dan is wel sprake van een christelijk-ethisch bezwaar. Bij eenzijdige nadruk op dit element bestaat het gevaar dat men te weinig verwachting heeft van wat soms ook nu aan goeds kan worden gedaan (zoals bijvoorbeeld een opwekking in Engeland begin 18e eeuw en het Reveil begin 19e eeuw).

Verlossing

Als reactie op de Val gaf God de mens de Wet en de Verlosser. Jezus Christus, Gods Zoon is gekomen als mens om als mens Gods wil te vervullen en de mens met God te verzoenen en mens en wereld te verlossen, dat wil zeggen: weer te brengen tot de bestemming. Die verlossing gaat voor de mens niet buiten een persoonlijke betrokkenheid met Christus om. Jezus Christus staat dan ook centraal in de christelijke ethiek en moraal. In het christelijke leven gaat het erom dat het koningschap van Christus gestalte krijgt; in een dergelijk leven staat de liefde centraal. Dit kan alleen door de Heilige Geest.

Verlossing is de verlossing *van* de schepping, niet *uit* de geschapen werkelijkheid. Dit betekent dat de orde zoals bedoeld in de schepping geldig blijft en tot haar bestemming komt in de verlossing. Zo worden bijvoorbeeld verschillen tussen mensen van verschillende rassen en volken niet uitgeveegd. Die volkeren zullen een eenheid vormen maar niet door allemaal gelijk te zijn. Het is een eenheid als in een mozaïek. Tezamen zullen zij een patroon vormen dat de wijsheid en de grootheid van God zal tonen. De eigenaardigheden van rassen en volken, van mannen en vrouwen worden in de verlossing geheiligd en in de voltooiing opgenomen in een hogere harmonie.

Wet en liefde

De liefde staat centraal in het verstaan van de wet en daarom in de christelijke ethiek (Matt. 22: 37-40; Rom. 13: 8-10). De liefde is de vervulling van de wet, niet de vervanging ervan. Jezus radicaliseert de wet in het liefdegebod (Matt. 5-7).

Liefde geeft ons de fijngevoeligheid en het onderscheidingsvermogen dat ons in staat stelt de geboden in concrete situaties te positiveren (de actuele concrete betekenis ervan te zien en toe te passen, Fil. 1: 9-11).
Zowel de wet als de christelijke liefde zijn theocentrisch. Zij zoeken de wil en eer van God; in dat licht zoeken zij de menselijkheid, de opbloei van mensen en zijn daaraan dienstbaar; zij zijn gericht op het gebruik en de ontplooiing van de schepping tot welzijn van de mensheid (ook van toekomstige generaties).
De wet van God en de ordeningen van de schepping gelden en doen hun gelding ervaren in positieve of in negatieve zin. Het eenzijdig benadrukken van de verlossing kan leiden tot een Koninkrijksethiek die stelt dat christelijke ethiek alleen geldt voor de gelovigen, hetgeen kan leiden tot terugtrekking tot 'eigen mensen' en tot het loslaten van de schepping en scheppingsordeningen (bijvoorbeeld in man-vrouwverhoudingen; verhouding ouders-kinderen; de staat; de verhouding tussen liefde en wet).

Voltooiing
De verlossing zal zich volledig manifesteren in de voltooiing, in de vernieuwde schepping. Voor de ethiek betekent dit dat ongerechtigheid, zonde, lijden, ziekten en dood niet het laatste woord zullen hebben maar het Rijk Gods met zijn gerechtigheid en vrede. Dit is een sterk motief om zich te blijven inzetten voor een verbetering van omstandigheden en voor een rechtvaardiger wereld; heling en herstel van beschadigde mensen en verhoudingen mag een teken zijn van het volkomen herstel in Gods Rijk. Tot slot relativeert het onze huidige situatie en ons werk, want het lichamelijke bestaan zal niet zo blijven, maar verheerlijkt worden. Het is dus een relativering van lichamelijke beperkingen, van seksualiteit, voedsel, kleding, etc. ('Het uiterlijk van deze wereld is bezig te verdwijnen', 1 Kor. 7: 31).
Het is een relativering ook in die zin dat de wereld van volkomen vrede en recht niet het resultaat zal zijn van onze inspanningen en mogelijkheden, geen technisch paradijs, maar van God komt, door het oordeel bij de wederkomst van de Here Jezus. Dus geen fanatiek utopisme en geen cynisch defaitisme.

Medische-ethische onderwerpen
In welke onderwerpen oriëntatie moet worden geboden, hangt af van de onderwerpen die op een gegeven moment actueel zijn. In de huidige tijd valt, naast levensbeëindiging en abortus, te denken aan klonering, stamcelonderzoek en alternatieve geneeswijzen. Daarom is de inhoud van deze nieuwe uitgave aangepast. Een overzicht dat wel van medisch-ethische onderwerpen gegeven wordt, is die aan de hand van de levensloop, en wel het begin, het midden, en het einde van het leven. Om te beginnen zijn er dan medisch-ethische onderwerpen aan het begin van het leven, zoals vragen rond kunstmatige voortplantingstechnieken, pre-

nataal erfelijkheidsonderzoek, embryo-onderzoek, abortus provocatus, en voortzetten of staken van behandeling bij pasgeborenen. Tijdens de levensloop kunnen vragen opkomen naar de arts/patiënt-relatie, beslissingen over behandeling, alternatieve behandelwijzen, orgaandonatie, medisch-wetenschappelijk onderzoek, erfelijkheidstesten, verdeling van financiële middelen, en zo meer. Tenslotte zijn er medisch-ethische kwesties rond het levenseinde, zoals euthanasie, wilsbekwaamheid, terminale dehydratie (versterven), terminale sedatie, etcetera. Uiteraard kunnen onderwerpen in meerdere levensfasen spelen.

4. Een hulpmiddel bij morele beraadslaging

4.1 Structurele, culturele en persoonlijke factoren

Dit gezegd hebbend, keren we terug naar de vraag: hoe kunnen mensen in de gezondheidszorg een begin maken met een morele bezinning (al dan niet in een ethische commissie)? Er is het een en ander aan literatuur waarin stappenplannen aan de orde komen. In het volgende zal een drievoudige indeling worden gegeven waarmee men gemakkelijk kan begrijpen en hanteren welke factoren het morele handelen en beslissen beïnvloeden. De uitkomst van de morele beraadslaging wordt altijd beïnvloed door:

- structurele,
- culturele en
- persoonlijke factoren.

Beroepsuitoefening en de morele beraadslaging die daar onderdeel van uitmaakt, is altijd opgespannen tussen twee dimensies: het resultaat dat wordt nagestreefd (de taak of zaak) en de mensen waarmee men te maken heeft. In sommige situaties zal de aandacht uitgaan naar de zakelijke kant van het werk: welke afspraken zijn er, wat is het wettelijk kader, wie heeft de leiding, welke resultaten worden verwacht? En zo verder. Kernvraag is hierbij: wat is haalbaar, wat is mogelijk, wat kan, wanneer we een (moreel verantwoord) besluit moeten nemen? We noemen dit de *structuur* waarin een en ander plaatsvindt: de vastgelegde beleidsdoelen, meetpunten, overlegvormen, werkafspraken, contracten, statuten, en zo verder. In andere situaties zal de aandacht meer uitgaan naar de menselijke kant van het werk: met welke mensen en manieren van omgaan met elkaar hebben we rekening te houden als we een besluit moeten nemen? Kernvraag daarbij is: wat is houdbaar, wat is toelaatbaar, wat mag? Dit is doorgaans niet in structuren neergelegd, maar vormt wat we de *cultuur* kunnen noemen: de toon die men aanslaat tegen elkaar, de steun en loyaliteit, de openheid die heerst, de gewoonten, de sfeer, de gedragscodes, en zo meer: 'praat, daad, gewaad en gelaat'.

Beroepsuitoefening kent altijd deze twee dimensies van een taakgerichte structuur en een mensgerichte cultuur. Wat nog meer is, is dat de kwaliteit van de beroepsuitoefening en dus het omgaan met morele spanningen, wordt bepaald door de *verhouding* tussen die beide dimensies. De beroepsuitoefening en beraadslaging is optimaal wanneer hoog wordt gescoord op *beide* dimensies, niet op een van de twee. Dat kan duidelijk worden gemaakt door een (negatief) voorbeeld: we kunnen ons allemaal het dilemma voorstellen van een leidinggevende die moet omgaan met een medewerker die niet functioneert, maar ook niet met goed fatsoen aan de kant gezet kan worden. De taakgerichte structuur (wat wil je bereiken?) en de mensgerichte cultuur (wat kun je wel en niet maken?) gaan hier niet meer optimaal samen. Hoe kom je dan tot een optimale verhouding tussen de taakgerichte en de mensgerichte dimensie? Dat hangt ten sterkste af van de *persoonlijke* kwaliteiten van degene die met de spanning moet omgaan, die de beslissing moet nemen. Deze moet de vermogens hebben om de taken en de mensen tot hun recht te laten komen. Hiertoe zijn vaardigheden nodig, zeker, zoals vaardigheden voor het voeren van gesprekken en onderhandelingen, het analyseren en verwoorden van gedachtengangen, etcetera. Maar minstens zo belangrijk zijn de idealen die artsen voor mens en werk zien, diens 'waarden en normen', zeg maar, diens *grondhouding*.

4.2 Wat kan, wat mag en wat moet

Dat deze persoonlijke factoren de beraadslaging beïnvloeden, blijkt uit een eenvoudig voorbeeld, namelijk het houden van overleg (denk maar aan een vergadering van een ethische commissie). Of een overleg goed functioneert hangt om te beginnen af van de structuur. Er wordt afgesproken hoe vaak ze gehouden worden, waar, op welk tijdtip, wat er op de agenda staat, wie voorzit en wie notuleert. Wordt aan een of meerdere criteria niet voldaan, dan is de kans op een geslaagd overleg klein. Als er wel een goede structuur is, dan zijn we er echter nog niet. Of het overleg slaagt, hangt ook af van culturele factoren. Over sommige onderwerpen heerst misschien een taboe, of juist niet, over mensen wordt met respect gesproken, of juist niet, en zo verder. Als sommige dingen niet of alleen lacherig besproken worden, zal het overleggen niet lukken. Maar zelfs als de structuur van het overleg optimaal is, en de cultuur eveneens, dan kan het nog zijn dat het niet goed functioneert, namelijk als de aanwezigen niet over de individuele kwaliteiten beschikken voor een goed overleg. De structuur kan nog zo helder zijn en de sfeer open, maar als ik niets durf te zeggen of het allemaal niet zo belangrijk vind, dan zal het vergaderen toch niet goed slagen.

Kortom, morele beraadslaging in de beroepspraktijk wordt beïnvloed door structurele, culturele en persoonlijke factoren. Maar juist de persoonlijke factoren van degenen die leiding geven bepalen de verhouding tussen de structurele en de culturele factoren. Deze persoonlijke factoren betreffen bijvoorbeeld opvattingen over de *zin* van de beroepsuitoefening, wat er eigenlijk de *bedoeling* van is, het uiteindelijke ideaal. Uit de uiteindelijke waarden die centraal zijn in die overwegingen, vloeien de normen voort die onder meer zijn vastgelegd in structuur en cultuur. De kernvraag is daarbij niet uitsluitend wat mogelijk of toelaatbaar is, maar wat nodig is. Niet alleen telt

- wat (structureel) kan of
- wat (cultureel) mag, maar ook
- wat (principieel) *moet.*

Hoewel het hier gaat om de minst zichtbare dimensie van de beroepsuitoefening, vraagt professionaliteit hier uitdrukkelijk om het afleggen van verantwoording. Dit is een onopgeefbaar onderdeel van de geneeskundige beroepsverantwoordelijkheid: de onvoorwaardelijke bereidheid om te verantwoorden waarom je doet wat je doet, en waarom je het doet zoals je het doet.

Wanneer artsen deelnemen aan moreel beraad, zoals in een ethische commissie, dan kunnen zij de verschillende factoren die van invloed zijn op de betreffende kwestie, op deze manier begrijpen en hanteren. Zij kunnen zichzelf dan de volgende drie vragen stellen:

- Welke structuur is gegeven en hoe bepaalt die de haalbaarheid van wat besloten moet worden?
- Welke cultuur heerst er ten aanzien van het probleem in kwestie en hoe bepaalt die de houdbaarheid van de alternatieven waar we voor kunnen kiezen?
- Welke persoonlijke factoren bepalen de mogelijkheden om tot een goede beslissing en uitvoering van het gekozen alternatief te komen en waaraan is dat dienstbaar?

Deze toets kan eenvoudig toegepast worden. Stel dat een verzoek bij de ethische commissie komt om een handreiking bij het grenzen stellen aan ongewenste intimiteiten. Op dit gebied bestaan verschillende regelingen en kanalen in de gezondheidszorg. Artsen doen er om te beginnen goed aan daar kennis van te nemen. Is er een regeling voor het ziekenhuis, wat zegt de beroepscode, of de inspectie? In hoeverre fungeert er een vertrouwenspersoon, en waar kun je met klachten terecht? Welke onderlinge overlegvormen zijn het meest geschikt om de vinger aan de pols te houden? Moet personeel en zorgvragers meer informatie verstrekt worden? En zo verder. Voorts wordt het omgaan met ongewenste intimiteiten omgeven door bepaalde gewoonten, afdelingsstijlen, groepsdwang en al dan niet stilzwijgend aanvaarde schendingen van gedragscodes en fatsoensnormen. Er kunnen wel afspraken en brochures gemaakt worden, maar als deelnemers zich generen of niet interesseren, dan wordt morele beraadslaging een lastig verhaal. Soms moeten medici dan ook een pijnlijke strijd aangaan tegen een groep, of tegenover de zorgvrager. En dat wijst weer op het belang van persoonlijke kwaliteiten voor het nemen en hooghouden van morele besluiten (al dan niet door de ethische commissie genomen). Wie of wat is er mee gediend als je ongewenste intimiteiten laat voortbestaan? Misschien moet je wel eerst je kennis bijspijkeren, of medestanders zoeken, of over je eigen houding ten opzichte van intimiteit nadenken. En soms moet je gewoon moed verzamelen en de stoute schoenen aandoen! Een aldus beschreven besef van persoonlijke verantwoordelijkheid voor het omgaan met morele problemen is eigen aan de christelijke levensovertuiging.

5. *Ethische commissies*

Omdat ethische commissies een belangrijke plaats van moreel beraad vormen (al kan men natuurlijk ook denken aan cliëntenraden of pastorale gesprekken), zal in dit hoofdstuk tot slot nog kort worden ingegaan op de werking van dergelijke commissies. In de jaren tachtig hebben ethische commissies een snelle opmars gemaakt in de Nederlandse gezondheidszorginstellingen. Met name in algemene en psychiatrische ziekenhuizen en inrichtingen voor verstandelijk gehandicapten hebben de meeste zo niet alle instellingen er een. Momenteel zijn verpleeg- en verzorgingshuizen de achterstand aan het inhalen. Er is een schatting van meer dan 300 commissies in ons land. De kans is erg klein dat de instelling waar zorgverleners werken geen ethische commissie heeft.

5.1 *Twee soorten commissies*

De praktijk van de gezondheidszorg is de afgelopen decennia onmiskenbaar omvangrijker en ingewikkelder geworden. De kans op fouten, de vraag naar de juiste keuze, en het opstellen en toepassen van geschikte regelingen zijn steeds belangrijker geworden. In eerste instantie is het de beroepsverantwoordelijkheid van de betrokken zorgverleners om hun eigen handelwijzen te bepalen (op geleide van de behoefte van de zorgvrager). Het kan natuurlijk gebeuren dat een zorgverlener er niet uit komt, of dat zorgverleners er onderling niet uitkomen, of dat zij er niet met andere werkers binnen de instelling uitkomen. Dan kan het op z'n plaats zijn dat de hulp van een ethische commissie wordt ingeroepen. In de praktijk blijkt dat zorgverleners hun spanningen het liefst zelf of de werkvloer oplossen, dat wil zeggen binnen de bestaande overlegvormen. Het is slim als een ethische commissie hier ook op inspeelt. Een ethische commissie neemt dan wel morele beraadslaging uit handen van de enkeling, maar als het goed is, blijft er verband tussen het werk op de vloer en het werk van de commissie. Een ethische commissie mag nooit een excuus zijn om zelf niet meer aan morele beraadslaging te doen!

Er kunnen in de gezondheidszorg twee soorten ethische commissies worden onderscheiden:

- Medisch-ethische toetsingscommissies en
- Ethische commissies (zorg-gerelateerde commissies).

Een medisch-ethische toetsingscommissie (METC) is wettelijk verplicht voor instellingen waar wetenschappelijk onderzoek wordt verricht onder zorgvragers (Besluit eisen erkenning voor ziekenhuizen, Wet medisch-wetenschappelijk onderzoek). Dat hoeven niet allerlei spectaculaire experimenten te zijn; ook medicijnen-onderzoek, bloedtesten, interviews, en dergelijke, vallen hieronder. Een lokale toetsingscommissie moet door de landelijke toetsingscommissie (Centrale Commissie Medisch Onderzoek) erkend zijn. Ze moet onder meer bezien of de belangen van de zorgvragers voldoende zijn beschermd (denk aan vertrouwelijke gegevens, eventuele gezondheidsgevaren), of er een deugdelijk protocol voor opgesteld is, en dergelijke. In bepaalde gevallen is het verplicht de CCMO te raadplegen, zoals bij onderzoek met wilsonbekwame patiënten. Ook geeft de wettelijke regeling van zorgvrager-gebonden wetenschappelijk onderzoek aanwijzingen voor de samenstelling van toetsingscommissies: in ieder geval artsen, een jurist, een ethicus en een deskundige op het gebied van wetenschappelijk onderzoek.
De tweede soort commissie heet doorgaans ethische commissie en buigt zich over onderwerpen die opkomen uit de praktijk van zorg en behandeling. Die onderwerpen kunnen uiteenlopen van wachtlijsten-problematiek, privacy-vraagstukken, daklozen- en verslaafdenbeleid tot beleid inzake orgaandonatie, levensbeëindigend handelen, niet-reanimeerbesluiten, en omgaan met pogingen tot zelfdoding. De onderwerpen kunnen in principe door alle geledingen in de instelling worden aangedragen. Het is meestal aan de commissie om te bepalen of zo'n aanvraag ook op het juiste adres is bezorgd: misschien is het een directiekwestie of een kwestie van eigen (beroeps-)verantwoordelijkheid. Voor deze commissies is namelijk niets wettelijk geregeld; de instellingen richten ze naar hun eigen behoeften in (tenzij het tevens een toetsingscommissie is). Ze kunnen per instelling verschillende taken, bevoegdheden, samenstellingen en functies hebben. Overigens geldt in de praktijk dat in vele instellingen wel combinaties van beide soorten commissies voorkomen, al naargelang de behoefte van de instelling.
Het spreekt dan ook vanzelf dat de samenstelling van de zorggerelateerde ethische commissies kan variëren. Meestal zijn de zorgverlenende kerndisciplines uit de instelling vertegenwoordigd: de medici, verpleegkundigen, de psychosociale zorgverleners en vaak een geestelijk verzorger. Daarbij zijn er soms zorgvragers vertegenwoordigd, vanuit een patiëntenorganisatie of oudervereniging, plus vaak een externe deskundige, zoals een jurist of een filosoof. Ook dit hangt af van de behoeften van de instelling (zie hieronder over de functie van commissies). Directie- of managementleden maken meestal geen deel uit van de ethische com-

missie (al kunnen ze de vergaderingen qualitate qua bijwonen), omdat dit belangenverstrengeling kan geven.

5.2 Werkzaamheden van de ethische commissie

In het algemeen onderscheiden we de
- consultatieve (of adviserende) taak,
- regulatieve (of beleidsvoorbereidende) taak,
- educatieve (begeleidende en vormende) taak, en
- reflectieve (of algemeen bezinnende) taak.

Vaak zal het werk van een ethische commissie met advisering geassocieerd worden: ze geeft gevraagd of ongevraagd advies (hoewel het laatste niet zoveel schijnt voor te komen als het eerste). Hoe gaat dat in z'n werk? Stel, er is een moreel probleem op een afdeling, bijvoorbeeld: hoe moet worden omgegaan met agressieve zorgvragers. De behandelaars en de verzorgers komen er niet uit, en het onderwerp wordt via het clusterhoofd voorgelegd aan de ethische commissie voor een advies. Deze commissie zoekt de relevante wettelijke regelingen bij elkaar, weegt de verschillende belangen af, praat met betrokkenen, schat hun vaardigheden in, kijkt welke aanknopingspunten er zijn in afdelingsbeleid en instellingsprojecten, en komt met een voorstel om het voortaan zus of zo te doen, al dan niet gevolgd door een gespreksmiddag, oefenprogramma en evaluatietijdstip. De hoofdzaak was hier de *consultatieve* taak. Niet zelden gaat het hierbij om de bespreking achteraf van incidenten in de zorgverlening.

In het genoemde voorbeeld had de ethische commissie ook kunnen overgaan tot het opstellen van een beleid, protocol of reglement. In dat geval had ze directieven gegeven die de betrokkenen geacht werden te volgen (hoeveel succes dat ook zal hebben). In dat geval had ze een *regulatieve* taak; er wordt dan een regeling opgesteld, die – door de directie bekrachtigd – door de zorgverleners moet worden opgevolgd. Zulke protocollen worden er vaak geschreven voor het omgaan met versterving, of euthanasie, of orgaanuitname voor transplantatie.

Tevens had de commissie in genoemd voorbeeld een *educatieve* taak: ze nam het op zich om de betrokkenen te (laten) scholen in het moreel correct omgaan met agressieve zorgvragers. Ze constateerde misschien dat het probleem was dat de betrokkenen hun beroepsverantwoordelijkheid geen gestalte konden geven door een gebrek aan vaardigheden. Het laat zich denken dat een commissie bij andere onderwerpen eveneens een vormende taak voor zich ziet weggelegd. Na de komst van de nieuwe Wet orgaandonatie hebben sommige zorgverleners misschien behoefte aan bijscholing over de inhoud van die wet en over de gevolgen voor hun beroepshandelen. Of een commissie stelt een protocol op voor het omgaan met zelfmoordpogingen; dat moet dan aan alle medewerkers in de instelling worden bijgebracht. Dit zou door een commissie opgepakt kunnen worden.

Ten slotte kan zo'n ethische commissie ook een meer algemene, *bezinnende* taak hebben. Het genoemde voorbeeld van het omgaan met agressie zou de commissie (gevraagd of ongevraagd) op het spoor kunnen zetten van de algemenere vraag hoe in de zorgverlening moet worden omgegaan met de zelfredzaamheid of autonomie van zorgvragers. Op welke gronden moet je die honoreren en op welke gronden moet je daar soms juist grenzen aan stellen? Hoe zit dat bij de categorie zorgvragers in onze instelling? Hoe de commissie haar bezinning vervolgens naar buiten brengt is nog weer een tweede. Misschien door een artikeltje in de instellingskrant. Het ligt echter voor de hand dat zij daarbij ook anderen in de instelling betrekt, misschien door een bezinningsbijeenkomst of ethische lunchbesprekingen op de afdelingen over de vraag: wat is autonomie?, of: hoe zelfredzaam kan een zorgvrager zijn?

5.3 Producten en functies

Met deze verschillende taken hangt samen dat een ethische commissie tot verschillende resultaten of 'producten' kan komen dan wel verschillende gevolgen of 'functies' kan hebben.

Producten
- Adviezen
- Protocollen
- Discussiestukken
- Bijeenkomsten
- Vorming

Functies
- Reflectie
- Distantie
- Verscheidenheid
- Deskundigheid

We zagen dat er adviezen opgesteld kunnen worden voor leidinggevenden en artsen op de afdeling (bindende en niet-bindende). Zij kan ook verschillende activiteiten organiseren, zoals gespreksmiddagen over agressie of cursussen. Een ethische commissie is er beslist niet om stukken te schrijven die in de la verdwijnen. Zij kan aansluiten bij lopende ontwikkelingen in de instelling, zoals projecten voor kwaliteitsbeleid of deskundigheidsbevordering, al naargelang de bedoeling van de morele impuls die zij wil geven.
Deze taken, activiteiten en producten kunnen op verschillende manieren uitwerken in de instelling. Een gevolg of functie van zo'n commissie is dat er bij wordt stilgestaan of het hele systeem nog wel oplevert waar het voor is bedoeld. Wanneer iedereen gewoon z'n werk doet en maar voortholt, bestaat de kans op fouten, nalatigheden en vergissingen. Er moet een plaats in de machinerie zijn waar mensen zich afvragen: kan dit zo nog wel? Hoe kunnen we beter doen wat we moeten doen? Komt agressie misschien voor omdat zorgverleners andere dingen aan hun hoofd hebben? Een ethische commissie kan zoals gezegd zo'n alge-

mene reflectieve functie hebben: door haar activiteiten worden mensen er bij bepaald wat hun beroepsverantwoordelijkheid eigenlijk is.
Soms is het goed dat het nadenken over morele vraagstukken en spanningen plaatsvinden in een omgeving waar men enige tijd van een afstand tegen zo'n onderwerp kan aankijken. Enige distantie kan op zijn tijd geen kwaad, zeker bij een onderwerp als agressie of ongewenste intimiteiten: de emoties kunnen tot bedaren komen, betere formuleringen gevonden, de bredere context in ogenschouw genomen worden, en zo verder. De ethische commissie vormt als het goed is een plaats waar dat zonder gevaren kan gebeuren.
Een derde functie is, dat een diversiteit aan perspectieven in ogenschouw genomen kan worden. Een moreel probleem komt nooit alleen: altijd zijn er ook psychologische, sociale, en juridische dimensies (zie de vorige paragraaf). Dus niet alleen artsen of managers moeten hun woordje kunnen doen, ook patiëntenvertegenwoordigers, verpleegkundigen, psychologen, maatschappelijk werkenden, en geestelijk verzorgers. De verscheidenheid aan disciplines geeft vaak een relativering van eenzijdige redeneringen, korte-termijndenken of belangenpolitiek. Dit is in de directe confrontatie op de afdeling soms niet goed mogelijk, wanneer een ieder in het heetst van de strijd alleen kijkt vanuit zijn eigen perspectief.
Ten slotte heeft een ethische commissie soms het voordeel boven beraadslaging in de directe situatie dat ze meer deskundigheid op de been kan brengen. De tijd, de distantie en de diversiteit brengen dit vaak al met zich mee, maar het verdient nadruk: moreel beraad kan moeite kosten. Ethiek bedrijven vraagt inzet, vraagt studie en vraagt, *last but not least*, erkenning door het instellingsmanagement. Daarom moeten leden van een ethische commissie ook zelf bekwaam zijn in ethiek en moraal (van de gezondheidszorg). Het kan heel verhelderend werken om te vernemen dat er voor ongewenste intimiteiten regelgeving is en bepaalde wegen die men kan bewandelen om bescherming te verkrijgen – in de dagelijkse praktijk slaagt men er niet altijd in om die deskundigheid op tijd te verwerven – aan te wenden.

Literatuur

Ethiek in de geneeskunde
I. Bolt, M. Verweij, J. van Delden (red.), *Ethiek in praktijk*. Nieuwe, geheel gewijzigde uitgave. Assen: Van Gorcum, 2003.
G. Widdershoven, *Ethiek in de kliniek*, Amsterdam: Boom, 2000.
H. ten Have, R. ter Meulen, E. van Leeuwen, *Medische ethiek*, Houten: Bohn Stafleu Van Loghum, 1998.
J. Douma, *Medische ethiek*, Kok: Kampen, 1997.
H. Jochemsen, G. Glas, *Verantwoord medisch handelen,* Amsterdam: Buijten & Schipperheijn, 1997.
H. Manschot, M. Verkerk (red.), *Ethiek van de zorg. Een discussie*, Meppel/Amsterdam: Boom, 1994.
H.A.M.J. ten Have et al. (red.), *Ethiek en recht in de gezondheidszorg*, Deventer: Kluwer, losbladige reeks.

Ethiek in de verpleging
B. Cusveller, 'Ethiek', in G.H. Hunink et al., *Kwaliteit en deskundigheid in de verpleegkundige beroepsuitoefening*, Utrecht: ThiemeMeulenhoff, 2000.
C. Gastmans, B. Dierckx de Casterle (red.), *Verpleegkundige excellentie. Verpleegkunde tussen praktijk en ethiek*, Maarssen: Elsevier gezondheidszorg, 2000.
B.S. Cusveller (red.), *Volwaardige verpleging. Morele beroepsverantwoordelijkheid in de zorgverlening*, Amsterdam: Buijten & Schipperheijn, 1999.
J. Keij, *Zekerheid over onzekerheid. Eigen verantwoordelijkheid bij beslissingen in de zorg*, Maarssen: Elsevier/De Tijdstroom, 1998.
K. Kleingeld, *Beroepsverantwoordelijkheid in de verpleging*, Houten: Lemma, 1998.
A. Manneke, *Waardevolle zorg. Morele vragen in verpleging en verzorging*, Baarn: Nelissen, 1998.
A. van der Arend en C. Gastmans, *Ethisch zorgverlenen. Handboek voor de verpleegkundige beroepen*, Baarn: Intro, 1997².
A. van der Arend en T. Remmers-van den Hurk, *Morele problemen in de verpleging en verzorging: onderzoeksverslag*, Utrecht: LCVV, 1995.
M. Pijnenburg, 'Ethische aspecten van de verpleegkunde' (1993), in H.A.M.J. ten Have et al. (red.), *Ethiek en recht in de gezondheidszorg*, Deventer: Kluwer, losbladige reeks.
H. Tenwolde, *Met alle respect. Leerboek verpleegethiek*, Nijkerk: Intro, 1993.
R. Stockmans, *Beroepsethiek voor de verpleegkundige*, Sint Maartens-Latem: Aurelia Paramedica, 1990.

T. Kamphuis en M. Morrison, *Verpleegkundigen en ethiek*, Groningen: Wolters/Noordhoff, 1988.
H. Rijksen e.a., *Ethische vorming voor de gezondheidswerker*, Best: Damon, z.j.

Onderwerpen en stromingen in de gezondheidszorgethiek

Th. Boer, A. Roothaan (red.), *Gegeven. Ethische essays over het leven als gave*, Zoetermeer: Boekencentrum, 2003.
C. Gastmans, K. Diercx (red.), *Ethiek in witte jas*, Leuven: Davidsfonds, 2002.
J.S. Reinders, *Ethiek in de zorg voor mensen met een verstandelijke handicap*, Amsterdam: Boom, 2000.
J.H. Hegeman, *Christelijk dienen. Een verantwoordelijkheidsethiek voor leidinggevenden*, Amsterdam: Buijten & Schipperheijn, 1994.
W. Zuidema, J. op 't Root, *En God sprak tot Noach en zijn zonen*, Baarn: Ten Have, 1991.

Ethische commissies

M.F. Verweij e.a., *Ethiek in commissie*. Pre-advies ten behoeve van de jaarvergadering van de Nederlandse Vereniging voor Bio-ethiek op 18 juni 1999, Utrecht: NVBe, 1999.
C.H.M. Kleemans, J.M. Spaan, *Medisch-ethische toetsingscommissies in Nederland per 1-1-1998*, Utrecht: Nederlandse Zorgfederatie, 1998.
J.S. Huizer, A.K. Huibers, 'Hebben ethische commissies nut? Een analyse van het draagvlak', *Medisch contact* 50 (1995) 33/34, p. 1023-1025.
H.H. van der Kloot Meijburg, 'De ethische commissie. Achtergronden, taken, bevoegdheden, voetangels en klemmen' (1990), in: H.A.M.J. ten Have et al. (red.), *Ethiek en recht in de gezondheidszorg*, Deventer: Kluwer, losbladige reeks.

ooo 2 ooo

Anticonceptie en abortus provocatus

1. *Inleiding*

In dit hoofdstuk richten we onze aandacht op medisch-ethische problemen rondom het begin van het leven en wel op de periode vóór, tijdens en onmiddellijk na de conceptie (bevruchting). Daarbij willen we ons concentreren op de ethische vragen met betrekking tot het *voorkomen* of *afbreken* van zwangerschappen.
Nieuw zijn deze problemen niet. Immers, zodra mensen het verband tussen geslachtsgemeenschap en de geboorte van een kind onderkenden, werd gepoogd dit gevolg van het samenleven (indien ongewenst) te voorkomen, of althans te beperken of te regelen. Reeds 4000 jaar oude Egyptische geschriften melden het gebruik van drankjes en schedetampons waardoor zwangerschap kon worden voorkomen. Dat het in de tijd van Hippocrates ook niet ongewoon was, blijkt uit zijn eed: '...evenmin zal een vrouw een pessarium voor een miskraam van mij bekomen'. In latere eeuwen werd een heel arsenaal van middelen gebruikt, waarvan de effectiviteit (en onschadelijkheid) in veel gevallen in twijfel kan worden getrokken.
In onze huidige samenleving is een scala aan middelen en methoden in het kader van de geboorteregeling beschikbaar (soms begeleid door leuzen als 'We némen zo- en zoveel kinderen, dan is ons gezin voltooid' en: 'Baas in eigen buik'). Bezinning op seksualiteit, kennis over en de beheersing van de voortplanting en werkingsmechanismen van anticonceptiva is ook binnen het christelijke bevolkingsdeel gewenst. Door onwetendheid over de werkingswijze kunnen mensen door hun behandelaars op een verkeerd spoor worden gezet en onwetend ethisch ongewenste keuzen maken. Dit is bijvoorbeeld het geval als een spiraaltje geadviseerd wordt waarvan het werkingsmechanisme meestal niet wordt meegedeeld. De vele misvattingen over het gebruik ervan, de raakvlakken met de problematiek van abortus provocatus wettigen of zijn voldoende basis voor dit hoofdstuk.
In dit hoofdstuk spreken we eerst over anticonceptie, daarna over abortus provocatus. We zijn ons ervan bewust, dat het abortusprobleem nauw verbonden is met het bredere vraagstuk van seksualiteit, voortplanting, anticonceptie en gezins-

vorming. Een behandeling hiervan zou echter het karakter en het bestek van deze uitgave te buiten gaan. Bovendien is hierover voldoende goede christelijke literatuur beschikbaar (zie literatuuropgave).

2. *Anticonceptie*

2.1 *Inleiding*

Anticonceptie en abortus provocatus zijn zoals gezegd onderdeel van het bredere vraagstuk geboorteregeling of gezinsplanning: men wil (nog) geen kind. Geboorteregeling op zich is door een grote meerderheid van de Nederlandse bevolking geaccepteerd, ook in het orthodox-christelijke volksdeel. Hoewel er nog wel bezwaren tegen geboorteregeling gehoord worden, zien we de gezinnen over het algemeen steeds kleiner worden.

Naast de vraag in hoeverre geboorteregeling toelaatbaar is binnen een christelijke moraal doet zich ook de vraag voor, *welke* geboortebeperkende middelen en/of technieken ethisch bezien wel aanvaardbaar zijn. Zoals reeds gezegd, worden de religieus-ethische aspecten elders uitvoerig behandeld en gaan wij er hier niet op in. Als we samenvatten wat hierover al door anderen is geschreven, kan worden gesteld, dat de mens ook ten aanzien van gezinsvorming verantwoordelijkheid heeft binnen het kader van Gods voorzienigheid. Het verantwoorde karakter van gezinsvorming begint er mee, dat het echtpaar naar Gods eer zoekt te leven. Dan blijkt dat niet alleen de keuze voor een bepaald anticonceptiemiddel of -methode belangrijk is, maar ook en vooral de *motieven* waarom ze gebruikt worden.

Het leerboek *Obstetrie en gynaecologie* omschrijft anticonceptie als maatregelen ter voorkoming van ongewenste zwangerschap. Hieronder vallen alle maatregelen van traditionele mechanische middelen tot de definitieve methoden, als sterilisatie. In deze sectie wordt kort de werking van anticonceptie uiteengezet en worden enkele methoden besproken waarbij sprake is of kan zijn van een abortieve werking. (Van abortieve werking wordt gesproken als de bevruchte eicel (zygote) zich niet in kan nestelen omdat het baarmoederslijmvlies daartoe ongeschikt gemaakt wordt door de gebruikte hormonen.)

2.2 *Middelen, methoden en technieken*

In het dagelijks taalgebruik wordt het begrip 'anticonceptie' vaak ruim opgevat. Immers, anticonceptie betekent letterlijk het voorkomen van de bevruchting, dus van de samensmelting van een eicel met een zaadcel. De pil (hoewel niet alle) en ook het spiraaltje en de 'morning-after'-pil worden echter door velen als anticonceptie gezien, terwijl hier strikt genomen de innesteling van een inmiddels bevruchte eicel in het baarmoederslijmvlies verstoord wordt (nidatie-remming) en niet de bevruchting zelf voorkomen wordt. Bijna alle vormen van anti-conceptie echter hebben een verstorende invloed op het baarmoederslijmvlies in die zin dat de normale ontwikkeling en opbouw uitblijft. Dit te weten is van belang voor veel vrouwen die geen voorbehoedsmiddelen met een zwangerschapsafbrekende werking willen gebruiken.

We kennen verschillende vormen van geboorteregeling. Hieronder worden die kort weergegeven. Anticonceptie (in strikte zin) kan voorkomen dat de zaadcellen de eicel bereiken. We onderscheiden hiervoor biologische, mechanische en hormonale methoden.

Van de verschillende biologische methoden kunnen hier de meest gebruikte worden genoemd. Naast het onderbreken van de gemeenschap voor de zaaduitstorting (coïtus interruptus) kennen we verschillende manieren van periodieke onthouding, dat wil zeggen het uitrekenen van het tijdstip van ovulatie (eisprong) en het zich rond die tijd onthouden van gemeenschap. Het tijdstip van de ovulatie hangt af van de cycluslengte. Bij regelmatige cycli valt dit vrij goed te berekenen. Zo geldt voor een menstruatiecyclus van 28 dagen dat de ovulatie rond de 14e dag plaatsvindt en bij een cyclus van 35 dagen op dag 21. Strikt regelmatige cycli zijn echter eerder uitzondering dan regel.

- Bij de *kalendermethode* (methode van Ogino-Knaus) wordt uitgegaan van een 'onveilige' periode die bepaald wordt door gedurende zes maanden de cyclus bij te houden. Voor het berekenen van de laatste mogelijk vruchtbare dag wordt uitgegaan van de cyclus met de meeste dagen en voor de vroegst mogelijke vruchtbare dag van de kortste cyclus. Bestaat er een variatie van bijvoorbeeld 22 tot 30 dagen cycluslengte, dan valt de vroegst denkbare ovulatie op dag 8 en de laatst denkbare op de 16e dag.
- De *temperatuurmethode* berust op de meting van de stijging in de basale temperatuur van 0,3-0,5 °C na de ovulatie. Na de eisprong is er binnen 12 tot 24 uur bevruchting mogelijk. Vanaf de tweede dag na het begin van de temperatuurstijging kan er geen zwangerschap meer ontstaan..
- Bij de *methode van Billings* wordt naast de kalendergegevens en eventueel temperatuurmeting ook gelet op fysieke verschijnselen: verandering in productie en het dradentrekkend vermogen van het baarmoedermondslijm.

Bij de zogenoemde mechanische middelen om bevruchting te voorkomen kunnen we denken aan het condoom en het pessarium, al dan niet met chemische zaaddodende middelen.

Als derde groep anticonceptiemiddelen zijn de hormonale middelen ofwel 'de pil' bekend. In Nederland gebruiken ongeveer anderhalf miljoen vrouwen de orale anticonceptiepil. De werking berust op het feit dat de ingenomen hormonen (oestrogenen en progestagenen) voor remming van het eirijpingsproces zorgen en zo de eisprong voorkomen. In 1% treedt er wel een ovulatie op en bestaat er toch een kans op bevruchting. Deze kans wordt echter weer verkleind door het effect van de geslachtshormonen op het baarmoederhalsslijm en het baarmoederslijmvlies.

Er zijn diverse soorten preparaten. De meeste bestaan uit een vaste combinatie van oestrogenen en progestagenen per strip, de zogenaamde monofasische combinatiepil, waarbij 21 dagen een pil met dezelfde wordt samenstelling ingenomen. Er bestaat echter ook de variant van de zogenoemde meerfasen-methode. Bij de tweefase variant bevatten de eerste tabletten alleen oestrogenen, en vervolgens tot het einde van de strip een combinatie met progestagenen. Bij de driefasemethode wordt het progestageengehalte driemaal veranderd. Daarnaast zijn er preparaten die alleen progestagenen bevatten de zogenaamde 'progestagen only'-methoden in de vorm van de minipil, prikpil, subcutane toepassing (onderhuidse implantatie) en via een spiraaltje of vaginale ring.

Aan de methoden die bevruchting voorkomen kunnen we uiteraard ook nog de chirurgische ingrepen van sterilisatie bij man of vrouw noemen. Hierbij worden de zaadleiders (bij de man) of eileiders (bij de vrouw) ondoorgankelijk gemaakt en kan er bij gemeenschap geen conceptie meer plaatsvinden.

Naast de anticonceptie in strikte zin zijn er de methoden van geboorteregeling die de innesteling van de reeds bevruchte eicel tegengaat. Bij voorkeur spreken we hier van interceptie (onderschepping) dan van anticonceptie omdat het niet gaat om voorkómen van conceptie doch om het voorkómen of tenietdoen van de nidatie. Hierbij onderscheiden we tussen mechanische en hormonale methoden. Het bekendste mechanische middel om innesteling van de bevruchte eicel te verhinderen is het spiraaltje. Het wordt ook wel een *intra-uterine device* (IUD) genoemd omdat het een voorwerp is dat in de baarmoeder wordt geplaatst (en soms ook hormoon of koper afgeeft) en dat zo nidatie tegengaat. Dit is in feite een reeds lang bekende methode aangezien men al in de klassieke oudheid bewerkte door bijvoorbeeld kiezelsteentjes in de baarmoeder te plaatsen dat een bevruchte eicel zich niet in de baarmoederwand kon nestelen. Hoewel wereldwijd honderd miljoen vrouwen een IUD dragen is het aantal in Nederland relatief laag.

De bekendste hormonale methode om innesteling te verhinderen of teniet te doen is de *morning-after pill* (MAP). Deze wordt ook wel 'pechpil' of *emergency pill* wordt genoemd, daar hij bedoeld is om na 'noodgevallen' van 'onbeschermde cohabitatie' gebruikt te worden. Dit kan in de fase waarin het embryo 7-12 dagen oud is en zich in het baarmoederslijmvlies gaat implanteren. Onder invloed van de hormonen wordt het baarmoederslijmvlies ongeschikt gemaakt voor het opnemen van het jonge embryo. Omdat het nidatieproces voor de 13e dag na bevruchting nog niet geheel voltooid is, spreken we hier nog niet van een abortus provocatus.

Van 'menstruatieregeling' spreekt men tot de vrouw 16 dagen over tijd is; daarom wordt hierbij ook wel van een overtijdsbehandeling gesproken (zie onder). Daar

de innesteling op de 13e dag na de ovulatie voltooid is, kan het strikt genomen om een abortus provocatus gaan. Hoewel het onderwerp van de abortus provocatus dus als men wil ook onder het kopje 'anticonceptie' genoemd kan worden, verdient het toch aparte bespreking en zullen we er in de volgende sectie op ingaan.
In onderstaand schema staan de genoemde varianten van geboorteregeling nog eens kort op een rij:

Geboorteregeling (methoden, middelen en technieken)

1. *Anticonceptie*
   - Biologische methoden: coïtus interruptus, periodieke onthouding
   - Mechanische: condoom, pessarium
   - Hormonale anticonceptie: de orale pil, prikpil
   - Chirurgische technieken: sterilisatie bij vrouw of man

2. *Nidatieremming of interceptie*
   - Mechanisch: spiraaltje (IUD)
   - Hormonaal: morning after pil, overtijdbehandeling

2.3 Anticonceptie en voorlichting
Uit de stijging van het aantal abortussen in Nederland is de conclusie gewettigd dat voorlichting over anti-conceptie van groot belang is. Wie moet deze taak vervullen in de samenleving in het algemeen en het christelijk volksdeel in het bijzonder? Nu de Rutgershuizen gesloten zijn, meent de stichting StisAN opmerkelijk genoeg dat deze taak door de abortusklinieken overgenomen moet worden. Daartoe moeten deze omgevormd worden tot Centra voor Seksualiteit, Anticonceptie en Abortus. Om eenzijdige voorlichting te voorkomen lijkt dit geen goed idee. Er moeten mogelijkheden komen om voorlichting vanuit diverse achtergronden te geven.
Het gebruiken van hormonale anticonceptie vereist zorgvuldigheid. Bij het vergeten van de pil, zeker in de eerste en laatste week, bij onregelmatig innemen, voor het voorkomen van diarree en braken, of bij medicijngebruik dienen aanvullende maatregelen genomen te worden. Uit recent onderzoek naar het anticonceptiegebruik van meisjes en vrouwen die een abortus ondergaan hadden is gebleken dat ze vaker geen of een onbetrouwbaar voorbehoedsmiddel gebruiken (StisAN-rapport). Bovendien werd bekend dat een op tien cliënten van de abortusklinieken al twee maal of meer een zwangerschap liet afbreken. Ook veel christenjongeren wijzen seks voor het huwelijk niet af. Het is opmerkelijk dat bijna de helft hierover geen mening heeft of twijfelt. Slechts eenderde van de ondervraagde meisjes is van plan maagd te blijven tot haar huwelijk.

Voldoende argumenten om ten eerste na te denken hoe de waarden en normen in de doelgroep aan de orde te stellen en ten tweede hoe aan voorlichting een juiste plaats te geven.

3. Abortus provocatus

3.1 Inleiding

Als definitie voor een 'natuurlijk' verlopende abortus (afstoting van de vrucht in de moederschoot) wordt gehanteerd: uitstoten van het 'zwangerschapsproduct' in de eerste 16 weken van de zwangerschap. Onder zwangerschap wordt verstaan het aanwezig zijn van een bevrucht ei in het lichaam van de vrouw.
Abortus provocatus is het kunstmatig afbreken van een zwangerschap. Dit is historisch gezien geen nieuw verschijnsel. Van vele volken en stammen is bekend dat ze vruchtafdrijving probeerden teweeg te brengen, door gebruik van kruiden of door toepassing van geweld. Dit kon soms veel voorkomen en een aanvaarde zaak zijn. Bij sommige volkeren hadden de ouders zelfs het 'recht' om hun pasgeboren kind te doden. Met de opkomst van het christendom ontstond ook buiten Israël een hogere waardering voor het (ongeboren) leven van mensen. Ieder mens, geboren of nog niet, is een schepsel Gods. Het afbreken van een zwangerschap was dan ook eeuwenlang bij de wet verboden. Echter, ontwikkelingen als de secularisatie, de seksuele revolutie en het materialisme zorgden voor eén kentering in de opvatting over de toelaatbaarheid van de zwangerschapsafbreking. Dit resulteerde uiteindelijk in de legalisering van het doden van ongeboren kinderen onder bepaalde voorwaarden. Het is een medische handeling geworden die is opgenomen in het ziekenfondspakket.
Enkele cijfers. In 2000 hebben bijna 10 op de 1000 vrouwen tussen de 15 en 45 jaar in Nederland een abortus ondergaan. Uit het jaarverslag van de landelijke abortusregistratie over de jaren 1993-2000 komt de volgende stijging naar voren. Werden er in 1993 bijna 20.000 abortussen gedaan, in 2000 waren dat er ruim 33.335 (inclusief geregistreerde overtijdbehandelingen), waarvan ruim 5.000 bij niet in Nederland woonachtige vrouwen. Deze trend zette al in voor het jaar 2000. Hoewel in de periode tussen 1991-1999 geen centrale dataverzameling plaatsvond, was er een abortuscijfer bekend van 8 per 1000 vrouwen tussen de 15 en 45. Uit de cijfers blijkt bovendien dat er een verschuiving te zien valt naar de jongere leeftijd. Voor de jongeren was er een stijging te zien van 4,2 abortussen per 1000 vrouwen in 1992 tot 8,6 nu. Naast dit abortuscijfer steeg ook de abortusratio (dat wil zeggen het aantal abortus per 100 bekende zwangerschappen minus de spontane miskramen) van 9.0 naar 13,6. Hierbij valt op dat de abortusratio bij vrouwen onder de 19 jaar toenam van 43 naar 63 per 1000 en daarmee van

alle leeftijdscategorieën het hoogste scoort. Van de tieners die een abortus lieten plegen waren er zelfs 30 op de 1000 jonger dan 15 jaar.

3.2 De ontwikkeling van het menselijk leven

Om te begrijpen wat een abortus provocatus inhoudt, is enig inzicht in de vroege ontwikkeling van de mens van belang. Daarom worden hier enkele ontwikkelingsfasen nader omschreven.
Nadat de zaadcel in eicel is binnengedrongen en de twee cellen met elkaar zijn versmolten, is er één nieuwe cel ontstaan; de bevruchte eicel of zygote. Terwijl deze zich deelt in meerdere cellen, wordt het prille embryo door de eileider getransporteerd naar de baarmoederholte. Vier dagen na de ovulatie komt het embryo, we noemen hem dan blastocyste, in de baarmoederholte. De vijfde à zesde dag na de bevruchting begint de innesteling in het baarmoederslijmvlies en die is op de 13e dag voltooid. We onderscheiden vanaf dit moment de embryonale leeftijd van de telling van de amenorroe of de zwangerschapsduur, die bij de eerste dag van de menstruatie begint, en dus altijd 2 weken meer bedraagt. Bij 8 weken embryonale leeftijd (10 weken zwangerschapsduur) zijn vrijwel alle belangrijke organen, zoals bijvoorbeeld longen, armen en benen, gevormd. Het embryo is dan 3 cm. en heeft al meer dan 1000 benoembare anatomische structuren.
Vanaf 5 weken en 3 dagen, bij een lengte van 2 à 3 mm, kan de hartslag met echoscopie aangetoond worden. Er is al sprake van een eenvoudige bloedsomloop. Vanaf de 18e dag ontstaan hersenen, ruggenmerg en zenuwen. De vorming van oogleden, wenkbrauwen, lippen en stembanden vindt in de derde maand (tot de 54ste dag) plaats.
Als het embryo tien weken oud is (gerekend van de eerste dag van de menstruatie), spreken we niet meer van een embryo, maar van een foetus. Vanaf dit moment is de menselijke vorm aanwezig en zal de vrucht alleen nog maar rijpen en uitgroeien. Tijdens de vierde maand verschijnen de eerste hoofdharen. Rond de vijfde maand kan de moeder de bewegingen van het kind als 'leven' voelen. Aan het eind van deze maand is de lengte ongeveer 20 tot 25 cm.
Vanaf 26 tot 28 weken kan het kind, als het geboren wordt, met geavanceerde zorg mogelijk in leven blijven. Na een zwangerschap van gemiddeld 265 dagen na de bevruchting wordt het ongeboren kind een geboren kind.

3.3 Methoden van abortus provocatus

De methode die bij een abortus provocatus wordt gebruikt, hangt af van de zwangerschapsduur. We onderscheiden achtereenvolgens eerste termijn en tweede termijn abortus.
Bij een zwangerschap in de eerste termijn, dit is de eerste twaalf weken, kunnen de volgende technieken worden gebruikt om een zwangerschap te beëindigen.

Zoals we onder het kopje anticonceptie al gezien hebben, vallen nidatie-remmende middelen als de 'morning after'-pil en het spiraaltje strikt genomen niet onder het begrip abortus omdat de vrucht dan nog niet aan de baarmoederwand is gehecht. Toch kan gezegd worden dat ze een abortieve werking hebben, daar het embryo wordt uitgestoten omdat de innesteling wordt tegengegaan.
Daarnaast rekent men hier wel de overtijdbehandeling mee (tot uiterlijk 16 dagen). Dit is een behandeling waarbij zonder oprekken van de baarmoederhalskanaal de baarmoeder wordt leeggezogen. Deze behandeling werd in 1975 ingevoerd in Nederland voor vrouwen die overtijd waren en deze behandeling wilden ondergaan omdat ze dan meenden in ieder geval geen abortus te hoeven plegen (of er een zwangerschap bestond hoefde daarvoor niet bekend te zijn). In feite is dit meestal niets anders dan een verhullende term voor zwangerschapsafbreking in een vroeg stadium. Wanneer de vrouw 14 dagen 'over tijd' is, is een embryo 4 weken oud en klopt het hartje reeds. Deze vorm van abortus wordt tegenwoordig echter niet meer toegepast. Door het beschikbaar zijn van sterk verbeterde zwangerschapsdiagnostiek (na 72 uur al) worden vrouwen die niet zwanger zijn niet meer op deze manier behandeld.
Een derde methode in de eerste termijn is de zogenoemde abortuspil (Ru-486 Mifepriston). Deze is sinds 1 februari 2000 in Nederland beschikbaar, maar slechts in twee abortusklinieken. Daarbij moet worden aangetekend dat het gebruik minimaal is; slechts in 0,3 % van de zwangerschapsafbrekingen wordt het gebruikt. De gebruikstermijn is van 16 dagen overtijd tot en met de 49e dag gerekend vanaf de eerste dag van de menstruatie. Het wordt wel de 'late' morningafterpil genoemd daar het ook een interceptiemiddel is. De werkzame stof Mifepristone verhindert de werking van progesteron, waardoor het slijmvlies degradeert en innesteling onmogelijk wordt. De tweede component, prostaglandine, maakt de baarmoederhals weker, vermindert de bloedcirculatie, en geeft baarmoederspiercontracties waardoor de uitstoting van de vrucht bevorderd wordt. In deze vroege fase is het een effectief middel, met een mislukkingspercentage van 1,3-1,6. In de vijfde week bestaat nog een effectiviteit van 90% waarna er een snelle daling van het 'succespercentage' te zien is.
Bij het eerste bezoek krijgt de vrouw 3 tabletten Ru-486 en gaat naar huis. Er treedt altijd een bloeding op maar dit hoeft nog niet op uitstoting van de vrucht te wijzen. Na 48 uur wordt in de kliniek het tweede medicament 400 mcg Misoprostol (prostaglandine) toegediend voor uitdrijving van de afgestoten vrucht. De vrouw blijft een paar uur opgenomen. Als bijwerkingen worden gemeld: misselijkheid, duizeligheid en heftige krampen. In ± 0,5% van de gevallen kan er een dermate forse bloeding optreden dat het niet verantwoord is de vrouw onbewaakt te laten.
Bij de derde consultatie na 3 weken wordt gelet op het bloedverlies en een zwan-

gerschapstest gedaan. Deze is gemiddeld bij 5% nog positief, zodat alsnog een zuigcurettage verricht moet worden.
Voor de toepassing in de praktijk moet een aantal voorwaarden in acht genomen worden. Zo is de precieze vaststelling van de zwangerschapsduur noodzakelijk met behulp van een zwangerschapstest of een echoscopie. Er is een wettelijke bedenktijd van 5 dagen en er zijn enkele contra-indicaties en een aantal complicaties zoals infecties, gebarsten buitenbaarmoederlijke zwangerschappen en hartfalen. De intentie van de vrouwenbeweging om buiten het medisch circuit om een abortus te kunnen doen is niet verwezenlijkt. Uit zorgvuldigheidsoverwegingen is behandeling in een (abortus)kliniek vereist.
De zuigcurettage is tevens de vierde vorm van eerste-termijn-abortus die we noemen. Tot een zwangerschapsduur van 12-14 weken kan de zuigcurettage worden toegepast. Hierbij wordt de baarmoedermond eerst enigszins opgerekt (dilatatie), vervolgens wordt een buisje dat is aangesloten op een vacuümpomp in de baarmoederholte gebracht, waarmee het embryo geheel of in stukjes wordt weggezogen. Eventueel achtergebleven restanten worden weggeschraapt (= curettage). Deze procedure wordt overigens ook wel toegepast wanneer een incomplete spontane abortus (miskraam) heeft plaats gevonden, nadat uit echoscopisch onderzoek is gebleken dat er nog restanten van het embryo zijn achtergebleven.
Vervolgens bespreken we enkele veelgebruikte methoden van abortus in de tweede termijn van de zwangerschap, dat wil zeggen 14 tot 22 weken. Na 12 weken zwangerschap kan de zuigcurettage slechts in combinatie met andere methoden worden toegepast, omdat het kind dan al een vrij hard beenderstelsel heeft waarvoor een grotere dilatatie vereist is. Bleek in het verleden het oprekken van het baarmoederhalskanaal tot meer dan 10mm een beperking op te leveren door middel van '*priming*' lijkt dit geen probleem meer. Onder priming verstaat men het voorbehandelen van de baarmoederhals met een prostaglandine waardoor het weefsel weker wordt en makkelijker rekbaar.
In de tweede termijn worden twee methoden gebruikt, aspirotomie en de Finkse methode, waarvan de laatste het frequentst. Aspirotomie (tot 18 weken) is een combinatie van zuigcurettage en verwijdering met behulp van instrumenten. Dit wordt nog in sommige klinieken toegepast. Bij de methode Fink wordt de baarmoedermond opgerekt (13-16 mm), waarna het kind door gebruik van diverse speciale tangen in gedeelten uit de baarmoeder wordt gehaald. Vervolgens wordt de wand van de baarmoeder schoon geschraapt. De aborterende arts dient tot slot alle stukjes van het kind als een macabere puzzel bij elkaar te leggen, om te controleren of er niets is achter gebleven. Tegenwoordig wordt de ingreep frequent onder algehele anesthesie en onder echoscopische controle uitgevoerd. Aborteurs met minstens 10 jaar ervaring en veel geduld kunnen met deze methode zwangerschappen tot 23 weken beëindigen.

Tot slot is er nog een hormonale behandeling, prostaglandine-infusie, die in feite overeenkomt met het inleiden van een bevalling. Natuurlijke prostaglandine zijn zeer kort werkende stoffen die in alle weefsel voorkomen. Ze wekken weeën op en maken de baarmoederhals week. De synthetisch verkregen prostaglandines worden gebruikt voor het opwekkende van de baring. Meestal wordt na 12 tot 24 uur het kind dood geboren. Indien deze methode mislukt, moet alsnog de methode van Fink worden toegepast. Voor de meeste abortusartsen heeft deze methode de voorkeur. In Nederland wordt nog slechts in één abortuskliniek via een intraveneus infuus abortus opgewekt.

Overzicht methoden van abortus provocatus

1. *Eerste termijn*
   - Nidatieremmers
   - Overtijdbehandeling
   - Abortuspil
   - Zuigcurretage
2. *Tweede termijn*
   - Aspirotomie
   - Methode van Fink
   - prostaglandine-infusie

3.4 Prenatale diagnostiek en late zwangerschapsafbreking

Er zijn tegenwoordig diagnostische middelen beschikbaar om afwijkingen van verschillende aard vast te stellen bij het ongeboren kind. Indien een dergelijke afwijking wordt aangetroffen, dan kan dat (om welke motieven ook) aanleiding vormen voor een afbreking van de zwangerschap. Deze prenatale diagnostiek (PND) is gericht onderzoek naar aangeboren en/of erfelijke afwijkingen of aandoeningen, waarbij het doorgaans om ernstige ziekten of zwaarwegende gezondheidsproblemen moet gaan. Was aanvankelijk de grens voor het afbreken van de zwangerschap gelegen rond 24 weken, thans is deze grens verder opgeschoven en kan er, weliswaar in uitzonderingsituaties, gesproken worden van late zwangerschapsafbreking. Dit kan bijvoorbeeld het geval zijn bij chromosomale afwijkingen, structurele aandoeningen als hartafwijkingen of stofwisselingsziekten. Een belangrijke rol bij de afweging de zwangerschap af te breken speelt het toekomstperspectief van het kinderleven en als de kwaliteit van dat leven te laag lijkt, zo gaat de gedachtegang, bestaat een medische indicatie tot abortus.
Het lijkt er sterk op dat artsen in de praktijk slechts van de volgende opties uitgaan:

1. Door ingrijpen van de medicus wordt het leven van het kind verlengd; allerlei ingrepen worden verricht om het kind te behandelen of, indien dit niet mogelijk is,
2. door ingrijpen van de medicus wordt de zwangerschap beëindigd, op verzoek van de ouders, waarbij het kind in de baarmoeder sterft voordat het geboren wordt.

Een derde mogelijkheid wordt hierbij echter buiten beschouwing gelaten. Deze derde weg kan zeer moeilijk, maar toch begaanbaar zijn en voldoening geven. Dat is de keus om het kind levend ter wereld te laten komen (eventueel na inleiden van de bevalling), het liefdevol te ontvangen, te verzorgen, en een naam te geven. Als het gehandicapte kind daarna overlijdt heeft deze periode een goede invloed op de rouwverwerking. Het kind heeft dan een plaats gekregen in het leven van de ouders en er kan afscheid van het kind genomen worden.
Medisch-ethisch gezien betekent dit bovendien dat men de volledige beschermwaardigheid van het ongeboren leven onderkent. Wanneer de moeder toch besluit een abortus te ondergaan en zich beroept op een noodsituatie (zoals de Wet Afbreking Zwangerschap (WAZ) verlangt) stopt de bescherming van het leven. Helaas is de notie van noodsituatie *niet* inhoudelijk omschreven en omgrensd in de WAZ. Als de aanstaande moeder aangeeft niet te kunnen leven met de idee een kind met een bepaalde zware afwijking ter wereld te moeten brengen en te verzorgen, dan kan dat voldoende reden zijn voor zwangerschapsafbreking. Het is toch wel opmerkelijk te moeten constateren dat voor aanstaande ouders die op basis van een noodsituatie kiezen voor het afbreken van de zwangerschap, er medische, psychische en sociale hulp bestaat die moet voldoen aan richtlijnen ten behoeve van goede zorg, terwijl er niets is geregeld voor ouders die zich houden aan de prioriteit van de overheid, namelijk het uitdragen van de zwangerschap. Volgens hulpvragers vinden de behandelaars controle niet eens nodig of slechts op het meest basale niveau van de gezondheidszorg.

Intermezzo: de Wet afbreking zwangerschap (WAZ)

Sinds 1970 waren er vier wetsontwerpen met betrekking tot 'abortus provocatus lege artis' ingediend. Het laatst ingediende ontwerp van Wet afbreking zwangerschap werd in 1981 door ons parlement aangenomen. De Tweede Kamer had dit op 18 december 1980 met de kleinst mogelijke meerderheid (76 tegen 74) gedaan en de Eerste Kamer volgde op 28 april 1981 (38 tegen 37 stemmen). De wet trad op 1 november 1981 in werking. Sindsdien is abortus provocatus geen misdaad meer, wordt niet meer 'gepleegd' maar 'verricht'.
De WAZ gaat uit van het *'neen, tenzij'*-principe. Dat wil zeggen, dat de wetgever uitgaat van het strafrechtelijke verbod van zwangerschapsafbreking. Alleen als voldaan is aan bepaalde zorgvuldigheidseisen mag in uitzonderlijke situaties de zwangerschap

worden afgebroken in klinieken en ziekenhuizen met een speciale vergunning. Overigens is abortus provocatus geen normaal medisch handelen. Dit betekent dat ook een arts niet verplicht kan worden abortus provocatus uit te voeren.
In artikel 296 van het Wetboek van Strafrecht (verder WvSr) wordt a.p. strafbaar gesteld en wordt verwezen naar de WAZ, waarin de zorgvuldigheidseisen genoemd worden. Vereist wordt een onontkoombare noodsituatie, dat wil zeggen een toestand van geestelijke nood waarin de vrouw is komen te verkeren door haar ongewenste zwangerschap. Er behoeft geen sprake te zijn van dreigend fysiek of psychisch letsel. Verder mag het niet gaan om een levensvatbare vrucht, dat wil zeggen een kind dat buiten het lichaam van de moeder in leven gehouden kan worden, dit is een ongeboren kind van minstens 24 weken. Strafrechtelijk gezien is a.p. dus verboden. Maar als blijkt dat de arts zich gehouden heeft aan bepaalde zorgvuldigheidseisen gaat hij vrijuit. De WAZ noemt de volgende zorgvuldigheidseisen:
a. de vrouw die van plan is haar zwangerschap te laten afbreken en die een arts daarom gevraagd heeft, moet worden bijgestaan. In het bijzonder door het geven van verantwoorde voorlichting over andere oplossingen van haar noodsituatie als het afbreken van de zwangerschap;
b. als de vrouw meent dat haar noodsituatie niet op een andere wijze kan worden beëindigd, moet de arts zich ervan overtuigen dat de vrouw haar verzoek heeft gedaan en gehandhaafd in vrijwilligheid, na zorgvuldige overweging en in het besef van haar verantwoordelijkheid voor het ongeboren leven en van de gevolgen voor haarzelf en de haren;
c. de arts mag de behandeling alleen uitvoeren als deze op grond van zijn onderzoeksgegevens verantwoord is te achten, onverminderd het bepaalde in artikel 20 (zie hierna);
d. er moet voldoende nazorg voor de vrouw en de haren beschikbaar zijn na afbreking van de zwangerschap.
Voor de ongewenst zwangere is eveneens ten behoeve van een zorgvuldige besluitvorming een beraadtermijn van vijf dagen ingevoerd. Tenslotte, de WAZ is niet bedoeld voor de situatie dat ten behoeve van het leven van een (gewenst) zwangere vrouw, bijvoorbeeld in geval van een buitenbaarmoederlijke zwangerschap, geaborteerd moet worden ('vitale indicatie').
(Zie verder ook hoofdstuk 10: *Gezondheidsrecht.*)

3.5 Gevolgen van abortus

Voor we in de volgende paragraaf ingaan op de aspecten die onze ethische beoordeling van abortus provocatus informeren, moeten we nog opmerken dat vaak wordt voorbijgegaan aan de gevolgen van deze ingreep. Onderzoek wijst erop dat abortus onder meer aanleiding kan geven tot depressiviteit en opname in een psychiatrisch instelling. Heeft de beschermwaardigheid van het ongeboren kind belangrijke ethische implicaties, het ondergaan van een abortus is ook voor de vrouw in ieder geval psychisch gezien bepaald geen onschuldige ingreep. Onderzoek wijst uit dat onder vrouwen die een abortus ondergingen een verhoogde kans bestaat op psychische problemen (depressiviteit) en zelfdoding en dat dit gepaard gaat met hoger misbruik aan alcohol en drugs (zie www.afterabortion .org/news). Verder zijn er aanwijzingen dat vrouwen die een abortus hebben ondergaan een hogere kans maken om later borstkanker te krijgen. Dit doet in ieder geval veel af van de gedachte dat abortus provocatus vooral een kwestie is van vrije keuze voor de oplossing van een probleem. Vaak kunnen hier juist de problemen pas mee beginnen, wat op zijn minst duidelijk maakt dat er voor vrouwen die in verwachting zijn van een 'ongewenst kind' goede begeleiding beschikbaar moet zijn.

4. Ethische beschouwing

4.1 Enkele bijbelse lijnen

In het bovenstaande hebben we de belangrijkste technische mogelijkheden van abortus provocatus weergegeven. Daarbij werden reeds enkele ethische overwegingen naar voren gebracht. Hieronder willen we die ethische overwegingen meer in het bijzonder uiteenzetten en onderbouwen. Eerst zullen we kort enkele bijbelse grondbeginselen noemen. Vervolgens gaan we vanuit twee verschillende invalshoeken in op de vraag naar de beschermwaardigheid van het ongeboren kind. Uit de Schrift leren we, dat het ongeboren leven *niet* gezien dient te worden als iets onpersoonlijks. Psalm 139: 16 leert ons bijvoorbeeld, dat God al bij het vormeloze begin van het kind aanwezig is en een persoonlijke relatie met dat kind heeft. In alle liefde en creativiteit 'weeft' Hij het kind. Hij besteedt er al aandacht aan vanaf de conceptie en zelfs daarvoor was het plan van het komend mensenkind al beschreven (zie ook Jer. 1: 5, Job 10: 9-12). Deze hoge waardering van het menselijk leven blijkt bovendien uit het 6e gebod, 'Gij zult niet doodslaan' (Ex. 20:13). Ook de onopzettelijke vruchtafdrijving door schuld moest in het Oudtestamentische Israël dan ook bestraft worden (Ex. 21: 22-23). In de Bijbel wordt weliswaar niet gesproken over abortus provocatus als bewuste handeling. Een mogelijke verklaring hiervoor is dat het Joodse volk deze daad dusdanig verafschuwde en veroordeelde dat men er niet eens over sprak, terwijl abortus provocatus toen reeds bij andere volken bekend was.

4.2 Kenmerken en beschermwaardigheid van het menselijk embryo

De vraag die we ons ten aanzien van anticonceptie en abortus provocatus dienen te stellen, is in welke gevallen het ongeboren kind beschermwaardig is en waar-

om. Dit brengt ons tot de vraag naar de status, ofwel de morele waarde van het menselijk embryo. Immers, de waarde die we aan het embryo (moeten) hechten, bepaalt in hoge mate welke manipulaties we ermee (mogen) toestaan.
In de literatuur worden verschillende kenmerken van embryo's genoemd, op basis waarvan de beschermwaardigheid van het embryo verdedigd wordt. We zullen deze verschillende visies op de beschermwaardigheid van embryo's hieronder de revue laten passeren. Zo wordt als kenmerk wel de *potentialiteit* (ontwikkelingsmogelijkheden) van het embryo genoemd. Hierbij wordt gesteld dat het leven een voortdurend proces van ontwikkeling is, dat vóór de bevruchting begint en lang daarna doorgaat. In deze visie is de conceptie slechts een momentopname, een gebeurtenis in het voortgaande levensproces, die het voortbestaan van de soort en de opeenvolging van de generaties mogelijk maakt. In deze relativerende opvatting over de betekenis van de conceptie bestaat er geen wezenlijk verschil tussen de beschermwaardigheid van geslachtscellen (zaad- en eicellen) en die van bevruchte eicellen. Het verschil in ontwikkelingsmogelijkheden van beide soorten cellen is zo bezien slechts betrekkelijk.
Twee consequenties van deze opvatting over de beschermwaardigheid van embryo's dienen hier genoemd te worden. Ten eerste, indien er geen bezwaar bestaat tegen het gebruik van bijvoorbeeld zaaddodende crème, dan zal dit ook niet bestaan ten aanzien van het spiraaltje, dat bevruchte eicellen kan doen afsterven. Geslachtscel en bevruchte eicel zijn immers beide dragers van erfelijke informatie en bezitten als zodanig de ontwikkelingsmogelijkheid om het leven te doen continueren. Ten tweede zou volgens deze visie de beschermwaardigheid van het embryo gekoppeld zijn aan de ontwikkelingsmogelijkheden ervan. Echter, wanneer nu deze mogelijkheden aangetast worden, moeten we dan concluderen dat de beschermwaardigheid van het embryo verdwijnt? Het wordt dan beschermwaardig geacht in de mate waarin het zich tot een normale volwassene kan ontplooien.
Een ander kenmerk is de *relationele waarde* van het embryo. In de visie die vooral op dit kenmerk wijst, ontleent het menselijk embryo zijn waarde aan de relaties waarbinnen het tot stand komt en aan de intenties waarmee het voortgebracht wordt. Omdat het embryo is verwekt door de mens, heeft het een ethische waarde door deze relatie met de mens en verdient als zodanig een zeker respect. Ook wordt de waarde mede bepaald door het oogmerk waarmee het embryo is verwekt (bijvoorbeeld ten behoeve van een gewenste zwangerschap). Volgens deze visie wordt de waarde van het embryo niet bepaald door de waarde van de bevruchte eicel zelf, maar door de betekenis die het heeft voor anderen. Dit betekent, dat men ontkent dat het embryo *in zichzelf* al een hoge waarde vertegenwoordigt, onafhankelijk van welke relatie of bedoeling dan ook. En wanneer de beschermwaardigheid van een embryo afhankelijk zou zijn van de bedoeling die

mensen hebben met het verwekken ervan, dan is de consequentie van deze waardebepaling dat een onbedoelde zwangerschap weinig waarde heeft en dus afgebroken zou mogen worden. Bovendien is onduidelijk of volgens deze visie ook andere vormen van ongewenst leven beschermwaardig blijven.

Er is nog een ander kenmerk geformuleerd, op grond van het biologisch gegeven dat vóór de innesteling van het embryo de mogelijkheid bestaat, dat enkele cellen van het embryo kunnen losraken en vervolgens tot een nieuw embryo kunnen uitgroeien, waardoor een identieke meerling ontstaat. Zolang het ontstaan van meerlingen uit één embryo mogelijk is, is nog geen sprake van *individuatie* van het embryo. Daar deze individuatie pas na omstreeks 14 dagen voltooid zou zijn, kan het embryo voor dat tijdstip geen persoon zijn. Immers, het 'persoon-zijn' wordt niet mogelijk geacht zonder het 'individu-zijn'. Vanaf 1986 is men het embryo gedurende de eerste 14 dagen dan ook wel pré-embryo gaan noemen. Het pré-embryo zou hoogstens een 'potentieel persoon' zijn. Nidatieremming (bijvoorbeeld door middel van het spiraaltje) zou vanuit deze optiek dus toegestaan zijn.

Een variant van deze opvatting is dat ook het persoon-zijn in *psychische* zin wordt opgevoerd als criterium voor beschermwaardigheid. Voor het persoon-zijn in psychische zin, is in ieder geval een vorm van bewustzijn nodig. En het bewustzijn is gebonden aan de aanwezigheid (of aanleg) en het functioneren van de hersenschors. Aangezien dit in de eerste weken nog niet (volledig) ontwikkeld is, zou volgens deze zienswijze pas vanaf 6 weken gesproken kunnen worden van een 'persoon'. Er lijken echter geen deugdelijke biologische argumenten te zijn om dit moment in de ontwikkeling van het embryo van fundamentele betekenis te achten.

Merk op, dat in ieder van de bovengenoemde drie opvattingen het embryo (in elk geval de eerste 14 dagen na de bevruchting) *relatief beschermwaardig* is. De beschermwaardigheid van het embryo wordt in die visies gerelateerd aan (de aanleg van) bepaalde vermogens of eigenschappen. Indien het embryo de beoogde capaciteiten of potenties niet bezit, daalt daarmee de waarde, de beschermwaardigheid ervan. Genoemde opvattingen komen hierin overeen, dat ze *kwaliteitscriteria* voor het menszijn aanleggen. Alleen een 'mens' of 'persoon' is beschermwaardig. De vraag is dan in hoeverre een ongeboren kind ook een mens of persoon is, of dat het wellicht een 'mens in wording' is. Maar wat is een 'mens'? Zijn er typische kenmerken die alleen een mens kan hebben? Vaak worden als kenmerken het denkvermogen en het (zelf)bewustzijn genoemd. Maar waarom is een menselijk wezen, dat deze kenmerken of vermogens niet heeft, geen mens? Weliswaar is het duidelijk, dat de mens zich onder andere hiermee onderscheidt van het dier. Maar kunnen en mogen we leden van de mensheid onderling van elkaar onderscheiden met behulp van dergelijke criteria?

Er is daarentegen ook de *conceptionalistische opvatting* die het mens-zijn en daarmee de volledige beschermwaardigheid van het menselijk embryo verdedigt vanaf de *conceptie*. Dit is immers een uniek en onomkeerbaar moment, dat tevens het begin is van een dynamisch ontwikkelingsproces, dat continu verloopt tot het moment dat dit organisme sterft, hetzij als embryo, als foetus, als kind of als volwassene. Deze positie leidt tot de ethische opvatting van de volledige beschermwaardigheid van het menselijk embryo. Dit betekent onder andere, dat volgens deze visie nidatie-remming ontoelaatbaar is. Maar ten aanzien van de geslachtscellen kan gesteld worden, dat uit de zaad- of eicel op zichzelf geen mens kan ontstaan, vóórdat de conceptie heeft plaatsgevonden. Derhalve wordt aan de geslachtscellen geen volledige beschermwaardigheid toegekend. Op zichzelf verzet deze opvatting omtrent beschermwaardigheid van embryo en geslachtscellen zich dus niet tegen het ondervangen van conceptie door middel van anticonceptie (in strikte zin).
De vraag is nu welke van bovenstaande opvattingen de voorkeur moet krijgen. Nu blijkt, dat al deze benaderingen tot een uitspraak komen over de status, de waarde en het mens-zijn van het embryo, op grond van bepaalde, wetenschappelijk waarneembare kenmerken van het embryo. Dit is echter geen gelukkig uitgangspunt. De zin en de betekenis van de mens in alle stadia van zijn ontwikkeling, dus ook van het embryo, gaat uit boven de wetenschappelijk waarneembare kenmerken ervan. De eerste drie opvattingen bevatten in zoverre waarheidsmomenten, dat aan sommige menselijke eigenschappen inderdaad een grote waarde toegekend kan worden. Maar dat wil niet zeggen, dat een mensenleven geen waarde heeft, wanneer die eigenschappen niet ontwikkeld zijn of kunnen worden.
Uiteindelijk wordt het antwoord op de vraag naar de waarde en beschermwaardigheid van het menselijk embryo levensbeschouwelijk bepaald. Vanuit het christelijke scheppingsgeloof menen wij, dat de oorsprong van de mens ligt in het scheppend Woord van God. Het mens-zijn gaat daardoor altijd uit boven het zintuiglijk waarneembare (Ps. 139: 16, Jer. 1:5, Jes. 49), kent een geestelijke dimensie. Tegelijkertijd is het volle menselijke bestaan ook concreet lichamelijk bestaan. De embryologische gegevens maken duidelijk, dat het begin van het lichamelijke bestaan van de mens bij de conceptie ligt. Immers, vanaf dit moment is het embryo een nieuwe biologische entiteit die als drager van unieke voor de mens kenmerkende en noodzakelijke erfelijke informatie onder voor die levensfase normale omstandigheden een continu en dynamisch ontwikkelingsproces zal. Bovendien is die biologische ontwikkeling van het menselijk embryo van meet af aan typisch menselijk en als zodanig ook direct gericht op het toekomstig fungeren in typisch menselijke functies als relaties en bewustzijn. Dat op een bepaald moment (nog) niet alle mogelijkheden zijn verwezenlijkt, geldt in feite voor de gehele levensloop van de mens. Biologische gezien moet het menselijke embryo dan ook gezien

worden als een exemplaar van de menselijke soort. Vanuit de opvatting dat het lichamelijke en geestelijke dimensies ten nauwste zijn verbonden gaan wij ervan uit dat ook bij dat vroege embryo al van die geestelijke dimensie sprake is, en dat we dit 'exemplaar van de menselijke soort' dan ook tegemoet dienen te treden als volledig beschermwaardig mens. We erkennen dat het menselijke embryo als schepsel van God een geheim bergt dat zich niet wetenschappelijk laat verklaren, maar dat wel vraagt om ons respect en bescherming.
De keuze voor deze, wat wij zouden willen noemen, verbrede conceptionalistische opvatting betekent dat bij de geboorteregeling het voorkomen van conceptie (anticonceptie) ethisch *wel* toelaatbaar is, maar het verhinderen van innesteling (nidatie-remming) niet.

4.3 Leeftijd en beschermwaardigheid van het ongeboren kind

In de literatuur komen we niet alleen pogingen tegen om *kenmerken* te noemen waaraan een embryo zou moeten voldoen om beschermwaardig te zijn. Sommigen doen een beroep op bepaalde momenten in de ontwikkeling van een embryo, waarop deze door de wet beschermd zou moeten worden. Op voorhand is al duidelijk, dat het tijdstip van wettelijke beschermwaardigheid en het ontwikkelen van kenmerken als basis voor een oordeel over de ethische status van het embryo erg veel met elkaar te maken hebben. Omdat deze benaderingswijze toch veel invloed heeft, willen we deze apart bekijken. Op welk moment is het ongeboren kind beschermwaardig en op grond waarvan? Er wordt een scala aan tijdstippen genoemd. Enkele worden hier behandeld.
Een vaak genoemd tijdstip is het moment waarop het ongeboren kind *'levensvatbaar'* wordt. Dit moment ligt momenteel rond de 24 à 25e week, omdat vanaf deze tijd pasgeboren kinderen in een couveuse in leven gehouden kunnen worden. Men is tot dit tijdstip gekomen, omdat men twee rechten tegelijkertijd wilde laten meewegen, namelijk het recht van het ongeboren kind op bescherming en het recht van de moeder om met haar lichaam te doen wat ze wil (zelfbeschikking). Wanneer men beide rechten wil erkennen, ontstaat in conflictsituaties een tijdstipprobleem: *wanneer* geldt *welk* recht? Destijds bepaalde het Amerikaanse 'Supreme Court' (hoogste gerechtshof) in de beroemde 'Roë vs. Wade'-uitspraak, dat gedurende het eerste trimester van de zwangerschap primair het recht op zelfbeschikking van de moeder geldt. Wanneer het kind levensvatbaar is geworden, mochten de staten van Amerika het aborteren van het kind verbieden, tenzij het leven van de moeder op het spel stond. De redenering was blijkbaar, dat de beschermwaardigheid van het kind toeneemt in de loop van de zwangerschap. Maar waarom trok men de grens van de beschermwaardigheid van het kind bij het eerste trimester van de zwangerschap? Wat is het verschil tussen een vrucht van één trimester oud en een ongeboren kind van één trimester plus één dag oud?

Deze grens is bovendien arbitrair omdat het tijdstip, waarna het kind buiten de baarmoeder levensvatbaar is, afhangt van de stand van de techniek en de beschikbaarheid van technische middelen als intensive care-afdelingen, couveuses en dergelijke. In de verschillende wetgevingen worden dan ook verschillende tijdstippen genoemd. We dienen te beseffen, dat het tijdstip waarop te vroeg geboren kinderen levensvatbaar zijn, helemaal geen vast moment in de ontwikkeling is, niet alleen omdat de medische technieken om te vroeg geboren kinderen in leven te houden steeds beter worden, maar ook omdat elk kind een eigen ontwikkelingstempo heeft. In Nederland wordt in de praktijk de grens van 20 weken gehanteerd. Er is een voorbeeld van de praktijk in Nederland, waarin een gynaecoloog, die door zijn assistent een abortus provocatus liet verrichten van een vijf maanden oude foetus (en dus te ver ging), wel schuldig bevonden werd aan moord, maar niet meer dan een voorwaardelijke straf kreeg. Immers, als deze ingreep een paar weken eerder was verricht, was er volgens de heersende rechtsnormen niets aan de hand geweest. De betrekkelijkheid van deze levensvatbaarheidsgrens wordt hierdoor wel op tragische wijze geïllustreerd.

Verder moeten we ook vaststellen, dat het begrip 'levensvatbaarheid' een dubbele betekenis heeft. Binnen de natuurlijke ruimte van de baarmoeder is het kind beslist levensvatbaar. Het groeit, beweegt, het hartje klopt, waardoor het foetale bloed door de bloedvaten stroomt. De inzet van de groei en de ontwikkeling is begonnen bij de conceptie, dus toen heeft dit menselijk leven al 'leven gevat'. In medische kringen en abortuswetgeving wordt echter een andere betekenis aan dit begrip gegeven. 'Levensvatbaar' betekent hier, dat het embryo *buiten* de natuurlijke omgeving van de baarmoeder kan blijven leven. En omdat het groeiende en zich ontwikkelende kind nog niet levensvatbaar is buiten de baarmoeder, zou het niet beschermwaardig zijn. Hier wordt dus een voorwaarde voor beschermwaardigheid gesteld, die uitgaat van een *onnatuurlijke* situatie. Maar waarom zou men een kind, dat zich levend en wel in de baarmoeder kan ontplooien, de kans ontnemen om levensvatbaar te worden buiten de baarmoeder? Bovendien is het na de geboorte ook buiten de baarmoeder niet levensvatbaar als er niet goed voor wordt gezorgd! We kunnen van geen enkel wezen verlangen dat het ook buiten zijn natuurlijke milieu levensvatbaar kan zijn.

De conclusie moet zijn, dat het tijdstip van levensvatbaarheid een arbitraire, gekunstelde en te hoge eis is, die geen zinnig oordeel kan opleveren over de beschermwaardigheid van een embryo. Het kan daarom ook niet dienen om abortus provocatus tot een bepaald moment in de ontwikkeling van de vrucht te legaliseren.

In de literatuur wordt nog een tweede tijdstip genoemd, waarop het embryo beschermwaardig zou worden. Dit is het moment, waarop de hersenen en het ruggenmerg (het centrale zenuwstelsel of CZS) voltooid is. Het zou, zo luidt deze gedachtegang, pas op dit tijdstip zijn, dat de typisch menselijke bekwaamheden volledig geacht kunnen worden. De toestand waarin het embryo zich bevindt vóór dit tijdstip zou in feite een vorm van 'hersendood' zijn. Tegen deze gedachte zijn echter enkele bezwaren in te brengen:

- Het CZS van het kind heeft zich op het genoemde tijdstip niet volledig ontwikkeld, maar op dat moment is de *aanleg* van het CZS voltooid. De volledige ontwikkeling ervan is pas ongeveer één jaar *na* de geboorte voltooid. Zou men de maatstaf van volledige ontplooiing letterlijk nemen, dan zouden ook baby's tot de leeftijd van één jaar gedood mogen worden.
- Het tijdstip van de volledige aanleg en ontwikkeling van de hersenen en het ruggenmerg is nooit *precies* bekend. De kans dat men met dit criterium in de hand vanwege een verkeerde beoordeling embryo's met een volledig aangelegd CZS zou aborteren is dan niet denkbeeldig.
- Wat wordt er precies met volledige menselijke bekwaamheden bedoeld? Op grond waarvan zou dit een maatstaf kunnen zijn? Hoe volledig moeten die bekwaamheden zijn? Wanneer iemand verlamd is geraakt, was zijn ruggenmerg wel volledig ontwikkeld, maar nu niet meer werkzaam, waardoor het gaat degenereren en niet meer volledig ontwikkeld is; hij heeft dus niet meer volledige bekwaamheden. Mag deze verlamde dan ook gedood worden?
- Is de periode voor het bedoelde tijdstip wel vergelijkbaar met 'hersendood'? Hersendood is onomkeerbaar; de hersenen herstellen er nooit meer van. Maar bij een kind kunnen de hersenen en ruggenmerg zich volledig ontwikkelen, indien en nadat men het ook de kans geeft om het zich te laten ontwikkelen.

De conceptionalistische opvatting gaat er vanuit, dat bij de bevruchting zeker sprake is van 'mens' in biologische zin, maar eveneens in relationele zin. Zij spreekt niet van 'mens-in-wording' (waarbij een menselijk wezen nog 'mens' moet worden), maar van een 'mens-in-ontwikkeling'. Eerder zagen we al, waarom het bij een bevruchte eicel reeds om een volledig beschermwaardig mens gaat. Het mens-zijn begint bij de bevruchting, waarbij het menselijk wezen achtereenvolgens verschillende (tamelijk kunstmatig ingedeelde) levensfasen doorloopt; van bevruchte eicel via embryo, foetus, zuigeling, peuter, kleuter, kind, puber, volwassene tot bejaarde. Deze ontwikkeling eindigt bij het sterven van deze mens. Het ongeboren kind is dus een mens in een bepaald levensstadium, dat een onderdeel is van een continue ontwikkeling.

Literatuur

Tijdschrift voor Fertiliteitsonderzoek, Excerpta Medica, maart 2002.
M. Daverschot, 'Verpleegkundige beroepsverantwoordelijkheid in juridische zin', in: B.S. Cusveller (red.), *Volwaardige verpleging*, Amsterdam: Buijten & Schipperheijn, 1999.
M.J. Heineman e.a. (red.), *Obstetrie en gynaecologie: de voortplanting van de mens*, Maarssen: Elsevier/Bunge, 1999.
E.J. Westerman, T. van Laar, H. Jochemsen, *De foetus als donor?* Lindeboomreeks deel 7. Amsterdam: Buijten en Schipperheijn, 1995, i.h.b. hoofdstuk 3.
J. Douma, *Seksualiteit en huwelijk,* Kampen: Van den Berg, 1993.
P. Wibaut & F. Wibaut, *Anticonceptie,* Utrecht: uitgeverij Bunge, 1989.
A.B.F. Hoek-van Kooten, J. Hoek, *Man en vrouw in Gods weg: een praktische handreiking over huwelijk en seksualiteit,* Kampen: Kok, 1985.
M.J. Heineman (red.), *De voortplanting van de mens,* Haarlem: Centen, 1981.
J.H. ten Hove, *Kinderen krijgen of kinderen nemen? Een christen-huisarts over verantwoorde gezinsvorming,* Kampen: Kok, 1981.
J. Rademakers, *Abortus in Nederland 1993-2000: jaarverslag van de landelijke abortusregistratie,* Heemstede: StiSAN, 2002.

www.afterabortion.org/news

ooo 3 ooo

In-vitro fertilisatie

1. Inleiding

In het 1978 slaagden de wetenschappers Edwards en Steptoe erin om een menselijke eicel buiten een moederlichaam te bevruchten en in een baarmoeder terug te plaatsen, met als resultaat een normale zwangerschap. De dochter die geboren werd, Louise Brown, werd wereldberoemd: ze was de eerste van de duizenden reageerbuisbaby's die zouden volgen. In ons land werd in 1983 de eerst IVF-baby geboren. Nu worden per jaar ongeveer 9000 IVF en 4000 ICSI-behandelingen uitgevoerd. Inmiddels worden ongeveer 2300 kinderen per jaar uit reageerbuisbevruchting geboren, dus 1 op de 87. Hiervan worden 1311, dus 1 op 177 door ICSI (intracytoplasmatische spermatozoöninjectie, een vorm van IVF waarbij een zaadcel direct wordt geïnjecteerd in een eicel) geboren en 193 uit ingevroren embryo's, dus 1 op 1026. Ongeveer 3% van alle geboren kinderen is met andere woorden een 'reageerbuisbaby'.
Men kan zich afvragen of het verdriet van onvruchtbaarheid hiermee uit de wereld geholpen zal worden. Helaas is deze vraag niet met ja te beantwoorden, omdat het slaagpercentage (een kindje mee naar huis kunnen nemen) nog altijd laag is (20-25 %) en vele paren niet geholpen kunnen worden. Temidden van deze euforie klonken ook in verschillende lagen van de bevolking bedenkingen en bezwaren. Ook binnen de christelijke ethiek heerste geen eensluidende mening. Hieronder volgt een bespreking. Voordat de ethische aspecten rond IVF aan de orde komen, volgt eerst een uiteenzetting van de medisch-technische aspecten.

2. Beschrijving van de IVF-techniek

2.1 Wat is in-vitro fertilisatie?

Normaliter ontwikkelt een eicel zich in de eierstokken (ovaria) in een met vocht gevuld blaasje, de follikel. Dit gebeurt onder stimulerende invloed van een aantal hormonen, de gonadotrofines (het follikel stimulerend hormoon, FSH, en het lu-

teïniserend hormoon, LH), die worden geproduceerd in het hersenaanhangsel (hypofyse). In een ingewikkeld samenspel produceren de rijpende follikels de geslachtshormonen die we oestrogenen en progesteron noemen. Er rijpen per cyclus meerdere eicellen, waarvan er meestal een, de zogenoemde dominante follikel, tot eisprong (ovulatie) komt. Na de eisprong begint de zogenoemde tweedehelftfase. Uit de follikel ontwikkelt zich het gele lichaam, producent van het progesteron dat het baarmoederslijmvlies geschikt maakt voor de innesteling (nidatie).
Bij natuurlijke voortplanting vindt de bevruchting door de zaadcel ongeveer 12 uur na de eisprong plaats. Deze conceptie geschiedt meestal in de eileider (tuba van Fallopi). Door de beweging van de trilharen van de epitheelcellen en samentrekkingen van eileiderspieren wordt het embryo (zygote) in het tubaslijm in ongeveer 3 dagen naar de baarmoederholte getransporteerd. De aanhechting aan het baarmoederslijmvlies en vervolgens de innesteling begint ongeveer drie dagen later.
Soms krijgt een echtpaar geen kinderen langs de gebruikelijke weg. Zo kunnen de eileiders dermate ondoorgankelijk worden – door een ontsteking of endometriosis – dat chirurgie geen oplossing biedt. In zo'n geval kan gebruik gemaakt worden van reageerbuisbevruchting (in-vitro fertilisatie of IVF). Letterlijk betekent in-vitro fertilisatie 'bevruchting in glas'. In tegenstelling tot een natuurlijk verlopende bevruchting is bij deze procedure iedere stap voor de innesteling kunstmatig.
Het principe van de techniek is: ovariumstimulatie (hormonale prikkeling van de eierstokken om eicellen tot rijping te brengen) à follikelpunctie (leegzuigen van de eiblaasjes) à bevruchten van de verkregen eicellen in de reageerbuis à plaatsing in de baarmoederholte (embryotransfer). In de loop der jaren is deze techniek aanmerkelijk verbeterd. Door de toenemende ervaring kan IVF tegenwoordig eenvoudiger, sneller en effectiever worden uitgevoerd dan in het begin, met als gevolg minder complicaties en betere resultaten.
Het is gebleken dat IVF vooral effectief is bij vrouwen met inoperabele eileiderafwijkingen. Toch wordt het ook toegepast bij:

1. sterk verminderde zaadkwaliteit (weinig cellen en/of slechte beweeglijkheid),
2. ernstige aandoeningen bij de vrouw (met name endometriosis externa),
3. onverklaarbare onvruchtbaarheid.

De kans op zwangerschap na een eenmalige behandeling (IVF of ICSI) bij deze afwijkingen bleek groter dan de kans op een spontane zwangerschap in 12 maanden.

2.2 *De IVF-procedure: vooraf*

Voorafgaand aan een IVF-behandeling bestaat er voor veel ouders al een lange periode van ongewenste kinderloosheid en hebben de paren meestal een routine vruchtbaarheidsonderzoek ondergaan. Deze bestaat uit hormoononderzoek en het bijhouden van de basale temperatuurcurve, zaadonderzoek, bloedonderzoek (hepatitis B, HIV), samenlevingstest, een baarmoederfoto en soms een kijkoperatie.

Voordat er tot behandeling wordt overgegaan, zal nagegaan worden of er wel resultaat verwacht kan worden. Zo zal overwogen worden of er bij mannelijke oorzaak van de kinderloosheid en bij onverklaarbare onvruchtbaarheid niet eerst moet worden geprobeerd of andere technieken kunnen helpen. Te denken valt aan kunstmatige inseminatie (KI, het inbrengen van zaad van de partner in de baarmoedermond), intra-uteriene inseminatie (IUI, het inbrengen van zaad van de partner in de baarmoeder) en sperm perfusion fallopian (SPF, het zo hoog inbrengen van zaad van de partner in de baarmoederholte dat het ook in de eileiders komt). Hierbij wordt meestal ook eerst het zaad bewerkt, zodat de meest beweeglijke spermacellen overblijven, eventueel in combinatie met hormoonstimulatie. Soms zijn reeds diverse (niet succesvolle) behandelingen verricht, die veelal gepaard zijn gegaan met stress en teleurstelling, voordat tot IVF wordt overgegaan.

In een voorgesprek dienen naast informatie over de methode diverse andere belangrijke punten aan de orde te komen:

- Goede voorlichting. Uit psychologisch onderzoek blijkt dat goede voorlichting van groot belang is om te voorkomen dat de vruchtbaarheidsbehandeling tot angst, depressie en onvrede leidt.
- Het feit dat een IVF-zwangerschap anders kan verlopen dan een na natuurlijke bevruchting. De kinderen worden vaak vroeger geboren, hebben een lager geboortegewicht, waardoor opname in het ziekenhuis vaker voorkomt.
- De leeftijdsvoorwaarde. Omdat er geen betrouwbare test is voor veroudering van de eierstokken, houdt men aan dat de vrouw niet ouder mag zijn dan 40-41 jaar (sommige klinieken 44 jaar). Een hogere leeftijd geeft een lagere kans op zwangerschap, zowel bij natuurlijke bevruchting als bij IVF.
- Duur van de ongewenste kinderloosheid. Hoe langer de onvruchtbaarheid reeds bestaat, des te ongunstiger de verwachtingen van IVF.
- Psychische belasting. De behandeling vraagt op lichamelijk en psychisch terrein veel van het paar. Daar IVF als de laatste kans ervaren wordt, is er al sprake van een stresstoestand die alleen maar toeneemt bij uitblijven van een zwangerschap. Omdat uit onderzoek is gebleken dat stress een negatieve invloed heeft op de kans op zwangerschap, ligt zoveel mogelijke vermijding ervan voor de hand. Na het mislukken van de eerste behandeling bleken angst en depressie bij vrouwen toe te nemen en vertoonden ook mannen een toename in depressie. Het is duidelijk dat dit vooraf goed doorgesproken moet worden. Het komt wel voor dat de motivatie voor IVF een poging is om het huwelijk te redden. Maar gezien eerder genoemde en het feit dat de tevredenheid met de partnerrelatie niet veranderde tussen het moment voor de

behandeling en na afloop van de behandeling, ongeacht het resultaat der behandeling, is dit geen goede indicatie.

- Succeskans. De methode wordt inhoudelijk besproken, maar ook de lage kans op succes per gestarte behandeling.
- De tijdsinvestering. Het aantal behandelingen en de duur van de behandeling moeten uitgelegd worden. Tussen twee IVF-behandelingen wordt een maand rust aangeraden en dit is zelfs vereist als het gaat om transfer van een ingevroren embryo. Ook kan op verzoek een 'stopmaand' ingelast worden voor bezinning en om tot rust te komen.
- Aantal behandelingen. Tot nog toe worden er 3 behandelingscycli door de ziektekostenverzekering vergoed. De kans op zwangerschap is voor elke behandelingscyclus even groot. Er wordt gepleit voor uitbreiding, daar door meerdere behandelingen de kans toeneemt.

2.3 De IVF-behandeling zelf

De eigen hormoonactiviteit van de eierstokken kan verstoring geven bij de rijping van de follikels (eiblaasjes). Daarom wordt deze hormoonactiviteit allereerst in de maand voorafgaande aan IVF geremd door middel van medicijnen (decapeptyl of de pil). Na twee weken wordt een echo-onderzoek verricht en wordt bepaald of de stimulatie met FSH (follikel stimulerend hormoon) kan beginnen. Dagelijks wordt een FSH-injectie toegediend. Gemiddeld duurt deze stimulatiefase acht tot veertien dagen.

Met behulp van regelmatige echoscopie, zonodig aangevuld met een bloedtest, wordt gecontroleerd of er voldoende eiblaasjes rijpen en of de rijping goed verloopt. Dit is het geval als er voldoende eiblaasjes groter dan 15 mm zijn, waarvan de grootste minstens 20 mm (de dominante follikel), het hormoongehalte overeenkomt met het aantal eiblaasjes, en bovendien het baarmoederslijmvlies voldoende dik is.

Als de eicellen bijna rijp zijn, wordt 34 tot 36 uur voor de follikelpunctie een hormooninjectie (hCG) gegeven. Dit dient om de eirijping verder te bevorderen, om het loslaten van de eicel in de eiblaasjes te vergemakkelijken, en om de luteale fase na punctie te stimuleren. Hierdoor moet onder invloed van progesteron de opbouw van een goed baarmoederslijmvlies plaatsvinden, zodat het embryo zich kan innestelen.

Het moge duidelijk zijn dat de spontane ovulatie niet afgewacht kan worden, want dan verdwijnen de eicellen in de buikholte en is de kuur voor niets geweest. Door punctie wordt het vocht uit de follikel opgezogen. De punctie geschiedt door de schede onder echoscopisch zicht, meestal zonder narcose. De ovaria worden dan zichtbaar gemaakt, de blaasjes komen goed in beeld, zodat ze kunnen worden aangeprikt, leeggezogen en in een flesje gedaan. Meestal wordt vooraf (en zonodig achteraf) een pijnstiller toegediend, soms in combinatie met een kalmerend middel. Direct na de punctie gaan de flesjes met het follikelvocht naar het laboratorium en wordt het verkregen vocht met behulp van de microscoop onderzocht op eicellen. Het is meteen bekend hoeveel goede eicellen verkregen zijn en welke eicellen afvallen. Nu geschiedt de selectie nog microscopisch, maar op den duur zal dat worden vervangen door betere methoden, zoals screening op chromosomale afwijkingen (pre-implantatie genetische diagnostiek) in een cel van het jonge embryo. Indien dit wordt ingevoerd kan het succespercentage stijgen tot boven de vijftig, aangezien chromosomale afwijkingen de kans op afstoting (abortus) aanzienlijk verhoogt. In veel buitenlandse vruchtbaarheidsklinieken is deze methode al heel gebruikelijk; in ons land vinden er onderzoeken plaats, al kan de methode in Maastricht al worden toegepast. Aan alle vrouwen die 36 jaar zijn bij een zwangerschap van 20 weken wordt prenatale diagnostiek aangeboden. Op de punctiedag wordt gestart met progesterontoediening ten behoeve van goede ontwikkeling van het baarmoederslijmvlies en ter bevordering van de innesteling.

De laboratoriumfase is een belangrijke stap in het traject. De eicellen uit het follikelvocht worden in kweekbakjes gedaan en in de broedstoof (37 °C) bewaard. Vijftien minuten voor de punctie heeft de partner vers zaad ingeleverd en dit wordt na selectie van de meest beweeglijke zaadcellen bij de eicellen gevoegd. De zaadcellen moeten zelf de eicel bevruchten. De dag na de punctie wordt door te kijken naar aanwezigheid van zogenoemde voorkernen (pro-nuclei) geconstateerd of de bevruchting tot stand is gekomen. Meestal lukt het om vijftig procent van de eicellen op deze manier te bevruchten. Als het sperma niet optimaal is blijft bevruchting uit, en kan overgegaan worden tot ICSI, waarbij een zaadcel in de eicel wordt ingebracht via een dunne glazen naald.

De tweede dag na de punctie wordt het aantal bevruchte eicellen onder de microscoop beoordeeld en geselecteerd op uiterlijk, waarbij de gelijkmatigheid van de celdeling en het aantal pro-nuclei op de eerste dag belangrijke factoren zijn. Pas op de dag van de embryo-overplaatsing kan definitief over de kwaliteit van de bevruchte eicellen geoordeeld worden.

Deze embryotransfer (ET) vindt twee tot vijf dagen later plaats. Het terugplaatsen gebeurt twee of drie dagen na de punctie (het tijdstip maakt voor het embryo zelf niet uit). Op de tweede dag bestaat het uit 4 of 8 cellen. Hoewel wordt onderzocht of transfer in het blastocyste stadium (5 dagen na de bevruchting) effectiever is, werd dit nog niet aangetoond. In ons land wordt er één, maximaal twee embryo's getransplanteerd om de kans op drie- of vierlingzwangerschap te voorkomen. De transplantatie geschiedt door met een vaginaalspeculum de baarmoedermond zichtbaar te maken. Dan wordt een katheter gevuld met de bevruchte eicellen in kweekvloeistof en in de baarmoeder geschoven en daarna

wordt de inhoud zeer voorzichtig in de baarmoederholte gespoten. In het laboratorium wordt de katheter erna gecontroleerd of de embryo's er wel uit zijn. Twee tot vier dagen na de transfer vindt de innesteling plaats in het baarmoederslijmvlies dat door hormonen (hCG, progesteron) is voorbereid.
Nu zal de menstruatie uitblijven en zal met een test de zwangerschap worden vastgesteld. Deze zwangerschapstest kan al positief zijn op de dag dat de menstruatie verwacht zou worden. Is deze test positief, dan volgt op 28-30 dagen na de punctie een echo-onderzoek om de hartslag vast te stellen en om te zien of er sprake is van een eenling of meerling. Tevens moet worden gekeken of geen buitenbaarmoederlijke zwangerschap is ontstaan (hetgeen bij 3% van de behandeling voorkomt). Bij een positieve test is nog geen sprake van een doorgaande zwangerschap, daar de kans op een miskraam nog 20-25 % is. Tot elf weken na de punctie wordt door regelmatig echo-onderzoek de ontwikkeling gecontroleerd. Als alles goed is, is de kans op een miskraam nog maar klein en spreekt men van een doorgaande zwangerschap ('in verwachting zijn'). Van geslaagde behandeling kan pas gesproken worden, als de moeder een kind mee naar huis kan nemen ('take home rate').

2.4 Bijkomende factoren en complicaties

1. Rest-embryo's en cryo-embryo's: Reageerbuisbevruchting kan een oplossing voor een probleem zijn, maar ook schaduwkanten hebben. Zo kunnen er meer embryo's ontstaan dan nodig is om een zwangerschap te verkrijgen (er ontstaan er bijvoorbeeld zes en er worden er twee teruggeplaatst). Deze overtollige embryo's worden 'restembryo's' genoemd of, als ze ingevroren worden, 'cryo-embryo's'. Indien de kwaliteit van deze overblijvende embryo's goed is, kunnen ze zeker nog voor embryotransfer op een later tijdstip geschikt zijn. Na ontwikkeling in de broedstoof tot het zestiencellig stadium wordt overgegaan tot invriezen (cryopreservatie), wat in ongeveer 20% van de embryo's mogelijk is. Ze kunnen dan voor een volgende poging tot zwangerschap gebruikt worden. Indien blijkt dat de kwaliteit van de ontdooide embryo's niet goed is, vindt geen ET plaats en gaan ze verloren. De kans op innesteling met ontdooide embryo's is echter wel geringer dan met nieuw gevormde embryo's. Het is ook mogelijk dat de celdeling tijdens het verblijf in de broedstoof stopt en dan heeft invriezen geen zin meer. Transfer van ontdooide embryo's geschiedt in een hormooncyclus die niet wordt gestimuleerd maar slechts ten behoeve van het baarmoederslijmvlies door tweede helft hormonen wordt ondersteund. Een drietal embryo's is in een rietje ingevroren, ze worden ontdooid en gecontroleerd op kwaliteit. Indien deze goed is, wordt op de 17e dag de transfer verricht.
Al deze ingrijpende procedures geschieden niet zo maar. Het is wettelijk geoorloofd en procedureel wordt grote zorgvuldigheid betracht. Zo gebeurt de cryopreservatie alleen op basis van een contract. In de meest klinieken is het de ge-

woonte dat de ouders een cryocontract ondertekenen. Hierin wordt opgenomen hoeveel embryo's ingevroren zijn. Deze overeenkomst geldt voor twee jaar en kan maximaal met drie jaar verlengd worden (maar niet langer dan tot het 44 levensjaar van de vrouw). De ouders blijven zelf verantwoordelijk en behouden het beschikkingsrecht over deze embryo's. Als er na twee jaar niet wordt gereageerd, dan is het laboratorium gemachtigd de embryo's te vernietigen.

2. Overstimulatie: Een andere belangrijke en niet ongevaarlijke complicatie van de methode is de overstimulatie. Na de follikelpunctie kunnen de eierstokken sterk opzetten en kan er vocht in de buikholte vrijkomen. Er kunnen dan klachten ontstaan over een opgezette en pijnlijke buik, misselijkheid, braken en kortademigheid, en in korte tijd kan het gewicht van de vrouw sterk toenemen. Dit syndroom ontstaat doordat de kleine bloedvaatjes in de buik veel vocht doorlaten. Een gevolg hiervan is dat het bloed 'stroperiger' wordt, als het ware indikt, waardoor doorbloedingsstoornissen in andere organen kunnen optreden. Een fatale afloop meestal ten gevolge van trombose is voorgekomen, ook in Nederland.

3. Meerlingen: Het percentage tweelingen na reageerbuisbevruchting ligt rond de 25% en dat van drielingen rond de 5%. Deze meerlingzwangerschappen gelden als een belangrijke complicatie van de kunstmatige voortplantingstechnieken, daar het een groter risico op complicaties betekent voor moeder en kind. Dit geldt niet uitsluitend voor grote meerlingzwangerschappen, maar ook al voor tweelingen. De belangrijkste risico's zijn dat het kind achterblijft in groei en/of te vroeg geboren wordt. De mediane zwangerschapsduur voor een tweeling is 37 weken, voor een drieling 34 weken, voor een vierling 31 weken en voor een vijfling of meer 26-28 weken. Als nadeel geldt ook dat er eerder een keizersnee verricht moet worden. Er bestaat dan een verhoogde kans op sterfte en ziekte rond de geboorte. Bij de moeder kan een verhoogde bloeddruk of zwangerschapsdiabetes optreden. Omdat een dergelijke zwangerschap zeer gecompliceerd kan verlopen en vaak ongewenst is, wordt (soms routinematig) overgegaan tot 'aselecte reductie' van embryo's.

4. Embryoreductie: Dit is in feite het doden van kinderen in de baarmoeder. In het buitenland wordt ervan uitgegaan dat men zoveel embryo's als gewenst mag overplaatsen. In Nederland wordt getracht een midden aan te houden tussen het behoud van voldoende slaagkans en het reduceren van de kans op meerlingzwangerschappen, door minder embryo's terug te plaatsen dan in het buitenland. Aanvankelijk werd embryoreductie alleen toegepast bij een vierling of hoger. Maar nu doet men het zelfs bij tweelingen, aangezien een kleine 50% van deze kinderen op een neonatale care unit opgenomen moet worden. Het komt ook voor als de ouders slechts één kind wensen. Hoewel de algemene trend een afname van grote meerlingzwangerschappen als complicatie van IVF laat zien, is het probleem van embryoreductie nog niet opgelost. Dit zou alleen gebeuren door

transplantatie van één embryo. Bij jonge vrouwen leidt dit echter slechts in 30 % tot een voldragen zwangerschap. Daarom plaatst men doorgaans meer embryo's tegelijk in de baarmoeder. Ontstaat er toch een zwangerschap van meerdere kinderen dan gaat men vrij algemeen over tot het intra-uterien doden van een of enkele embryo's.
De embryoreductie vindt tussen de 10e en 14e zwangerschapsweek plaats, omdat na die tijd de kans op het verlies van het overblijvende kind stijgt. Onder echoscopische begeleiding wordt via de buikwand van de moeder het foetale hart gepuncteerd en het dodelijke middel KCI geïnjecteerd zodat een hartstilstand optreedt. Deze gedeeltelijke abortus is in de praktijk een psychische last voor de vrouw en een risico voor het overblijvende kind.
5. Eiceldonatie: Soms zijn bij een vrouw eicellen uitgenomen die niet meer voor een zwangerschap bij haarzelf gebruikt kunnen worden, bijvoorbeeld na een gynaecologische tumor of na op jonge leeftijd in de overgang te zijn gekomen. Dan kunnen haar eicellen gedoneerd worden aan een andere vrouw en na bevruchting bij de wensmoeder ingebracht worden. Dit wordt door de embryowet toegestaan. Indien een vrouw geen functionerende baarmoeder heeft, kan er een beroep worden gedaan op een draagmoeder. Eicellen van de wensmoeder worden met behulp van IVF bevrucht met het zaad van de wensvader en kunnen bij de draagmoeder worden ingebracht (ET). Ook kunnen eicellen van de wensmoeder via IVF door zaadcellen van de wensvader worden bevrucht waarna ET van de verkregen embryo's plaatsvindt naar de baarmoeder van de draagmoeder. Dit hoogtechnologische draagmoederschap is sinds 1 januari 1998 toegestaan nadat de Minister van VWS het advies van de commissie Herziening Planningsbesluit in 1997 had overgenomen. Er zijn weliswaar strikte protocollaire voorwaarden aan verbonden, zodat deze behandelingsmethode alleen geldt voor vrouwen waarvoor dit de enige mogelijkheid is om een genetisch eigen kind te krijgen. Dat hier juridische en emotionele consequenties aan vastzitten, laat zich denken. Vanwege de wettelijke aspecten van de behandeling is juridisch advies zondermeer noodzakelijk.

2.5 Gezondheidseffecten van IVF bij vrouwen en kinderen

1. Kanker: Aanvankelijk werd gevreesd dat er door hyperstimulatie een verhoogd risico zou kunnen bestaan op eierstok-, borst-, en baarmoederkanker. Deze veronderstelling berustte op biologisch onderzoek naar het ontstaan van tumoren en niet zozeer op epidemiologisch onderzoek naar gevolgen van IVF. Uit een groot landelijk onderzoek kon tot zes jaar na de IVF-behandeling niet worden bevestigd dat er een verhoogd risico op ovarium-, borst-, en baarmoederkanker bestaat.
2. Effecten op de zwangerschap: Uit recent onderzoek is gebleken dat zwangerschapsuitkomsten na IVF gemiddeld ongunstiger zijn dan na natuurlijke conceptie. Zo trad een spontane abortus (miskraam) op bij 22% van de IVF-zwangeren,

wat normaal 10 tot 15% is. De kans op abortus bleek het grootst indien de partner subfertiel (matig vruchtbaar) was. De gemiddeld hogere leeftijd van de vrouw bij IVF kan zondermeer een rol spelen.
Buitenbaarmoederlijke zwangerschap komt in ± 3,5% voor. De kans is het grootst voor de groep vrouwen met afwijkingen aan de baarmoeder. Er bestaat een verhoogde kans op bloedingen zonder een aanwijsbare oorzaak.
3. Effecten op het kind. Regelmatige verschijnen er berichten over de gezondheidstoestand van IVF-kinderen. Naast een laag geboortegewicht zouden ze vaker ziekten hebben. Recente studies uit Amerika en Australië vermelden een percentage 'slechte starters' van 6,5, wat 2,5 keer zoveel is als bij niet-IVF kinderen. Verder bleek dat bij 9% een aangeboren afwijking of ziekte voorkomt tegen 4,5 bij 'normale' kinderen.
In ons land wordt het totale aantal levend geboren kinderen na IVF geschat op 8.000 à 10.000. Hun levenskansen blijken niet gelijk aan die van niet-IVF kinderen. In het eerste jaar zouden er 1,5 maal zoveel kinderen sterven na geboorte uit IVF dan uit natuurlijke geboorten en worden bij 4 maal zoveel kinderen afwijkingen aangetroffen. Na 5 jaar is een kwart van de IVF-kinderen overleden en heeft nog eens 25% een functiebeperking waarvan 14% een duidelijke handicap. Ten opzichte van de 'normale' bevolking gaan er meer IVF-kinderen naar het bijzonder onderwijs (19% tegenover 9%). Door vroeggeboorte komt meer spasticiteit, blindheid en doofheid voor. Zo zijn er nog een aantal gezondheidseffecten te noemen. Duidelijk is dat voorzichtigheid geboden is bij de introductie van nieuwe methoden en technieken.
De kans op vroeggeboorte is bij IVF 5 tot 6 maal hoger dan bij een natuurlijke zwangerschap. Naast de vroeggeboorte hebben de kinderen ook vaker een lager geboortegewicht (gemiddeld 90 gram minder). Van beide verschijnselen is de verklaring niet bekend, maar in ieder geval is die niet een verminderde placentafunctie. Verondersteld wordt dat de oorzaak zou kunnen liggen in een verstoring in de ontwikkeling van het jonge embryo. Als bijkomende factoren worden nog genoemd: de subfertiliteit van de IVF moeders, de oudere leeftijd, stress van de moeder, en een of meer onderdelen van de IVF-procedure zelf.
Schadelijke effecten treden niet noodzakelijk op door cryo-preservatie van overtollige embryo's, daar bij deze kinderen geen verhoogde kans op afwijkingen werd aangetroffen. Vermeldenswaardig is dat hun geboortegewicht gemiddeld zelfs hoger is dan dat van andere embryo's.
4. Aangeboren afwijkingen. De resultaten van onderzoek naar extra aangeboren afwijkingen na IVF zijn niet eensluidend, maar erg grote verschillen met gewone zwangerschappen worden ook niet gevonden. Gemeld wordt dat afwijkingen voorkomen bij 3,4% tot 4,2% van de kinderen van ouders waarbij ICSI werd toegepast. Bij conventionele IVF is dit 3,8 tot 4,6%, tegen 2 tot 3,9% bij gewone zwanger-

schappen. In een Nederlands onderzoek werden alle aangeboren afwijkingen op de lijst van de European Registration of Congenital Anomalies and Twins (Eurocat) aanghouden. Het percentage kinderen dat een afwijking had was 3,8% (waaronder 12 eenlingzwangerschappen die wegens ernstige congenitale afwijkingen werden afgebroken). Dit zou overeenkomen met de overige zwangerschappen in Nederland. Een ander rapport vermeldt dat na ICSI bij 7,2% van de kinderen lichamelijke afwijkingen voorkomen, voornamelijk aan het bewegingsapparaat, het hart/vaatstelsel en de geslachtsorganen (ook volgens de EUROCAT-registratie). De afwijkingen lijken gerelateerd te zijn aan de hoge leeftijd van de moeder, afwijkingen bij de ouders en zelfs het beroep van de moeder. Er zouden geen cognitieve, psychomotorische of psychosociale stoornissen worden gevonden.
Hierbij mag echter niet vergeten worden dat door PND (prenatale diagnostiek) kinderen met een handicap vroegtijdig opgespoord en geëlimineerd worden. Het is niet ongebruikelijk dat IVF-artsen bij kans op aangeboren afwijkingen of leeftijd boven de 36 jaar met enige drang een triple-test, vlokkentest of vruchtwateronderzoek aanbevelen. De consequentie hiervan bij indicatie van afwijkingen in de uitslag is dan meestal het afbreken van de zwangerschap. Op het embryo kan voor de overplaatsing pre-implantatie genetische diagnostiek verricht worden en bij negatieve uitslag vindt geen ET plaats maar vernietiging van het embryo.
5. ICSI en afwijkingen bij het kind. De Intra Cytoplasmatische Spermatozoa Injectie techniek wint terrein in de kunstmatige voortplantingstechnologie en lijkt in sommige klinieken in de VS zelfs de conventionele IVF te verdringen. In 1994 werd ICSI in Nederland geïntroduceerd zonder goed klinisch onderzoek vooraf. Men was zeer beducht voor afwijkingen bij het kind. Bij grote onderzoeken blijkt er voor IVF- en ICSI-kinderen echter geen sterk verhoogd risico op misvormingen. De heersende mening is toch nog wel dat ICSI op een geëigende indicatie moet geschieden, maar de succeskansen lijken inmiddels hoger dan bij IVF.
Vroeggeboorte komt wel vaker voor, maar zeer laag geboortegewicht juist weer minder vaak dan bij de conventionele IVF. Als het percentage aangeboren afwijkingen wordt gerelateerd aan de EUROCAT-score, dan blijkt het toch significant hoger ten opzichte van een controlegroep. De afwijkingen betreffen voornamelijk spier- en botstelsel, hart en geslachtsorganen.
Uitgebreid follow-up onderzoek van IVF-kinderen en vergelijking met kinderen na natuurlijke conceptie is in ons land helaas nog weinig verricht. Het is goed denkbaar dat door manipulatie aan ei- en zaadcellen, en door de onnatuurlijke omgeving, schadelijke veranderingen in het erfelijke materiaal voorkomen, waardoor de kans op aangeboren afwijkingen en kanker kan toenemen. In ons land bleek dat kinderen tot het tweede levensjaar hetzelfde scoren als niet IVF-kinderen en slechts 3% een ontwikkelingsachterstand heeft. Uit langer voortgezet onderzoek moet blijken of dit blijvend is.

3. *Ethische beschouwing*

In de Embryowet van 1 september 2002 is onder andere geregeld, dat het toelaatbaar is embryo's te gebruiken voor medisch-wetenschappelijk onderzoek, te vernietigen, in te vriezen of te gebruiken voor het bewerkstelligen van een zwangerschap van een ander, dus donatie. Tevens werd de zeggenschap over de embryo's en de toestemmingsvereisten van degene van wiens geslachtscellen de embryo's zijn ontstaan geregeld. Maar de vraag laat zich stellen of alles wat in de wet wordt toegestaan vanuit ethisch oogpunt ook wenselijk is. Vanuit christelijk gezichtspunt zijn de volgende overwegingen te geven.

3.1 De ontwikkeling van IVF

Blijkens hun eigen rapporten, hebben Steptoe en Edwards – de pioniers van de IVF-techniek – vele experimenten moeten uitvoeren met menselijke embryo's alvorens de eerste poging tot transplantatie kon worden gedaan. Wie zich op het bijbelse standpunt stelt dat menselijk leven vanaf het allereerste begin, de bevruchting, beschermwaardig is, zal met deze voorgeschiedenis grote moeite hebben. Immers, volledig instrumenteel gebruik van menselijke embryo's (zonder dat het embryo zelf er enig baat bij heeft) is alleen te verdedigen wanneer men het persoon-zijn van een embryo ontkent en het slechts als een *potentieel* persoon beschouwt. Feit is, dat de ontwikkeling van IVF niet mogelijk is geweest zonder een vertechnisering van het voortplantingsproces en het niet als mens erkennen van het menselijk embryo door het gebruik ervan in experimenten.
Betekent deze voorgeschiedenis nu, dat IVF een moreel betwistbare methode is en dat mensen zich compromitteren als ze er gebruik van maken? Anders gezegd, mag je een bepaalde techniek gebruiken zonder rekening te houden met haar voorgeschiedenis? Overigens is ook de huidige IVF-praktijk nog doortrokken van het experimentele karakter. IVF is nog steeds in ontwikkeling, waarbij nog immer menselijke embryo's worden gebruikt, zij het ingekaderd in een klinische praktijk. We moeten ons daarom serieus afvragen of deze techniek eigenlijk van haar ontwikkeling losgekoppeld kan worden, van een voorgeschiedenis die door de christelijke ethiek moreel onaanvaardbaar wordt geacht.

3.2 IVF onverenigbaar met de natuur- of scheppingsorde?

Een ander probleem met IVF is het volgende. De ontwikkeling van IVF als een kunstmatige bevruchtingsmethode wordt met name in rooms-katholieke kring als bezwaar gezien, daar het zou indruisen tegen de natuurlijke orde. Naar rooms-katholieke opvatting is de wil van God ook kenbaar uit de natuurlijke orde van de dingen. Dit bezwaar ligt in dezelfde lijn als de bezwaren van roomskatholieke zijde tegen de anticonceptiepil. Het natuurlijke gegeven dat seksualiteit en voort-

planting aan elkaar zijn verbonden, wordt door IVF en anticonceptie immers teniet gedaan.
Binnen het protestantisme acht men in het algemeen ingrijpen in de natuurlijke orde in principe wel aanvaardbaar, omdat de mens geroepen is om de natuur, de gevallen schepping, te bewerken. Maar dat ingrijpen behoort, volgens sommigen, niet tegen de scheppingsordeningen in te gaan. In dit verband rijzen er met name bezwaren tegen de bevruchting buiten het moederlichaam en de ontkoppeling van geslachtsgemeenschap en voortplanting. Met name aan het laatste punt wordt zwaar getild. De cruciale vraag hierbij is, of de natuurlijke wijze van verwekking een normatief scheppingsgegeven is of niet. Wordt bij IVF de voortplanting, zonder de geslachtsgemeenschap als uiting van liefde, gereduceerd tot een biologisch proces en de mens tot een maakbaar product? Is er een wezenlijk verschil tussen ouders die in liefdevolle overeenstemming gebruik maken van de IVF-techniek en ouders die in huwelijksgemeenschap een kind ontvangen?
Hoe men hierover oordeelt, zal afhangen van de vraag in hoeverre men de verbinding tussen verwekking van kinderen en seksuele gemeenschap als scheppingsordening beschouwt en in hoeverre die ordening normatief is voor ons. Zo gesteld, is deze vraag niet gemakkelijk te beantwoorden en wordt ook door orthodoxe ethici verschillend beantwoord. Bevruchting buiten het moederlichaam is iets nieuws in de menselijke historie. 'Buiten het lichaam' is duidelijk afwijkend van de normale, met de schepping gegeven gang van zaken. Maar kan men niet stellen, dat bij IVF de eigenlijke bevruchting niet zozeer gemanipuleerd, doch alleen mogelijk gemaakt wordt? Anders gezegd, blijft het 'geheimenis' van de bevruchting gehandhaafd? Recente onderzoeksresultaten neigen naar een ontkennend antwoord. Men wijst er wel op, dat allerlei andere behandelingen ter opheffing van onvruchtbaarheid al lang geaccepteerd zijn (zoals ovulatiestimulering en operaties aan de eileiders). Maar dit soort behandelingen is juist gericht op herstel van de mogelijkheid van een natuurlijke bevruchting. IVF *vervangt* die natuurlijke gang van zaken, al speelt de dokter bij IVF een dermate actieve rol, dat hij wordt tot 'leider van het voortplantingsproces'. Blijft bij deze techniek de vrouw de akker waarin het zaad der liefde vrucht mag vatten of verwordt ze, met woorden van Edwards, tot 'de foetale omgeving'? Gezien deze vragen over de afwijkingen van het natuurlijk voortplantingsproces is IVF, indien de genoemde scheppingsorde normatief is, moreel bedenkelijk.

3.3 Schadelijke effecten
Een belangrijk bezwaar tegen IVF was, dat de methode op grote schaal is ingevoerd, zonder dat de gevolgen voor moeder, aldus verwekte kinderen en samenleving bekend waren. Enkele voorbeelden van (mogelijk) schadelijke gevolgen

zijn de abnormale hormonale status, die ontstaat tijdens de hyperstimulatie-fase en die mogelijk een ongunstig effect kan hebben op met name de voortplantingsorganen van moeder en/of kind.
De bevruchting zelf vindt plaats in een biologisch niet optimale omgeving. Naast dit nadeel ontbreekt de natuurlijke competitie tussen de zaadcellen. Ook abnormale zaadcellen kunnen dus nu gemakkelijk(er) een bevruchting veroorzaken. Dit kan leiden tot zichtbare en onzichtbare afwijkingen. De zichtbaar afwijkende bevruchte eicellen worden 'weg' geselecteerd. De onzichtbaar afwijkende, bevruchte eicellen (bijvoorbeeld erfelijke afwijkingen) worden echter bij de moeder ingebracht. Dergelijke erfelijke afwijkingen kunnen dan generaties lang blijven bestaan. Voorlopige onderzoeksresultaten lijken een verhoogd percentage van enkele aangeboren misvormingen bij IVF-kinderen te geven (zie boven).
De mogelijkheid, dat zich op latere leeftijd afwijkingen openbaren, zoals bij de DES-hormoon-affaire, waarbij volwassen DES-dochters een verhoogde kans hebben op onder andere baarmoederhalskanker, lijkt in het licht van de huidige medische bevindingen niet te ver gezocht. Dat geldt nog sterker ook voor mogelijke schadelijke effecten op volgende generaties.
Ook na het ontstaan van de zwangerschap zijn nog verschillende complicaties mogelijk, zoals: een spontane abortus, hogere risico's door meerlingzwangerschap, buitenbaarmoederlijke zwangerschap en te vroeg geborenen met ondergewicht (prematuren). Dit resulteert in een aanzienlijk hogere sterfte van het kind rond de geboorte bij IVF-zwangerschappen dan bij natuurlijke zwangerschappen. Het argument dat IVF (mogelijke) schadelijke effecten heeft op de verwekte kinderen, geldt nog steeds of is in ieder geval nog niet door de feiten achterhaald. Dit geldt ook voor het invriezen van embryo's. Cryopreservatie van embryo's is, als instrumenteel gebruik van menselijk leven, zonder meer af te wijzen. Tenslotte zijn ook risico's op langere termijn voor de moeder niet uit te sluiten.

3.4 Embryo-verlies

Het belangrijkste bezwaar tegen de IVF-behandelingen betreft het grote verlies van embryo's. Zelfs wanneer 3 à 4 bevruchte eicellen in de baarmoederholte worden teruggeplaatst, treedt maar bij 20 tot 30% van de vrouwen innesteling op. Van deze zwangerschappen eindigt nog eens 30% in een spontane abortus. Ter vergelijking: de gemiddelde kans op een spontane abortus bij een normaal ontstane zwangerschap is circa 10%. Bij de IVF-procedure treedt dus verlies op van vele embryo's.
Eindigt de discussie nu bij de constatering van zoveel sterfte van pril begonnen menselijk leven? Dat zou onvolledig zijn. Het is namelijk bekend, dat ook bij natuurlijke bevruchting verlies van embryo's optreedt. De schattingen hiervan liggen tussen de 20 à 50%! De vraag wordt dus, of er in dit opzicht een principieel

verschil is tussen het natuurlijk beloop en het beloop bij IVF? Is het feit dat bij IVF meer embryo's verloren gaan dan van doorslaggevende betekenis, of zijn er ook andere verschillen aan te wijzen?

Een verschil hierbij is, dat embryoverlies na een natuurlijke bevruchting zich aan ons ingrijpen en onze directe morele verantwoordelijkheid onttrekt. Mag de mens onder Gods voorzienigheid bij IVF met embryo's ook doen of laten gebeuren, wat er in de gevallen schepping mee gebeurt? Weliswaar gaat ook het verlies van embryo's bij de IVF-behandeling niet buiten Gods voorzienigheid om. Toch heeft de menselijke verantwoordelijkheid ten opzichte van de embryo's die verloren gaan bij de IVF-behandeling een ander karakter dan bij een natuurlijk afsterven, omdat ze door bewust en gericht menselijk ingrijpen tot stand gekomen zijn. De aard en de mate van de verantwoordelijkheid voor het embryoverlies is bij het natuurlijke gebeuren en bij de IVF geheel verschillend. De vraag blijft dan, hoe dit verschil moreel beoordeeld moet worden. Vastgesteld moet worden, dat bij IVF het nog prille en zeer jonge individu toch ongunstiger ontwikkelingsmogelijkheden heeft, dan bij de natuurlijke gang van zaken.

3.4 Gebruik en misbruik van IVF

De invloed van toenemende toepassing van IVF op de samenleving kan groot zijn. Naast gebruik vanuit nobele motieven biedt deze techniek de mogelijkheid tot privatisering en commercialisering. De traditionele gezinsstructuur kan totaal worden veranderd. Kinderen met vijf soorten ouders behoren nu in principe tot de mogelijkheden: twee wensouders, een zaadcelvader, de eicelmoeder en de draagmoeder. Laten we de genoemde mogelijkheden eens nader bekijken.

- *Zaaddonatie*: hierbij worden de verkregen eicellen bevrucht met donorsperma van een bekende of onbekende man, bijvoorbeeld als het zaad van de eigen echtgenoot onvruchtbaar is, of als de moeder niets met de vader te maken wil hebben. Overigens is dit, door middel van kunstmatige inseminatie donors (KID), ook mogelijk zonder gebruik te maken van IVF.
- *Eiceldonatie*: bij deze procedure worden eicellen afkomstig van een andere vrouw gebruikt. Redenen om hiervoor te kiezen kunnen zijn dat *a*) de vrouw zelf geen eicellen produceert, of *b*) draagster is van een erfelijke afwijking (dit laatste geldt uiteraard ook bij zaaddonatie).
- *Embryodonatie*: zowel eicellen als zaadcellen zijn van donoren afkomstig. Deze variant wordt wel aangeduid als prenatale adoptie. Het ligt voor de hand dat een (bredere) toepassing van deze technieken in de samenleving tot een andere houding zal leiden ten aanzien voortplanting en het krijgen van kinderen. Het gevaar is reëel dat kinderen steeds meer als 'maakbaar' worden gezien, waarbij de kinderen dan ook aan bepaalde 'kwaliteitseisen' zullen moeten voldoen.

Bovengenoemde voorbeelden van kunstmatige voortplanting zijn vanuit het standpunt van de christelijke ethiek af te wijzen. De Bijbel leert duidelijk dat voortplanting alleen in het huwelijk thuishoort. Misbruik van IVF is echter niet inherent aan IVF zelf. De techniek biedt wel een uitbreiding van de mogelijkheden: eiceldonatie en sommige vormen van draagmoederschap kunnen alleen met behulp van IVF of een variant hierop worden toegepast.

3.5 Experimenten met embryo's

Een vorm van misbruik van IVF is de mogelijkheid van experimenteren met embryo's. Vooral vanuit wetenschappelijke hoek wordt aangedrongen op het wettelijk mogelijk maken van experimenteel onderzoek met embryo's. Eigenlijk is deze wens van de wetenschap wat merkwaardig. Men verzoekt om legalisatie van experimenten op embryo's omdat IVF hiertoe de mogelijkheid biedt, terwijl deze zelfde techniek jaren terug alleen kon worden ontwikkeld met behulp van zulke experimenten, die toen ook niet gelegaliseerd waren!

Dit onderzoek kan belangrijke gegevens opleveren ten behoeve van de medische wetenschap, ook gegevens die niet langs andere wegen te verkrijgen zijn. IVF fungeert hier als een belangrijke 'leverancier' van embryo's. Dit geldt in de eerste plaats voor de restembryo's, die men in het kader van een IVF-behandeling tot stand heeft doen komen, maar die niet in aanmerking komen om te worden teruggeplaatst. Een andere manier om aan foetaal 'materiaal' te komen zouden de 'laboratoriumembryo's' kunnen zijn, dat wil zeggen, embryo's die gemaakt worden om als experimentmateriaal te dienen. Ook in Nederland wordt dit door ethici en medici verdedigd. Een expliciete afwijzing van ten minste het instrumenteel gebruik van embryo's lijkt ons daarom noodzakelijk.

In principe zijn twee soorten experimenten mogelijk, namelijk experimenten die

a. gericht zijn op het welzijn van het embryo zelf, dat wil zeggen, experimenten waarbij men variaties in de IVF-procedure onderzoekt en waarbij de betreffende embryo's worden getransplanteerd (in welk milieu groeit embryo het beste, welke invriestechnieken en dergelijke);

b. niet gericht zijn op het welzijn van het embryo, zoals experimenten ten behoeve van nieuwe anticonceptiva, het oplossen van bevruchtingsproblemen, het uittesten van medicijnen op embryo's en genetische experimenten.

Wat dit laatste punt betreft, zijn enkele ontwikkelingen van IVF te voorzien.

1. Erfelijkheidsdiagnostiek: na deling van de bevruchte eicel wordt een cel weggenomen ten behoeve van chromosoom- of DNA-onderzoek. In afwachting van de uitslag van het onderzoek vriest men het embryo in. Indien het onderzoek ongunstig uitvalt, wordt het embryo niet in de baarmoeder geplaatst. Deze mogelijkheid is te beschouwen als een variant van prenatale diagnostiek. Daar het een heel vroege variant betreft, bij een nog niet in-

genesteld embryo, lijkt het waarschijnlijk dat deze voor mensen acceptabeler is dan de vlokkentest of vruchtwaterpunctie, waarna eventueel de zwangerschap afgebroken wordt door middel van abortus provocatus.
2. Selectie op grond van geslacht (verboden in de Embryowet).
3. Genetische manipulatie: veranderingen in erfelijke eigenschappen bij embryo's om erfelijke afwijkingen te corrigeren of gewenste eigenschappen in te brengen. De aangebrachte veranderingen zijn erfelijk. Men spreekt daarom wel van kiembaantherapie. We kunnen hier reeds vaststellen dat de IVF allerlei mogelijkheden biedt van onverantwoorde toepassingen. Volgt hieruit dan ook dat IVF is af te wijzen?

Er zijn legio voorbeelden te bedenken van technische ontwikkelingen waarvan de mens misbruik heeft gemaakt. Daarmee is nog niet gezegd dat een goed gebruik is uitgesloten. Echter, naast zwaarwegende bedenkingen tegen de IVF-techniek zelf, blijkt nu ook waakzaamheid ten aanzien van misbruik geboden. Deze combinatie maakt het voor de individuele gebruiker vanuit christelijk standpunt gezien moeilijk om van deze techniek gebruik te maken.

3.6 De kosten van IVF en prioriteitenstelling in de gezondheidszorg

In de gezondheidszorg vinden snelle ontwikkelingen plaats. Met name in de medische sector zijn tot de verbeelding sprekende resultaten geboekt. Maar deze geweldige resultaten kosten ook enorme bedragen. Hoe verfijnder en geavanceerder de technieken, hoe duurder ze worden. De kosten van de gezondheidszorg dreigen uit de hand te lopen. Niet alles kan meer betaald worden. Er moeten keuzes worden gemaakt.

IVF is één van die technisch knappe, maar tegelijkertijd prijzige ontwikkelingen, zeker wanneer men de kosten van de complicaties ten gevolge van vroeggeboorte meerekent. Er zijn dus zeker vraagtekens te plaatsen bij IVF, gelet op de hoge kosten van de gezondheidszorg. Ongewilde kinderloosheid kan oorzaak zijn van veel verdriet. Maar moeten dan koste wat kost medische oplossingen worden gezocht om dit op te heffen? In de gezondheidszorg wachten nog veel problemen op een adequaat medisch antwoord. Wat te denken van de benauwdheid van vele astmapatiënten? Ziekten die deze mensen kunnen invalideren en hen belemmeren in hun functioneren?

Ondanks de grote bedragen wordt IVF toegepast bij een relatief kleine groep terwijl de resultaten dan nog eigenlijk beperkt zijn. Bovendien is IVF, in elk geval de huidige praktijk, ethisch discutabel. Ontstaat er door het geldverslindende toepassen van IVF geen sociale onrechtvaardigheid ten opzichte van bijvoorbeeld de chronisch zieken? Ditzelfde kan ook over andere behandelingen gezegd worden. Bovendien kunnen stoornissen waarbij IVF te hulp wordt geroepen in een aantal gevallen door een goede preventie worden voorkomen. Uitbreiding van het aantal IVF behandelingen en opname ervan in de basisverzekering is onzes inziens niet op z'n plaats. Het bevorderen van preventie van onvruchtbaarheid dient prioriteit te hebben.

4. *Besluit*

Als we het geheel van de ethische aspecten van IVF overzien, moeten we de volgende conclusies trekken. Voor wat betreft de ontwikkeling en de procedure van IVF blijken de zaken gecompliceerd te liggen. Ook binnen de orthodox-christelijke ethiek blijken hier voor de ene persoon principiële bezwaren te liggen, terwijl de ander zich genuanceerd kritisch opstelt. Duidelijk ethisch afwijsbaar is het misbruik ten aanzien van embryo's, dat bij IVF mogelijk is. Dit behoeft niets over de techniek zelf te zeggen, maar huidige tendensen in de samenleving doen verdergaand misbruik vrezen, als IVF op grotere schaal zou worden toegepast.
Ook voor wat betreft de prioriteitenstelling in de gezondheidszorg zijn bij IVF kanttekeningen te plaatsen. Bovendien blijken er andere, ethisch acceptabeler technieken te zijn, die voor een belangrijk deel van de betreffende paren het verdriet van de kinderloosheid kunnen opheffen. Ook willen we hier de mogelijkheden van adoptie of pleegouderschap noemen, al beseffen we dat ook deze weg niet voor ieder begaanbaar is.
Zo moeten we concluderen, dat aan de ontwikkeling en toepassing van IVF bezwaren kleven. Deze zijn, over het geheel genomen, van zodanige aard dat beperking van de toepassing, of liever zelfs een verbod door de overheid, bij sommige toepassingen gerechtvaardigd zijn. Hiermee willen we geen veroordeling uitspreken van het echtpaar, dat met gebruikmaking van de eigen geslachtscellen en terugplaatsing van alle embryo's die *in-vitro* tot stand komen, deze behandeling wil ondergaan nu deze er eenmaal is. We menen, dat ten aanzien van een beslissing op dit terrein het eigen geweten en de eigen verantwoordelijkheid tegenover de Here en tegenover elkaar een grote nadruk behoren te krijgen. Wel hopen we in dit hoofdstuk informatie en overwegingen te hebben aangedragen, die nodig zijn om tot een verantwoorde beslissing te komen.

Literatuur

C. Hillekens, K. Neuvel (red.), *Kind naar keuze, naar een nieuwe eugenetica,* Zoetermeer: Meinema, 2003.
W.A.J. Klip, *Long-term health effects of subfertility treatment,* dissertatie. Enschede: PrintPartners Ipskamp, 2002.
B.C.J.M. Fauser, 'Publicatie van de resultaten van alle Nederlandse centra voor in-vitro fertilisatie: en belangrijke stap naar verbetering van de doelmatigheid van de behandeling', *Nederlands Tijdschrift voor Geneeskunde* 2002; 146, nr. 49, p. 2335-2338.
J.A.M. Kremer, W. Beekhuizen et al. 'Resultaten van in-vitro fertilisatie in Nederland, 1996-2000', *Nederlands Tijdschrift voor Geneeskunde* 2002; 146, nr. 49, p. 2358-2363.
P.M.W. Janssens, *Nederlands tijdschrift voor klinische chemie en laboratoriumgeneeskunde,* 2001, vol 25, nr. 5, 264-265.
S.E. Buitenhuis, *IVF-pregnancies. Outcome and follow-up*, Leiden, 2000.
J. Koudstaal et.al., *Nederlands Tijdschrift voor Geneeskunde* 1999; 143 (47), p. 2375.
A.M.L. Broekhuijsen-Molenaar et al., 'Een modelovereenkomst voor cryocontract', *Medisch Contact,* 1998.
Samen op Weg kerken, *Mensen in wording. Theologische, ethische en pastorale overwegingen bij nieuwe voortplantingstechnieken en prenataal onderzoek.* Utrecht: SoW-kerken, 1991.
M.C.M. Doodeman, 'De psychologische gevolgen van ongewilde kinderloosheid', *In dienst der genezing,* 1990 (19), nr. 3.
W.G.M. Witkam, W.H. Velema, A.P. van der Linden, *Reageerbuisbevruchting, verantwoord?* Lindeboomreeks deel 2, Amsterdam: Buijten & Schipperheijn, 1990.
E. Jacobs (red.), *De Biomaatschappij. Een humanistische visie op de ethiek van het bio-medisch handelen*, Amersfoort: Academische Uitgeverij Amersfoort, 1990.
G. van Overbeeke, J. de Witte, *Reageerbuisbevruchting in Nederland*, Amsterdam: VU Uitgeverij, 1988.
R. Rolland et al., *Kunstmatige voortplanting en de status van het embryo*, Nijmegen: Katholiek Studiecentrum, 1988.
D. Overduin, J. Fleming, *De laboratoriummens. Medische en ethische problemen van de moderne samenleving*, Amsterdam: Buijten & Schipperheijn, 1987.

ooo 4 ooo

Erfelijkheidsonderzoek en gentherapie

1. Ontwikkelingen in de genetica

1.1 Erfelijkheid

Kort na het midden van de 19e eeuw ontdekte de monnik Mendel enkele wetmatigheden in de overdracht van erfelijke eigenschappen van de ene op de andere generatie. Sindsdien is er veel gebeurd in de erfelijkheidsleer (genetica). In de eerste plaats heeft met behulp van steeds nieuwe technieken een enorme toename plaatsgevonden van kennis van erfelijke informatie en van de relatie van die informatie tot eigenschappen. In de tweede plaats is gewerkt aan het ontwikkelen van mogelijkheden om erfelijk materiaal te manipuleren met het oog op het behandelen van ziekten, waaronder genetische ziekten. Anders gezegd, vooral de genetische diagnostiek heeft zich sterk ontwikkeld maar ook aan de gentherapie wordt gewerkt. Hoe gaat dit in zijn werk?
Onderzoek heeft aan het licht gebracht, dat de erfelijke eigenschappen, biologisch gezien, nauw verbonden zijn aan een bepaald soort moleculen in de celkern van organismen, het DNA (fig. e). DNA bestaat uit een hele lange keten van een kleiner soort moleculen, de nucleotiden. Men kan het vergelijken met een snoer kralen. Er zijn vier soorten nucleotiden. In het beeld, vier tinten kralen. Nu bepaalt de volgorde van de vier soorten nucleotiden in de keten (kralen van vier verschillende tinten) de erfelijke informatie, geordend in 'genen'. Een gen is een eenheid van erfelijke informatie, zoals een woord een eenheid informatie is (waarvan de betekenis afhangt van de volgorde van de letters) in een zin, alinea of boek. In elke cel (fig. b) van ieder levend organisme ligt een kopie van de genen, het DNA, opgeslagen in structuren die we chromosomen noemen (fig. c en d). Het aantal en de vorm van de chromosomen zijn voor iedere biologische soort verschillend en karakteristiek. De chromosomen bevatten het DNA dat drager is van de erfelijke informatie. De mens heeft (meestal) 46 chromosomen. De 46 chromosomen kunnen worden ingedeeld in 23 dubbeltallen (daarvan is steeds één van de vader en één van de moeder afkomstig). Eén van die dubbeltallen zijn de geslachtschromosomen. Die bepalen of het kind een jongetje of een meisje is. Bij

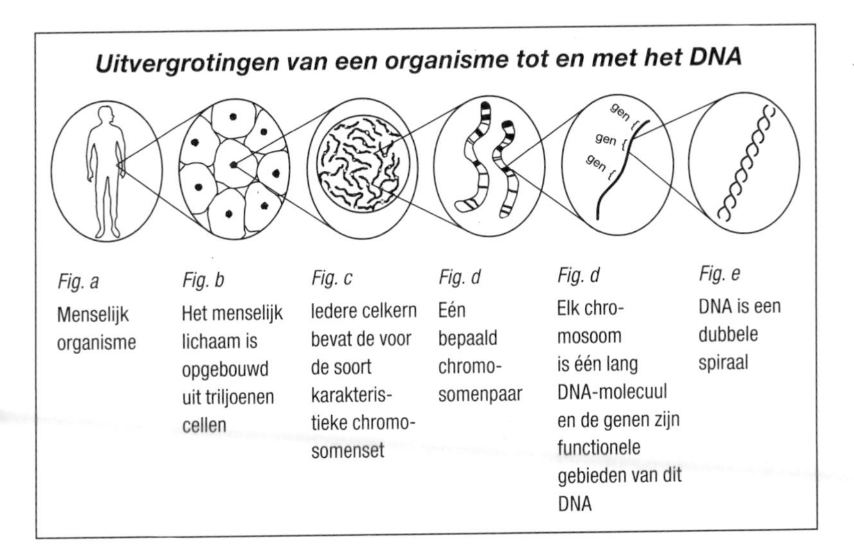

Uitvergrotingen van een organisme tot en met het DNA

Fig. a Menselijk organisme

Fig. b Het menselijk lichaam is opgebouwd uit triljoenen cellen

Fig. c Iedere celkern bevat de voor de soort karakteristieke chromosomenset

Fig. d Eén bepaald chromosomenpaar

Fig. d Elk chromosoom is één lang DNA-molecuul en de genen zijn functionele gebieden van dit DNA

Fig. e DNA is een dubbele spiraal

de vrouw noemen we die geslachtschromosomen XX, bij de man XY. Een kind krijgt van zijn moeder altijd een X-chromosoom (één van de twee), van zijn vader een X- òf een Y-chromosoom. In het eerste geval wordt het een meisje (XX), in het tweede geval een jongetje (XY). Een volledige set van de verschillende menselijke chromosomen noemt men het *genoom* van de mens.
Nu is het niet zo, dat de erfelijke informatie die in het DNA ligt opgeslagen geheel bepaalt hoe het individu eruit ziet. Deze informatie is wel nodig voor een normale ontwikkeling, maar is niet het enige dat die ontwikkeling bepaalt. Allerlei invloeden die van buitenaf op het individu inwerken, zijn eveneens van essentiële betekenis.

Enkele centrale begrippen

Wanneer het over erfelijkheid en erfelijke afwijkingen gaat, komen enkele begrippen regelmatig terug. Voor de duidelijkheid willen we enkele van deze begrippen uitleggen.

- Een *aangeboren afwijking of ziekte* is een afwijking of ziekte die het kind vanaf de geboorte heeft. Deze kan erfelijk zijn of niet-erfelijk.
- Men spreekt over een *aangeboren erfelijke ziekte of aandoening*, als deze te maken heeft met een fout in de erfelijke informatie die afkomstig is van de ouders. Elk kind van die ouders heeft dan een verhoogde kans op die afwijking. Een *aangeboren niet-erfelijke aandoening* heeft soms wel te

maken met een afwijking in de erfelijke informatie van het kind, maar die afwijking is dan niet afkomstig van (één van) de ouders. Eventuele volgende kinderen hebben dan geen verhoogde kans op diezelfde afwijking. Overigens kan een chromosoom extra (zoals bijvoorbeeld bij Down Syndroom ofwel mongolisme) zowel erfelijk zijn, als aangeboren niet-erfelijk.

- We noemen een ziekte of afwijking *dominant erfelijk*, als één afwijkend gen (van een genenpaar) al voldoende is om de ziekte te veroorzaken. Hierbij heeft vaak één van de ouders deze ziekte.
- Een ziekte of afwijking is *recessief erfelijk*, als deze ziekte of afwijking zich alleen openbaart wanneer beide genen van een bepaald genenpaar afwijkend zijn.
- *Dragers (carriers)* zijn die personen, die één afwijkend gen van een recessief erfelijke ziekte bij zich dragen. De ziekte komt dan bij hen niet tot uiting, omdat ze ook een 'gezond' gen hebben. Als ze met een andere 'drager' trouwen, en het kind krijgt van beide ouders het afwijkende gen, dan zal dat kind de ziekte wél krijgen. De kans dat twee 'dragers' met elkaar trouwen is groter bij een huwelijk tussen familieleden (neef en nicht) of in kleinere gesloten gemeenschappen. We zien dan dat de ziekte in deze gevallen 'een generatie overslaat'.
- *Geslachtsgebonden recessief* noemen we een ziekte, als de recessief erfelijke factor op het X-chromosoom aanwezig is. Een voorbeeld hiervan is hemofilie, bloederziekte. Het recessieve gen hiervoor ligt op het X-chromosoom. Als de moeder drager is (ze heeft ook een gezond gen), dan heeft de zoon een kans van 50% op een aandoening. Eventuele dochters van die zoon zullen weer drager zijn.

1.2 Erfelijke ziekten

We spreken van een erfelijke ziekte of aandoening, als deze wordt veroorzaakt door een afwijking in de erfelijke informatie die afkomstig is van de ouders. Zo'n afwijking kan een teveel aan erfelijke informatie zijn, bijvoorbeeld een chromosoom extra (al is dit *meestal* niet erfelijk), of juist het ontbreken van een stukje erfelijke informatie, dan wel een fout daarin. Dit laatste wil zeggen, dat er een fout zit in de volgorde van de bouwstenen, de nucleotiden in het DNA. De manier waarop en de mate waarin een fout in het DNA als erfelijke aandoening tot uitdrukking komt, hangt af van allerlei factoren, waaronder milieu-invloeden. Bijvoorbeeld PKU (een aangeboren afwijking in de eiwitstofwisseling) wordt veroorzaakt door een 'klein' foutje in het DNA. Als het vroegtijdig wordt ontdekt via de zogenaamde hielprik, kan een dieet ervoor zorgen dat het foutje niet tot kwalijke gevolgen leidt.
De laatste jaren heeft men bij steeds meer erfelijke aandoeningen het gendefect gevonden dat er aan ten grondslag ligt. In verhouding gaat het nog om een klein

aantal. Het zogenaamde Humaan Genoom project (HUGO, een internationale gecoördineerde onderzoeksinspanning van instanties en onderzoekers uit vooral de VS, Japan en West-Europa) geeft aan dat de mens omstreeks 30.000-40.000 genen heeft. Er zijn nu zo'n 6.000 verschillende ziekten en aandoeningen bekend, die elk verbonden zijn met een defect in één bepaald gen. Van verscheidene honderden van die ziekten kan men met behulp van een test, meestal ook reeds vóór de geboorte, vaststellen of iemand daaraan lijdt of zal lijden. Dit aantal te diagnosticeren ziekten die mede bepaald worden door erfelijke informatie, zal de komende jaren toenemen.

Daarbij zal zich zeker ook een ontwikkeling voortzetten die in de loop van het laatste decennium reeds goed op gang is gekomen. Gedoeld wordt op de ontwikkeling van de zogenaamde presymptomatische diagnostiek. Daarmee wordt hier bedoeld onderzoek naar erfelijke aanleg voor een bepaalde ziekte of aandoening bij een symptoomvrije persoon, dus (geruime tijd) voordat de symptomen van die ziekte zich manifesteren. Daarbij kan de kans dat die aanleg daadwerkelijk tot de betreffende aandoening zal leiden, sterk verschillen. Verder kan sprake zijn van een defect in een gen of in meerdere genen. Door een nog in ontwikkeling zijnde techniek, namelijk het gebruik van zogenaamde DNA-chips, kunnen afwijkingen of variaties in vele duizenden genen tegelijk worden vastgesteld. Daardoor zal in toenemende mate een statistisch verband gelegd kunnen worden tussen een bepaald patroon in erfelijke informatie en aandoeningen of andere eigenschappen. Daarbij is bijvoorbeeld de vraag of iemand met een bepaald genetisch patroon een verhoogde *kans* op een bepaalde aandoening zal hebben. Men kan dan iets zeggen over te *verwachten* ontwikkelingen.

1.3 De betekenis van genetica

Door verbetering van de omstandigheden, toename van preventieve mogelijkheden en goede therapieën voor tal van ziekten, is het aandeel van erfelijke en aangeboren ziekten in het gebruik van de gezondheidszorg sterk toegenomen. Enkele getallen ter illustratie.

In Nederland schat men, dat rond 3 tot 5% van alle pasgeborenen een aangeboren ziekte of afwijking heeft. We spreken dan over zo'n zesduizend tot tienduizend kinderen per jaar. De sterfte van kinderen tussen 0 en 1 jaar bedraagt nu circa 5,2 per 1000. Dat was zo'n 70 jaar geleden nog ruim tien maal zo veel. De sterfteoorzaken die overbleven, zijn met name niet-behandelbare of niet te voorkomen ziekten. Hieronder nemen erfelijke en aangeboren aandoeningen een belangrijke plaats in. Omstreeks 85% van de handicaps op de kinderleeftijd is het gevolg van aangeboren of erfelijke aandoeningen. Het kan om aandoeningen gaan die zeer ernstig zijn en die een groot beslag leggen op het gezin waarbinnen deze kinderen worden geboren.

Een andere belangrijke factor in dit verband is het gegeven, dat mensen minder kinderen krijgen dan vroeger. Alle verwachtingen die ouders van hun nageslacht hebben, wil men dan in de twee of drie kinderen bewaarheid zien worden. De geboorte van een kind met een handicap betekent in het algemeen voor de ouders ook een streep door hun streven naar zelfontplooiing. De bereidheid om zichzelf in een dergelijke situatie weg te cijferen, lijkt af te nemen, al geven mensen daarvan soms ongelooflijke staaltjes. Vanuit de kant van de ouders en andere familieleden is belangstelling voor erfelijkheidsonderzoek dan ook begrijpelijk.

2. *De mogelijkheden van klinische genetica*

De kennis van erfelijkheid en erfelijke afwijkingen heeft diverse toepassingen gevonden in de uitoefening van de geneeskunst. We spreken hierbij over de 'klinische genetica'. Deze kent verschillende onderdelen. We noemen de belangrijkste.

a. Erfelijkheidsonderzoek en -voorlichting na de geboorte (postnataal) op verzoek van de patiënt. Hieronder valt ook het eerder genoemde presymptomatische onderzoek, althans voor het grootste gedeelte.

b. Erfelijkheidsonderzoek en -voorlichting vóór de geboorte (prenatale diagnostiek) op verzoek van de patiënt.

b. Genetisch bevolkingsonderzoek (screening).

c. Gentherapie

Op elk van deze vormen willen we nader ingaan.

2.1 Postnataal erfelijkheidsonderzoek

2.1.1 Beschrijving

Heeft iemand een handicap of aandoening, dan kan erfelijkheidsonderzoek worden verricht. Dit kan bijdragen aan het stellen van een zo goed mogelijke diagnose. Dit is nodig, om te weten of het zinvol is een behandeling in te stellen. Aan erfelijke ziekten kan in de meeste gevallen heel weinig gedaan worden ter genezing, vaak meer ter verlichting van pijn of ongemak.

Postnataal erfelijkheidsonderzoek kan ook aangevraagd worden door echtparen, die graag kinderen willen, maar een hogere kans hebben dan 'normaal' (dat wil zeggen, gemiddeld in de bevolking), dat een eventueel kind van hen een afwijking of aandoening heeft. Dit kan bijvoorbeeld het geval zijn als in de familie een bepaalde erfelijke ziekte voorkomt of als ze al een kindje hebben met een erfelijke afwijking. Door het erfelijkheidsonderzoek probeert men vast te stellen of er inderdaad sprake is van een verhoogd genetisch risico en, zo ja, hoe groot dan wel de kans is dat een eventueel (volgend) kind (weer) de betreffende afwijking heeft. Deze kansen kunnen variëren van enkele procenten tot 50%. In uitzonderings-

gevallen kan die kans nog hoger zijn. Daarbij is het wel goed te bedenken dat bij iedere 'gewone' zwangerschap een kans van 3 tot 5% bestaat dat het kind een aangeboren afwijking heeft, die al dan niet (mede) erfelijk bepaald kan zijn.
Onderzoek naar erfelijke afwijkingen kan ook worden verricht voordat de betreffende erfelijke ziekte of aandoening zich manifesteert (zie hierboven). De mogelijkheden op dit terrein zijn de laatste jaren door middel van het Humaan Genoom project enorm toegenomen. Zulk presymptomatisch erfelijkheidsonderzoek brengt specifieke ethische vragen mee. We zullen die aan de hand van een concreet voorbeeld bekijken.

Een casus

In een familie komt een ernstige aandoening voor, die zich pas op latere leeftijd openbaart. Het betreft een familie waarvan inmiddels één van de grootouders de ziekte heeft. Het gaat om een ziekte die dominant overerft. Dat wil zeggen, er zijn geen dragers. Je bent òf lijder òf 'gezond'. Het betekent dus dat alleen iemand, die de ziekte heeft of zal krijgen, de ziekte kan doorgeven aan zijn of haar kinderen (zie het schema hieronder).
Nu kan één van de kinderen zich laten onderzoeken in een Klinisch Genetisch Centrum, omdat hij wil weten waar hij aan toe is. Zijn vraag is: word ik later ziek of niet? Wanneer hij antwoord heeft op die vraag, komt hij voor een dilemma te staan. Wanneer hij te horen krijgt dat hij de aanleg voor die ziekte heeft, dan weet hij op dat moment dat bijvoorbeeld zijn vader die aanleg ook heeft. Bovendien weet hij nu ook, dat elk van zijn broers en zusters 50% kans heeft de ziekte ook te krijgen.
Moet hij daar nu over zwijgen? Of heeft hij juist de plicht de familieleden te waarschuwen? Voor beide is wat te zeggen. Als het gaat om een ziekte die niet te behandelen is, dan is het misschien plezieriger om onwetend te zijn van wat er boven je hoofd hangt. Voor de keuze om het wel aan de familie te vertellen is ook veel te zeggen; ze zijn gewaarschuwd dat ze de ziekte kunnen doorgeven aan hun kinderen. Hoe verhoudt het recht van bepaalde familieleden op het vernemen van de informatie zich tot het recht op informatie van een ander familielid?
En denk eens aan de positie van de arts die het onderzoek heeft verricht. Hij heeft een zwijgplicht. Maar die plicht is niet absoluut. Wanneer iemand een groot risico loopt en de arts is door wat hij van een patiënt heeft gehoord op de hoogte van dat risico, dan mag die arts niet zwijgen. Hoe ligt dat hier?

Het valt gemakkelijk in te zien hoe moeilijk de vragen kunnen zijn. Door de toenemende mogelijkheden, neemt ook het aantal mensen toe dat met dergelijke vragen geconfronteerd zal worden. We noemen enkele voorbeelden van mede erfelijk bepaalde ernstige aandoeningen waarop vroegtijdig onderzocht kan worden.

De ziekte van Huntington is een al haast klassiek voorbeeld van een ziekte waarvoor de aanleg kan worden vastgesteld voordat de symptomen zich manifesteren. Het gaat daarbij om een ernstige onbehandelbare zenuwaandoening die gemiddeld vanaf ongeveer het 40e levensjaar lichamelijke en psychische stoornissen meebrengt en tot een vroegtijdige dood leidt.

Veelvuldig presymptomatisch onderzoek vindt daarnaast plaats naar de volgende aandoeningen. Bij ongeveer 5-10% van de borstkankers bij vrouwen blijken genetische factoren een belangrijke rol te spelen. Mutaties in de genen BRCA-1 en -2 nemen hiervan een belangrijk deel voor hun rekening. Door preventieve amputatie van de borsten en eventueel verwijdering van de eierstokken omdat bij die mutaties ook een verhoogde kans bestaat op eierstokkanker, wordt de kans op kanker sterk verlaagd. Ook verhoogde kansen op enkele andere typen kanker, bijvoorbeeld vormen van darmkanker (HNPCC), schildklierkanker (MEN-syndromen), oogkanker (retinoblastoom) zijn door middel van erfelijkheidsonderzoek vast te stellen.

Verder is presymptomatisch onderzoek mogelijk bij bloedziekten (bijv. erfelijke hemochromatose), hart- en vaatziekten (bijv. familiaire hypercholesterolemie, FH). Naar de erfelijke component van een aantal andere psychische en chronische aandoeningen wordt onderzoek verricht.

In januari 2002 kende de gangbare praktijk DNA-onderzoek, desgewenst ook prenataal, naar bijna 300 aandoeningen. In een toenemend aantal gevallen kan dergelijke kennis van aanleg voor een bepaalde aandoening worden gebruikt voor preventief of therapeutisch ingrijpen (dieet, leefgewoonten, geneesmiddelen, operatie) waardoor de kans dat de betreffende aandoening zich inderdaad zal manifesteren fors verminderd kan worden. Verder zal kennis omtrent aanleg voor een ernstige erfelijke ziekte of een verhoogde kans dat een eventueel kind een ernstige aandoening zal hebben, een rol spelen bij beslissingen om al dan niet te trouwen of, in een huwelijk eventueel af te zien van eigen kinderen.

Schema van een dominant overervende afwijking (zie casus hierboven), zoals een bepaalde vorm van dwerggroei of de ziekte van Huntington:

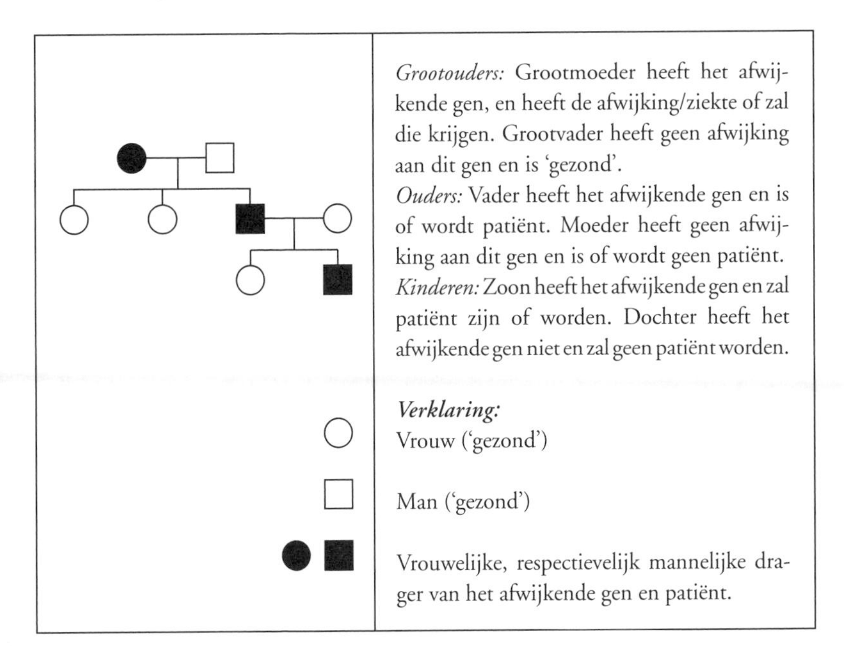

2.1.2 *Bespreking*

Medisch-ethisch gezien is het van groot belang, dat in de genoemde situaties hulpvragers adequate evenwichtige informatie (kunnen) krijgen en dat de keuzevrijheid van de betreffende personen gewaarborgd is. Er moet door de overheid, verzekeraars, werkgevers, artsen of andere hulpverleners geen morele, sociale, economische drang of dwang worden uitgeoefend tot het al dan niet laten uitvoeren van erfelijkheidsonderzoek. Verder is het van belang dat hulpvragers zich realiseren dat informatie over *hun* eventuele genetische risico's veelal ook betekenis zal hebben voor (genetische) risico's van hun bloedverwanten. Het is goed zich vooraf af te vragen wat men met dergelijke kennis zal doen. De counseling zal ook op dit punt begeleiding moeten bieden.
Vanuit christelijk standpunt bezien spelen bij deze problematiek het geloof in Gods voorzienigheid en de eigen verantwoordelijkheid een belangrijke rol. Deze twee mogen niet tegen elkaar worden uitgespeeld. Ze zijn in het christelijke leven op elkaar betrokken. Gods voorzienigheid omsluit en maakt gebruik van de eigen verantwoordelijkheid van de mens. Tegelijk moeten we erkennen, dat in

de praktijk van het leven in onze moderne gesecularïseerde samenleving ook christenen vaak een tegenstelling ervaren tussen het vertrouwen op Gods zorg en leiding enerzijds en het nemen van beslissingen ten aanzien van het leven met gebruikmaking van allerlei menselijke kennis en mogelijkheden anderzijds. Het lijkt ons niet mogelijk met betrekking tot de hier opgeworpen vragen een éénduidige richtlijn te geven. 'Een ieder zij voor zijn eigen besef ten volle overtuigd' (Rom. 14: 5).
We kunnen hier onderscheiden tussen

- verhoogde kans op een later in het leven optredende aandoening die al dan niet behandelbaar is en
- een ernstige erfelijk bepaalde aangeboren afwijking.

In de eerste groep vallen bovengenoemde aandoeningen waarop nu presymptomatisch getest kan worden. Soms weet men dan al dat men mogelijk een verhoogd risico heeft op een aandoening omdat in de familie mensen daaraan relatief jong overleden, bijvoorbeeld aan borstkanker of aan een hartaandoening. Vragen die zich dan voor doen zijn: wil men weten of men werkelijk het verhoogde risico heeft, of blijft men liever nog in onzekerheid omdat die kennis als bedreigend wordt ervaren? Hierbij is weer belangrijk of de aandoening behandelbaar is. Als door behandeling, bijvoorbeeld borstamputatie, het risico op overlijden aan die aandoening drastisch teruggebracht kan worden, dan zal men natuurlijk eerder geneigd zijn het erfelijkheidsonderzoek te ondergaan dan wanneer geen therapie bestaat. Goede counseling, in elk geval door een geneticus maar eventueel ook door andere hulpverleners, en eventueel pastorale begeleiding, zijn hierbij heel belangrijk.
Bij de tweede groep aandoeningen doen zich vooral de vragen voor betreffende gezinsuitbreiding. Zonder uitputtend te willen zijn noemen we een aantal factoren die een rol kúnnen spelen bij beslissingen omtrent het wel of niet (verder) afzien van eigen kinderen wegens een hoog genetisch risico. Ten eerste, zijn er al kinderen? Immers, voor hen is men ook verantwoordelijk. Verder: is er al een kind met die erfelijke ziekte? Dit is een situatie die nogal eens voorkomt en die de reden vormt om het erfelijkheidsonderzoek aan te vragen. In dat geval is de vraag belangrijk wat de ouders aankunnen. Vervolgens is de ernst van de aandoening natuurlijk een belangrijk gegeven. Sommige ziekten betekenen een dermate ernstig lijden voor het kind, dat dit gegeven een belangrijke rol moet spelen. Ook de grootte van de kansen is een factor. Tot slot, maar niet als minst belangrijke factor, zal ook de intensiteit van het verlangen naar genetisch eigen kinderen een rol spelen in de besluitvorming.

2.1.3 Mogelijkheden bij verhoogd risico op aangeboren aandoening

Voor welke keuzes komt een echtpaar te staan met een verhoogd risico dat een eventueel kind van hen een aangeboren aandoening heeft? Wat zijn de medische mogelijkheden? Als een echtpaar inderdaad een verhoogde kans heeft dat een eventueel kind een aangeboren afwijking zal hebben, doen zich *feitelijk* de volgende mogelijkheden voor.

- De zorgen kunnen zo groot zijn, dat je als echtpaar besluit om van verder nakomelingschap af te zien. Kinderloosheid lijkt in deze situatie de enige oplossing. Sommigen onderzoeken dan de mogelijkheid om voor ouderloze kinderen te zorgen door middel van adoptie of pleegzorg.
- Sommige ouders aanvaarden het risico van een aandoening of handicap bij een (volgend) kind. Dat is een belangrijk besluit, waarbij men evenwel zeer grote aandacht moet geven aan het belang van het kind. Maar het is ook belangrijk te bedenken dat een kind veel meer is dan zijn handicap!
- Een andere methode om de geboorte van gehandicapte kinderen bij erfelijke afwijkingen te voorkómen, wordt aangeduid met 'selectieve abortus'. Als bij het ongeboren kind een afwijking wordt aangetoond of als hierop een grote kans is (bijvoorbeeld 50% bij een jongetje), wordt abortus provocatus soms als een mogelijk oplossing van het probleem genoemd (we komen hier nog op terug).
- Tegenwoordig kan men bij erfelijke problemen een bevruchting tot stand brengen met geslachtscellen (eicellen of zaadcellen) van een derde persoon: donorinseminatie of eiceldonatie met reageerbuisbevruchting (zie hfdst. 3). Daarbij wordt bijvoorbeeld de vrouw bevrucht met zaad van een andere man dan haar echtgenoot, het zaad van een donor. Dit noemt men KID (Kunstmatige Inseminatie Donor). De verwekking van een kind wordt hiermee losgemaakt van de huwelijksrelatie. Hiertegen kunnen zowel morele als psychologische bezwaren worden aangevoerd.
- Als het een geslachtsgebonden ziekte is, die vooral bij jongetjes voorkomt, zou men in de toekomst kunnen denken aan zaadselectie; alleen zaadcellen met een X-chromosoom worden dan gebruikt voor de (reageerbuis)bevruchting. Er worden dan dus slechts dochters geboren. Deze techniek is de laatste jaren wel op commerciële basis aangeboden aan wensouders die een kind van een bepaald geslacht wensen. In Nederland is dit verboden. Ten eerste zou dit uit ethische overwegingen terecht alleen toegestaan mogen worden voor ernstige geslachtsgebonden aandoeningen en niet om simpelweg aan de wens van de ouders te voldoen. Ten tweede is de techniek allesbehalve optimaal, zodat kinderen van het 'ongewenste' geslacht verwacht zouden kunnen worden, met alle vragen van dien.

2.2 *Prenatale diagnostiek naar aangeboren aandoeningen*

2.2.1 *Beschrijving*

Er kunnen zich allerlei situaties en omstandigheden voordoen, waarin een echtpaar een verhoogde kans heeft op een kind met een aangeboren, al dan niet erfelijke afwijking. Een toenemend aantal ziekten en aandoeningen kan ook reeds vóór de geboorte vastgesteld worden. Men spreekt dan over prenatale diagnostiek (PND). Globaal gesproken gaat het dan om de volgende situaties:

- Er bestaat een verhoogde kans op een chromosoomafwijking van het kind. Deze kans is hoger naarmate de moeder ouder is; wanneer de moeder 36 jaar of ouder is, wordt prenatale diagnostiek vergoed door de zorgverzekeraar.
- Er bestaat een verhoogde kans op een neuralebuisdefect zoals een open rug van de baby. Deze kans is bijvoorbeeld verhoogd als zo'n aandoening in de nabije familie voorkomt.
- Er bestaat een verhoogde kans op erfelijke aandoeningen of aangeboren afwijkingen. Deze kans kan verhoogd zijn omdat er eerder al een kind met een aangeboren afwijking is geboren, of omdat er bepaalde erfelijke ziekten in de familie voorkomen, of doordat de zwangere vrouw in contact is geweest met straling of schadelijke stoffen.

In tabel 1 zijn de aantallen prenatale ingrepen per jaar vermeld. Opvallend is dat er een stijging was tot 1997 en dat er daarna een lichte daling is ingezet.

Tabel 1. **Totaal aantal prenatale ingrepen per jaar van 1993-2000**

Jaar	1993	1994	1995	1996	1997	1998	1999	2000
Aantal PND	11565	11802	12111	12462	12574	12533	12258	12130

Jaarverslag werkgroep Prenatale Diagnostiek over 1999/2000

Bij prenatale diagnostiek kunnen diverse technieken worden toegepast. De voornaamste zijn:

Echoscopie, of 'echo'

Met behulp van geluidsgolven kan een afbeelding van het ongeboren kind worden gemaakt. Dit wordt veelvuldig toegepast, in het algemeen ter begeleiding van de zwangerschap (hoe groot is het kind, hoe ligt de placenta, etcera). Met name in een wat meer gevorderde zwangerschap kunnen ook allerlei aangeboren afwijkingen vastgesteld worden.

Vruchtwaterpunctie

Met behulp van een injectiespuit wordt door de huid van de buik en de baarmoederwand 10 tot 20 ml. vruchtwater opgezogen. Hierin zitten huidschilfers, afkomstig van het kind, en afvalstoffen van de stofwisseling. Dit is bruikbaar voor onderzoek naar erfelijke of aangeboren afwijkingen. Dit onderzoek kan plaatsvinden vanaf de 16e week van de zwangerschap en brengt een gering extra risico mee op een miskraam (minder dan 1% bij ervaren artsen). Soms is een vruchtwateronderzoek laat in de zwangerschap gericht op een eventuele behandeling van het kind (bijvoorbeeld bloedtransfusie bij rhesus-antagonisme).

Vlokkentest

In de negende tot twaalfde zwangerschapsweek wordt (via de baarmoederhals) wat weefsel (enkele 'vlokken') van de placenta weggenomen. Onderzoek hiervan geeft informatie over het ongeboren kind. Ook hier bestaat het risico dat het onderzoek een miskraam veroorzaakt, variërend van minder dan één tot enkele procenten, onder andere afhankelijk van de ervaring van de arts.

Overzichtsschema meest gebruikte methoden van prenatale diagnostiek:

De verschillende onderzoeken vergeleken

Methode	**vaginale vlokkentest**	**vlokkentest via de buikwand**
tijdstip ingreep	meestal rond de 11e zwangerschapsweek	meestal rond de 12e zwangerschapsweek
wanneer niet geschikt	• bij vaginaal bloedverlies • als een neuralebuisdefect wordt gezocht	• bij vaginaal bloedverlies • bij een verhoogde kans op een neuralebuisdefect
welke aandoeningen zijn vast te stellen	• aandoeningen die berusten op afwijkingen van de chromosomen • een aantal stofwisselingsziekten • een aantal aandoeningen die berusten op veranderingen in het DNA	• aandoeningen die berusten op afwijkingen van de chromosomen • een aantal stofwisselingsziekten • een aantal aandoeningen die berusten op veranderingen in het DNA
wanneer uitslag	binnen 2 weken	binnen 2 weken

Methode	vaginale vlokkentest	vlokkentest via de buikwand
wanneer herhaling of aanvullend onderzoek	• herhaling bij onvoldoende verkregen weefsel • bij afwijkende uitslag vaak aanvullend vruchtwaterpunctie nodig	• herhaling bij onvoldoende verkregen weefsel • bij afwijkende uitslag vaak aanvullend vruchtwaterpunctie nodig
risico van de ingreep zelf	• 0,5% kans op miskraam als gevolg van de ingreep • 1 à 2% kans op een foute uitslag door afwijkend placentaweefsel bij een gezond kind	• 0,5% kans op miskraam als gevolg van de ingreep • 1 à 2% kans op een foute uitslag door afwijkend placentaweefsel bij een gezond kind
tijdsduur van de ingreep	de totale ingreep duurt 10-15 minuten	prikken en opzuigen duurt meestal minder dan een minuut
wat voelt de vrouw tijdens de ingreep	• soms een menstruatie-achtig of wee gevoel tijdens de ingreep • na afloop zeer vaak bloedverlies	bewegen van de naald tijdens het onderzoek geeft een wee en wat pijnlijk gevoel

Methode	vruchtwaterpunctie	uitgebreid echo-onderzoek
tijdstip ingreep	rond 16 weken zwangerschap	• bij 18-20 weken • bij enkele aandoeningen als een 'open schedel' al bij 12-14 weken
wanneer niet geschikt		wanneer de aandoening niet met de echo is vast te stellen
welke aandoeningen zijn vast te stellen	• aandoeningen die berusten op afwijkingen van de chromosomen	• neuralebuisdefecten • aangeboren afwijkingen van o.a.

Methode	**vruchtwaterpunctie**	**uitgebreid echo-onderzoek**
	• neuralebuisdefecten (een open rug of open schedel) • een aantal stofwisselingsziekten • een aantal aandoeningen die berusten op veranderingen in het DNA	• skelet • hart- en vaatstelsel • urinewegen • maag-darmstelsel
wanneer uitslag	na ongeveer 3 weken	direct, soms aanvullend vlokkentest of vruchtwaterpunctie of navelstrengpunctie
wanneer herhaling of aanvullend onderzoek	herhaling als chromosoompatroon niet vastgesteld kan worden	soms aanvullend vruchtwater- of navelstrengpunctie of vlokkentest nodig
risico van de ingreep zelf	0,3% kans op miskraam als gevolg van de ingreep	geen risico's bekend
tijdsduur van de ingreep	opzuigen duurt meestal minder dan een minuut	ongeveer een half uur
wat voelt de vrouw tijdens de ingreep	de prik is even pijnlijk, verder geen pijn	het onderzoek geeft geen ongemak

(Bron: http://europe.obgyn.net/nederland/patientenvoorlichting/prenat.erf.aan.htm#1)

Naast deze veelgebruikte methoden worden andere onderzoeksmethoden gebruikt dan wel ontwikkeld, die echter nog niet algemeen zijn ingevoerd. Dit betreft de volgende technieken.

Triple test

De triple-test wordt vanaf de 15e zwangerschapsweek verricht. Het betreft een *kansbepaling*, geen directe diagnostiek. In het bloed van de moeder wordt de hoeveelheid van bepaalde merkstoffen gemeten. Een van die stoffen is het eiwit alfafoetoproteïne (AFP). Bij kinderen met het Downsyndroom is vaak erg weinig AFP

in het bloed van de moeder aanwezig. Uit de hoeveelheid AFP, de twee andere merkstoffen en de leeftijd van de moeder wordt de kans op een kind met het Downsyndroom berekend. De precieze duur van de zwangerschap is daarbij van groot belang. De uitslag is na ongeveer een week bekend. De test voorspelt slechts zelden de kans op een kind met een andere chromosoomafwijking dan het Downsyndroom. Als er veel AFP in het bloed van de moeder aanwezig is, is de kans op een open rug bij de baby verhoogd. Als sprake is van een verhoogde kans op een kind met Downsyndroom of neuralebuisdefect (open ruggetje, waterhoofdje of 'kattenhoofdje') dan wordt vervolgdiagnostiek aangeboden in de vorm van vruchtwaterpunctie.
De triple-test is nog niet algemeen ingevoerd, maar wordt in een aantal gebieden in Nederland aan zwangere vrouwen aangeboden. Vermoed wordt dat in de loop van 2003 de politiek een beslissing zal nemen over een eventueel algemeen aanbod van de triple-test aan alle zwangere vrouwen.

Nekplooimeting
De nekplooimeting is een echoscopisch onderzoek. Bij een zwangerschapsduur tussen de 10 en 14 weken wordt de dikte van de nekplooi van de foetus (de vrucht) gemeten. In de nek is dan vaak een klein beetje vocht aanwezig. Dit 'schilletje' vocht is gewoonlijk niet meer dan 3 mm dik. Bij een dikkere nekplooi dan gebruikelijk is de kans groter dat het kind een aangeboren aandoening heeft. Er kan dan sprake zijn van een chromosoomafwijking, zoals bijvoorbeeld het Downsyndroom. Ook bij bepaalde aangeboren afwijkingen zoals hartafwijkingen, wordt nogal eens een nekplooi met veel vocht gezien. Bij een dikkere nekplooi wordt de mogelijkheid van een vlokkentest of vruchtwaterpunctie besproken. De nekplooimeting wordt, evenmin als de triple-test nog niet algemeen aangeboden aan zwangeren, maar de mogelijkheid daartoe is wel in bespreking.

Pré-implantatie diagnostiek
Tot op heden werd nauwelijks gesproken over rouwverwerking bij abortus. Nu er meer over bekend raakt, blijken op dit gebied grote problemen te bestaan. Te meer omdat het in deze gevallen om gewenste kinderen gaat, blijkt de afbreking van zwangerschappen nogal eens tot grote psychische en lichamelijke problemen te leiden. Mede daarom wordt gepoogd het onderzoek naar een eventuele afwijking bij de vrucht te doen plaatsvinden *voordat* van een zwangerschap sprake is. Na een reageerbuisbevruchting (IVF) zou men de embryo's kunnen onderzoeken op eventueel te verwachten erfelijke afwijkingen (zie hfdst. 3). De embryo's die de betreffende afwijking hebben, zouden dan niet in de baarmoeder worden overgebracht, maar worden vernietigd of voor experimenten beschikbaar gesteld. Alleen met 'gezonde' embryo's zou gepoogd worden een zwangerschap tot stand te brengen. Deze vroe-

ge vorm van diagnostiek wordt wel pré-implantatie genetische diagnostiek (PGD) genoemd. In Nederland wordt deze diagnostiek vooralsnog in Maastricht uitgevoerd in gevallen van verhoogd risico op een ernstige erfelijke aandoening. Een praktisch probleem hierbij is dat de IVF slechts in een betrekkelijk laag percentage van de gevallen slaagt (gemiddeld bijna 20% per gestarte behandelcyclus; zie hfdst.3). Het lijkt erop dat men in de loop van 2003 in Amsterdam en Groningen deze techniek wil gaan toepassen om IVF-embryo's die geen normaal chromosomenpatroon hebben uit te selecteren om de kans op innesteling van de embryo's die wel in de baarmoeder gebracht zullen worden, te verhogen.
Nieuwe ontwikkelingen zoals de al eerder genoemde DNA-chip en het kweken van embryonale stamcellen en het kloneren door celkerntransplantatie (zie hfdst. 3), lijken het mogelijk te maken om met behulp van de PGD embryo's uitgebreid te testen op gewenste genenpatronen alvorens over te gaan tot overbrenging naar de baarmoeder.
De volgorde van handelingen zou dan als volgt zijn:

> Embryo → ES-cellen → uitgebreide tests → kerntransplantatie van ES-cellen met de gewenste genetische bagage → gekloond, 'genetisch geschikte' embryo → overbrenging naar baarmoeder.

Hiermee zou de mogelijkheid ontstaan om uit een groot aantal embryo's de meest geschikte te kiezen. Het uitselecteren en vernietigen van embryo's met een ernstige genetische afwijking, zou dan vervangen worden door het uitselecteren van de meest geschikt geachte embryo's voor voortplanting. Dit zou weer een stap verder zijn op de weg naar een zo groot mogelijke beheersing van (de kwaliteit van) het nageslacht.
Wel moeten we bedenken dat bovengeschetste gang van zaken ook op praktische problemen zal stuiten. Dit is in de eerste plaats de moeite van een IVF-behandeling bij een paar dat niet onvruchtbaar is, en in de tweede plaats het verkrijgen van voldoende eicellen voor het kloneren van de geschikt bevonden embryo's. De lage slaagkans van dat proces vereist dat per klonering vele tientallen eicellen beschikbaar zouden moeten zijn. Deze zouden vooraf bij de wensmoeder na ovulatiestimulering weggehaald kunnen worden, maar daarmee lijkt de last van het krijgen van het gewenste kind wel heel eenzijdig op de vrouw te worden afgewenteld. Ten derde vormen de risico's verbonden aan het kloneren zoals dat bij dieren steeds duidelijker blijkt, een groot medisch-praktisch en tevens ethisch probleem voor de toepassing van bovengenoemde selectietechniek. Niet omdat we deze ontwikkeling waarschijnlijk achten – althans niet op korte termijn – maar omdat we die willen tegengaan, vermelden we deze theoretische mogelijkheid.

2.2.2 Beoordeling

Toepassing van prenataal onderzoek ter begeleiding van de zwangerschap (zoals echoscopie) en om zo nodig therapeutisch te kunnen ingrijpen (bijvoorbeeld bloedtransfusie bij rhesus-antagonisme) is op zichzelf positief te beoordelen. Meestal wordt prenatale diagnostiek in de vorm van vruchtwaterpunctie en vlokkentest echter toegepast om na te gaan of de vrucht een bepaalde afwijking heeft. Wanneer dat het geval is, gaat de overgrote meerderheid van de ouders over tot abortus provocatus. Het gaat hierbij (meestal) dus om een aanvankelijk *gewenste* zwangerschap, die wordt afgebroken omdat de vrucht een ernstige afwijking heeft. Slechts bij hoge uitzondering laten aanstaande ouders prenataal onderzoek verrichten om zich eventueel te kunnen voorbereiden op de komst van een gehandicapt kind. We willen hier wel benadrukken dat er geen enkele plicht bestaat om prenatale diagnostiek te laten uitvoeren en dat ook bij een ongunstige uitslag geen drang uitgeoefend mag worden op de ouders in spe om abortus provocatus te laten uitvoeren. Het is van belang dat ouders sterk in hun schoenen staan, want in de praktijk blijkt enige drang soms voor te komen, meestal van huisarts of gynaecoloog.

Het overheersende mensbeeld in de geneeskunde brengt binnen de klinische genetica gemakkelijk een overaccentuering en overschatting mee van de invloed van erfelijkheid op de ontwikkeling van het individu. Onderzoek van de genen staat dan gelijk aan onderzoek van de hele mens. Natuurlijk is het zo, dat een aantal genetische afwijkingen meestal (bij sommige afwijkingen praktisch altijd) tot een vaak ernstige aandoening of ziekte leiden, al kan de ernst van het ziektebeeld variëren. Dan nog moeten we ons de vraag stellen, of op grond van genetische informatie een oordeel gegeven kan worden over de zogenaamde kwaliteit van leven van het betreffende kind als het zou opgroeien en of op grond van deze inschatting, een oordeel kan en mag worden gegeven over de wenselijkheid of zelfs de waarde van een dergelijk leven. Wij menen van niet. Een mens valt niet samen met zijn (genetische) aandoening. Toch gebeurt dit in feite, wanneer prenatale diagnostiek gevolgd wordt door selectieve abortus. Ons inziens is reeds het aanbieden van prenatale diagnostiek met het oog op een mogelijke keuze voor selectieve abortus van een gehandicapte vrucht moreel discutabel. Dit veronderstelt immers dat een beslissing over het leven van zo'n ongeborene tot een persoonlijk waardeoordeel gemaakt kan worden (zie ook hfdst. 2).

Op deze wijze wordt ook de klinische genetica en in het bijzonder de prenatale diagnostiek, naast andere wetenschappelijke disciplines, een instrument tot beheersing van het leven en het veiligstellen van de gewenste levensstijl. Daarin wordt het hebben van een gehandicapt kind steeds sterker als onaanvaardbaar en ondraaglijk ervaren.

Prenatale diagnostiek en selectieve abortus betekenen een beoordeling van (de wenselijkheid van) het leven van een ander, op grond van kwaliteiten en capaciteiten, of zelfs van genetische informatie en conclusies die men daaraan verbindt. Naarmate dit meer ingang vindt, zal dit de relaties in de gezondheidszorg en in de samenleving meer en meer gaan beïnvloeden. Het is voor ons moeilijk in te zien, dat dit *niet* de positie van mensen met een beperking nadelig zal beïnvloeden.
Bij de overheid, die stijging van de collectieve lasten zoveel mogelijk wil voorkomen, speelt het element van de kosten van de gezondheidszorg een belangrijke rol (zie hfdst. 8). De totale zorg voor mensen met een beperking kostte in 2001 bijna 3,3 miljard euro. Al langer is bekend dat prenatale diagnostiek en erfelijkheidsadvisering meer baten dan kosten meebrengen. De kosten verdienen zichzelf meer dan terug. Mede om die reden worden de kosten van prenataal onderzoek en erfelijkheidsonderzoek al langere tijd door de ziekenfondsen en veel particuliere ziektekostenverzekeringen vergoed. Er moet wel een indicatie voor zo'n onderzoek zijn. Eén van de meest voorkomende indicaties voor prenatale diagnostiek is de leeftijd van de aanstaande moeder. Bij een leeftijd van 36 jaar of ouder wordt de prenatale diagnostiek naar aangeboren (chromosomale) afwijkingen vergoed. Met de leeftijd van de moeder neemt namelijk de kans toe, dat het kind een chromosomale afwijking en een daarmee verbonden verstandelijke en/of lichamelijke handicap heeft. Wij willen de moeite en het leed, dat het krijgen van een gehandicapt kind meebrengt, zeker niet geringschatten. Dat ouders geweldig opzien tegen het krijgen en opvoeden van een gehandicapt kind, is heel begrijpelijk, zeker nu de betrokkenheid en de ondersteuning vanuit de samenleving steeds geringer wordt. De mogelijkheid tot en het plaatsvinden van selectieve abortus is dan ook niet alleen een moreel probleem voor de betreffende ouders, maar ook voor de samenleving. Zeker ook voor christenen ligt hier de belangrijke taak om, behalve met de mond, ook metterdaad voor de beschermwaardigheid en de zorg voor gehandicapten op te komen. Uit de Bijbel weten we dat de mens geschapen is door God, in relatie met God. De waardigheid en de waarde van de mens ligt dan ook niet in de wenselijkheid, de aanvaardbaarheid of de kwaliteit die wij aan zijn of haar leven toekennen, maar in het geschapen zijn naar het beeld van God (zie Gen. 9) en in de bestemming te leven in de liefdesbetrekking tot God en de naaste.

2.3 Genetisch bevolkingsonderzoek

2.3.1 Beschrijving

In de tot nu toe beschreven situaties was steeds sprake van een genetisch onderzoek op verzoek van de betrokkenen. Het is echter ook mogelijk, dat een verzoek tot zo'n onderzoek komt van derden. Men kan bijvoorbeeld denken aan de over-

heid, die informatie wil hebben over de preventie van genetisch bepaalde aandoeningen. Deze onderzoekingen worden dan verricht door gezondheidszorginstanties en -werkers. Een voorbeeld van een genetisch bevolkingsonderzoek dat zeer bekend is, betreft de zogenaamde hielprik bij pasgeborenen. Op de achtste dag na de geboorte worden bij elk kind enkele druppels bloed afgenomen dat gebruikt wordt voor onderzoek naar twee aangeboren stofwisselingsziektes, PKU (een aangeboren afwijking in de eiwitstofwisseling) en CHT (een aangeboren verhoogde schildklierwerking). Bij kinderen met PKU kan een aangepast dieet, en bij kinderen met CHT het dagelijks gebruik van schildklierhormoon nadelige gevolgen voor de ontwikkeling van het kind voorkómen.
Een bevolkingsonderzoek moet voldoen aan de voorwaarden die de Wet op het Bevolkingsonderzoek stelt (zie hfdst. 10). Enkele belangrijke voorwaarden zijn:

- het natuurlijke verloop van de betreffende aandoening moet bekend zijn,
- preventie of behandeling van de aandoening moet mogelijk zijn,
- de gehanteerde test moet betrouwbaar zijn,
- deelname moet vrijwillig zijn, op basis van goede voorlichting,

Over genetische, maar ook over andere medische bevolkingsonderzoeken (bijvoorbeeld borstkanker bij vrouwen), is in de gezondheidszorg een voortdurende discussie gaande. Wij kunnen daar nu niet verder op ingaan. Wel willen we er nog op wijzen, dat recent door de Gezondheidsraad het voorstel is gedaan de triple-test te laten aanbieden aan alle zwangeren, ook al ziet men nog wel de nodige uitvoeringsproblemen. Er is door de politiek nog niet besloten of dit ook inderdaad ingevoerd zal worden. Alle zwangere vrouwen zou dan deze test naar een verhoogde kans op Downsyndroom en neuralebuisdefecten aangeboden krijgen door een zorgverlener die de zwangerschap begeleidt. Wanneer vervolgdiagnostiek na het constateren van een verhoogde kans zo'n afwijking zou vaststellen, dan zouden de ouders kunnen besluiten tot abortus provocatus. Tegen een dergelijk programma zouden, heel kort geformuleerd, ten minste de volgende bezwaren ingebracht kunnen worden:

- het aanbod van deze test is feitelijk gericht op het voorkomen van de geboorte van kinderen met een van de betreffende aandoeningen door selectieve abortus; dit is ethisch bezwaarlijk (zie hfdst. 2);
- het verschil tussen de kansbepaling die men met de triple-test doet en diagnostiek die daarop eventueel volgt zal niet voor iedereen zomaar duidelijk zijn en vereist goede voorlichting die vooralsnog niet beschikbaar zal zijn;
- de test geeft een bepaald aantal foutieve uitslagen (testuitslag goed maar kindje toch een aandoening en testuitslag ongunstig maar kindje toch geen aandoening); het zal dus voor een aantal mensen ten onrechte onrust geven en een aantal mensen geheel onverwacht confronteren met de geboorte van een kind met een aandoening;

- het zou betekenen dat iedere zwangerschap in eerste instantie als een risico en pas na gunstige uitslag als een blijde verwachting gezien zou worden;
- het zou dan ook de relatie moeder-kind als geheel veranderen: de aanvaarding van het ongeboren kind zou meer voorwaardelijk worden, namelijk op voorwaarde van geen (ernstige) aandoening.

Ook maatschappelijke instellingen als verzekeringsmaatschappijen en banken en werkgevers zouden belang kunnen hebben bij genetisch onderzoek van hun eventuele cliënten om het risico op schade-uitkeringen of ziekteverzuim zo laag mogelijk te houden. De mogelijkheden om op deze manier aan 'schadepreventie' te doen nemen toe. Zoals we zagen wordt van meer en meer veelvoorkomende ziekten de mate van erfelijke aanleg vastgesteld, zoals bij vormen van kanker, hart- en vaatziekten en psychiatrische aandoeningen (schizofrenie, manische depressiviteit). Bij ziekten met een erfelijke component zegt de genetische informatie iets over de *kans* dat een bepaalde ziekte bij de betreffende persoon zal optreden. Of de ziekte zich inderdaad zal manifesteren hangt ook af van andere factoren, zowel erfelijke als niet-erfelijke.

Deze *kansen* zouden reeds aanleiding kunnen geven tot ongewenste ontwikkelingen. Dit soort kennis kan er toe leiden, dat mensen als het ware op grond van hun erfelijke bagage worden ingedeeld in risicogroepen. In verscheidene maatschappelijke verbanden, waarvan enkele zojuist zijn genoemd, spelen kansen en risico's een rol. Een indeling van de bevolking in genetische risicogroepen zou in sommige van die maatschappelijke verbanden tot selectie kunnen leiden, met maatschappelijke achterstelling als gevolg. Wanneer bijvoorbeeld iemand door erfelijkheidsonderzoek weet, dat hij een sterk verhoogde kans heeft om voor zijn 60e levensjaar een bepaalde ernstige vorm van kanker te krijgen, kan hij in de problemen komen bij het afsluiten van een levensverzekering. Voor zo iemand kan het dan ook moeilijk zijn om een hypotheek te nemen voor een eigen huis of om een bedrijf te beginnen. De vraag is nu of een verzekeringsmaatschappij of werkgever in het kader van een medische keuring ook een genetisch onderzoek mag verlangen. En mogen genetische gegevens, die bekend geworden zijn bij een eerder onderzoek, met toestemming van de cliënt/werknemer worden opgevraagd?

Ten aanzien van de eerste vraag kan worden opgemerkt dat medische keuringen ter beoordeling van de algemene gezondheidstoestand van de werkzoekende wettelijk niet zijn toegestaan. Verder is het zo dat wanneer iemand een arbeidsongeschiktheidsverzekering van maximaal € 30.000,– in het eerste jaar en € 20.000,– in de daaropvolgende jaren wil afsluiten, of wanneer iemand een levensverzekering van maximaal € 150.000,– wil afsluiten, de verzekeraar niet mag informeren naar aanleg voor ernstige onbehandelbare erfelijke ziekten, tenzij de ziekte al manifest is. Voor het afsluiten van een levens- en arbeidsongeschikt-

heidsverzekering mogen verzekeraars geen erfelijkheidsonderzoek eisen. Ook mogen onder de genoemde bedragen verzekeraars niet vragen naar resultaten van eerder verricht erfelijkheidsonderzoek.
De grens van de genoemde bedragen is begrijpelijk. Als namelijk mensen van zichzelf weten, dat zij een hoog risico hebben om vroegtijdig arbeidsongeschikt te worden of te overlijden, zouden zij daarvoor een hele hoge verzekering kunnen gaan afsluiten. De premies zijn afgestemd op een 'gemiddeld' risico. Als er nu extra veel verzekeringsnemers komen met een relatief hoog risico, zonder dat de verzekeraar daarvan weet, dan kan de verzekeringsmaatschappij in moeilijkheden komen. Dit zou ook andere verzekerden kunnen duperen.
Of de huidige regeling, die nog altijd is gebaseerd op vrijwilligheid van de verzekeraars, gehandhaafd kan worden als onder de bevolking steeds meer kennis komt van erfelijke afwijkingen en kansen op bepaalde ziekten, lijkt ons nog de vraag. Bovendien vragen we ons af, hoe mensen bekendheid met grotere kansen op ernstige ziekten geestelijk en mentaal zullen verwerken.

3. Gentherapie

De meeste genetische ziekten en aandoeningen zijn niet behandelbaar. Een enkele keer biedt een dieet uitkomst (zoals bij PKU). Soms kan het probleem operatief verholpen worden (zoals een gespleten gehemelte of 'hazelip', die *mede* erfelijk bepaald is) en soms met medicijnen (zoals bloederziekte). Maar meestal is er voor de gevolgen van een erfelijke aandoening nauwelijks of geen behandeling mogelijk. Om in deze situatie verandering te brengen, wordt veel onderzoek gedaan naar de mogelijkheden van gentherapie. Dit houdt in, dat men tracht het defecte gen te vervangen door een goede kopie van dat gen (dat wil zeggen, een stukje DNA met de *goede* nucleotidenvolgorde). Theoretisch kan men dat doen op bepaalde cellen van het lichaam van de patiënt, of op de kiemcellen (met name de bevruchte eicel).

3.1 Gentherapie op lichaamscellen

In het eerste geval, gentherapie op lichaamscellen, worden cellen van een bepaald weefsel (beenmerg, huid, lever) van de patiënt afgenomen. In het laboratorium tracht men dan een goede kopie van het gen dat bij die patiënt defect is, in die cellen in te brengen. Daarna worden de aldus behandelde cellen weer teruggebracht in de patiënt, in de hoop dat het goede gen tot uiting zal komen en de ziekte, die gevolg is van het defect, zal opheffen. Naar de behandeling van erfelijke ziekten bij mensen met behulp van deze techniek wordt reeds verscheidene jaren onderzoek gedaan. Het bleek technisch moeilijker dan aanvankelijk gehoopt en verwacht, maar de laatste jaren zijn goede vorderingen gemaakt. Ove-

rigens blijkt dat vormen van deze techniek in principe ook benut kunnen worden voor nieuwe behandelingen van andere ziekten zoals aids en vormen van kanker. In 1999 waren wereldwijd omstreeks 335 verschillende experimenten met mensen op dit gebied gaande, waarbij omstreeks 2800 patiënten waren betrokken. Overigens zijn ten minste enkele gevallen bekend van het overlijden van een proefpersoon waarschijnlijk ten gevolge van de (experimentele) ingreep.
Toch lijkt het doorgaan met onderzoek naar deze behandelmethode medisch gezien wel gerechtvaardigd. Als deze behandeling eenmaal tot resultaten leidt, zou men hiermee niet alleen bepaalde genetische afwijkingen kunnen genezen, maar theoretisch zou men ook kunnen proberen bepaalde gewenste eigenschappen te stimuleren. Of dit ooit zal kunnen, is moeilijk te zeggen; onzes inziens valt het niet uit te sluiten.

3.2 Gentherapie op kiemcellen

Bij deze vorm van gentherapie gaat men uit van geslachtscellen, waarmee men later een embryo tot stand zal trachten te brengen, of van het heel vroege embryo (bevruchte eicel, eventueel na enkele delingen). Als een genetisch defect op het niveau van de bevruchte eicel (ook wel zygote genoemd) behandeld kan worden, dan zou niet alleen dit betreffende individu in zijn verdere levensloop genezen zijn, maar *ook* diens eventuele nageslacht. Deze techniek zou dan de individuele patiënt en diens eventuele nakomelingen tot object van behandeling maken. Dit zou een nieuwe stap in de ontwikkeling van de geneeskunde betekenen. De ouders en de arts zouden beslissingen nemen met betrekking tot erfelijke eigenschappen van toekomstige generaties. Ook al zou op zichzelf niemand tegen het opheffen van een bepaalde, te behandelen afwijking zijn, aan de uitoefening van een dergelijke macht over andere mensen zou op zijn minst een diepgaande bezinning vooraf moeten gaan.
Deze gentechniek wordt op dieren beproefd. Men is er in geslaagd bij verscheidene diersoorten bepaalde genetische veranderingen (modificaties) tot stand te brengen, onder meer het opheffen van defecten, door het goede gen in de zygote te brengen met behulp van micro-injectie. En inderdaad bleken ook de nakomelingen van de aldus genezen dieren de erfelijke ziekte niet meer te hebben. Wel gingen deze resultaten ten koste van veel bevruchte eicellen en embryo's die door de behandeling afstierven. Ook werden dieren geboren die ten gevolge van de ingreep volledig mismaakt waren. Het is duidelijk, dat eventuele toepassing van de gentherapie op menselijke kiemcellen nooit zal lukken zonder uitgebreide experimenten met menselijke embryo's en zonder (onvoorziene) risico's te nemen voor degenen, die een dergelijke behandeling zouden hebben ondergaan.
Momenteel wordt gentherapie op menselijke kiemcellen (nog) vrij algemeen afgewezen, onder andere op grond van de gevaren voor de 'patiënten'. Verder is het

zo dat met behulp van genetische diagnostiek (zie par. 2.2) men echter steeds meer in staat zal zijn om embryo's met een 'ongewenst' chromosomen- of genenpatroon uit te selecteren en alleen goede embryo's in de baarmoeder over te brengen (zie ook bij pre-implantatie diagnostiek). Slechts in zeer uitzonderlijke gevallen (bijvoorbeeld bij bepaalde vormen van doofheid) zou een echtpaar een bepaald genetisch defect op al hun kinderen (embryo's) overdragen en zou via embryoselectie nooit een gezond eigen kind 'verkregen' kunnen worden. Als men dus bereid is om embryo's bij onderzoek te verbruiken – en dat moet men zijn om de kiembaangentherapie te kunnen ontwikkelen – hoe nodig heeft men dan die techniek nog om het overdragen van erfelijke afwijkingen te voorkomen?
Nu zouden ook op dit punt door toepassing van klonering door celkerntransplantatie en het kweken van embryonale stamcellen, de risico's van deze techniek verminderd kunnen worden, al moet tegelijk worden gezegd dat de kloneringtechniek zelf weer nieuwe risico's meebrengt. Zonder de technieken uitvoerig uit te leggen zou de volgorde van handelingen dan als volgt worden:

> Te modificeren embryo → ES-cellen → genetische modificatie van de ES-cellen → uitgebreide tests van de gemodificeerde cellen → van de succesvol gemodificeerde cellen een kern gebruiken voor klonering → gekloond embryo → overbrenging naar baarmoeder.

Maar als de gentherapie op kiemcellen bij dieren eenmaal goed is ontwikkeld, zou dan niet de verleiding ontstaan om langs die weg te proberen ook mensen te gaan 'verbeteren'? We dienen hierover na te denken, ook al is het nog de vraag of dit inderdaad echt zou *kunnen*.

3.3 Beoordeling

Hoe moeten we vanuit christelijk standpunt denken over gentherapie? Een uitvoerige ethische beschouwing lijkt ons in het kader van dit inleidende hoofdstuk wat ver gaan. We willen er in dit verband wel enkele opmerkingen over maken. Gentherapie op lichaamscellen, mits duidelijk therapeutisch en niet ter 'verbetering', kan onder de normale voorwaarden voor een medische ingreep in principe als nieuwe behandelingsmethode verwelkomd worden. Wel zou moeten worden gewaarborgd, dat deze techniek inderdaad niet zal gaan worden toegepast om bij een gezonde persoon bepaalde gewenste eigenschappen te bevorderen. Dat zou ons inziens in strijd zijn met het karakter van de geneeskunst, die behoort te trachten ziekte te voorkomen en te genezen en lijden te verhelpen of te verlichten. Wij realiseren ons dat de grens niet altijd scherp is en dat die in de loop van de jaren ook kan verschuiven. Dit neemt niet weg dat er toch in het algemeen een onderscheid ervaren en erkend wordt tussen een aandoening of afwijking, bijvoorbeeld dwerggroei, en de normale variatie in de bevolking met betrekking tot een bepaalde eigenschap i.c lichaamslengte. Zo is enkele jaren geleden het criterium voor vergoeding van cosmetische operaties, onder meer met betrekking tot de borstomvang bij vrouwen, aangescherpt. Dit betekent de hantering van een maatstaf voor normaliteit en dat lijkt ons terecht. Wanneer de geneeskunde een instrument zou gaan worden ter 'constructie' van een meer gewenst type mens (van een tendens hiertoe zijn reeds signalen waarneembaar), dan zou dat niet alleen de plaats en de rol van de geneeskunde in de samenleving diepgaand beïnvloeden, maar ook al de intermenselijke verhoudingen. De ene mens zou ontwerp kunnen gaan worden van de ander. Daarmee zou de principiële gelijkwaardigheid van mensen onderling in gevaar komen. Immers, de 'ontworpene' zou in een afhankelijkheidsverhouding staan tot de 'ontwerper'.

Gentherapie op kiemcellen moet naar onze overtuiging worden afgewezen. In de eerste plaats, omdat die techniek slechts ontwikkeld kan worden als veel menselijke embryo's als zuiver proefmateriaal verbruikt zouden gaan worden. Dat zou in flagrante strijd zijn met de waarde en de waardigheid van het menselijk embryo, dat gezien moet worden als een mens in het begin van zijn ontwikkeling (zie hfdst. 3). In de tweede plaats worden bij gentherapie op kiemcellen risico's voor het nageslacht genomen, die niet te voorzien noch te overzien zijn. Dit geldt vooralsnog ook voor de techniek waarbij gebruik zou worden gemaakt van klonering, ook al zal hiermee de genetische modificatie getest kunnen worden. Tenslotte, gentherapie op kiemcellen is ter behandeling van erfelijke afwijkingen in de huidige situatie nauwelijks nodig, aangezien selectie alleen veel eenvoudiger is (zie hierboven en par. 2.2). De verdere ontwikkeling en toepassing van deze techniek bij mensen zou dan ook waarschijnlijk de wens tot 'verbetering' als (verborgen) drijfveer hebben. Zoals reeds gezegd, dit moet als ethisch onaanvaardbaar worden afgewezen.

Literatuur

Gezondheidsraad, *Prenatale screening: Downsyndroom, neuralebuisdefecten, routine-echoscopie,* Den Haag: Gezondheidsraad, 2001 (publicatie nr. 2001/11).
H. Jochemsen (red)., *Toetsen en begrenzen. Een ethische en politieke beoordeling van de moderne biotechnologie,* Lindeboomreeks 12, Amsterdam: Buijten & Schipperheijn, 2000.
H. Jochemsen, 'Hoe humaan is het humaan genoom project?', *Radix* 26 (2000) nr. 3, p.137-158.
K. Neuvel, *Wee de genen. Over de biologische fundamenten van menselijk gedrag,* Zoetermeer: Meinema 2000.
H. Jochemsen, 'Ethische kwesties bij pre-symptomatisch genetisch onderzoek', *Pro Vita Humana* jg. 6, nr. 5 (1999), p.143-151.
Y.S. Poortman, P.H. Siebe (red.), *Genetisch onderzoek. Mensen, meningen en medeverantwoordelijkheid,* Baarn: Fontein, en Soestdijk: VSOP, 1999.
G. de Wert, *Met het oog op de toekomst. Voortplantingstechnologie, erfelijkheidsonderzoek en ethiek,* Amsterdam: Thela-Thesis, 1999.
M. van Zwieten, A. Kalden, *Ons gescreende lichaam. Kansen en risico's van de genetica,* Amsterdam: Balans, 1999.
H. Galjaard (red.), *Genen in kaart. Mensen in of uit problemen.* Amsterdam: KNAW, 1998.
E. Lammerts van Bueren et al., *En toen was er DNA... Wat moeten we ermee? Over morele en maatschappelijke dilemma's,* Zeist: Indigo, 1998.
J.C. Oosterwijk et al., *Genetische informatie en goede zorg.* Nijmegen: Katholiek Studiecentrum, 1998.
Gezondheidsraad – Commissie DNA-diagnostiek, *DNA-diagnostiek,* Rijswijk: Gezondheidsraad, 1998 (publicatie nr. 1998/11).
Verbond van Verzekeraars, *Moratorium erfelijkheidsonderzoek. Beleid van de arbeidsongeschiktheids- en levensverzekeraars, inzake erfelijkheidsonderzoek,* versie augustus 1998.
H. Jochemsen, Prenatale diagnostiek en de maatschappelijke positie van mensen met een aangeboren aandoening, *Pro Vita Humana* 1997; 4, nr. 4: 87-90.
G.H. de Vries, K. Horstman, O. Haveman, *Politiek van preventie. Normatieve aspecten van voorspellende geneeskunde,* Den Haag: Rathenau Instituut, 1997; W58.
J.C. Verheij, 'Erfelijkheidsonderzoek en verzekeringen. Geen reden tot bezorgdheid', *Medisch Contact,* 1997; 52, nr. 50, p. 1588-90.
G. van Steendam, *Hoe genetica kan helpen,* Leuven/Amersfoort: Acco 1996.

J.S. Reinders, *Moeten wij gehandicapt leven voorkomen?* Preadvies uitgebracht t.b.v. de jaarvergadering van de Nederlandse Vereniging voor Bioethiek, Utrecht: NVBe 1996, p.78, 40 e.v.
D. Valerio, et al. *Gentherapie,* Cahiers Biowetenschappen en maatschappij 18 (1996), nr. 3.
H. Jochemsen, 'Aan de wieg van de toekomst – ofwel: is er nog toekomst voor de wieg?', *Pro Vita Humana* 2 (1995) nr. 5, p. 129-136.
G.J. Bonsel, P.J. van der Maas, *Aan de wieg van de toekomst–Scenario's voor de zorg rond de menselijke voortplanting 1995-2000*, stichting Toekomstscenario's Gezondheidszorg. Houten: Bohn Stafleu Van Loghum, 1994.
G. de Wert, M. de Wachter, *Mag ik uw genenpaspoort? Ethische aspecten van dragerschapsonderzoek bij de voortplanting*, Baarn: Ambo, 1990.
J. Douma, *Milieu en manipulatie*, Kampen: Kok, 1989.
Cahiers Biowetenschappen en maatschappij (Leiden): 'Ouderschap' (1983, nr. 1), 'Biomaatschappij' (1985, nr. 4), 'DNA diagnostiek' (1989, nr. 2).
Werkgroep Biowetenschappen van het Katholiek Studiecentrum, *Erfelijkheidsonderzoek, prenatale diagnostiek en abortus provocatus in hun onderlinge samenhang*, Nijmegen, 1982.

www.rivm.nl/vtv/generate/objv2sterftegeboorte_0.htm

ooo 5 ooo

Levensbeëindiging en zorg voor stervenden

1. Inleiding

Ziekten kunnen veel leed veroorzaken. Ook het sterven kan moeilijk en zwaar zijn. Vooral wanneer een stervende pijn heeft, zich eenzaam voelt en de aftakeling van zijn of haar lichaam ervaart, kan de verzuchting 'dat het toch maar niet meer lang gaat duren' opkomen en ook kan de gedachte opkomen aan de toepassing van euthanasie. Nu behoren wij compassie te hebben voor lijdende medemensen. Maar behoren wij ook begrip te hebben voor de toepassing van euthanasie?
Historisch gezien is het woord 'euthanasie' geen nieuw verschijnsel, maar de betekenis is in de loop der eeuwen geheel veranderd. Het begrip 'euthanasia', dat afgeleid is van het Griekse 'goed' (*eu*) en 'dood' (*thanatos*), had in de antieke wereld van Griekenland en Rome de betekenis van een snelle, gemakkelijke dood, zonder lijden; en ook wel van een nobele dood.
Ook in Nederland is het woord 'euthanasie' reeds lang in gebruik. Gedurende een bepaalde periode werd met het woord 'euthanasie' het sterven aangeduid van gelovigen die 'in de Heer stierven', in het besef dat het beste nog wacht. Men dacht in termen als 'de kunst van het sterven' ofwel *ars moriendi.*
In de loop van de 19e eeuw kreeg de term 'euthanasie' een geheel andere betekenis, namelijk die van het actief doden van een patiënt door een arts. Dit was in de Europese cultuur van toen bij de wet verboden en werd ook verworpen door de destijds heersende medische ethiek. Deze ethiek liet zich namelijk nog sterk leiden door de Eed van Hippocrates en het christelijke denken over leven en dood. Dit betekent niet, dat er toen geen artsen waren, die in bepaalde omstandigheden de dood van zwaar lijdende patiënten versnelden of deden intreden. Dit betrof dan echter wel altijd uitzonderlijke situaties.
In de laatste tientallen jaren wordt euthanasie op steeds grotere schaal toegepast. De vraag is nu echter vooral, of euthanasie inderdaad een 'goede dood' is, dat wil zeggen, een goede oplossing voor het lijden van stervenden. Om deze vraag te beantwoorden, worden in dit hoofdstuk eerst verschillende definities van euthanasie behandeld (par. 2), daarna wordt een historisch overzicht gegeven van de ont-

wikkelingen in ons land (par. 3), vervolgens volgen verschillende argumenten voor en tegen euthanasie (par. 4) en tenslotte wordt besproken hoe we kunnen zorgen voor een patiënt die ernstig lijdt en die een euthanasieverzoek doet (par. 5).

2. *Wat is euthanasie?*

2.1 Enkele definities

De omschrijving die men voor een term als 'euthanasie' kiest, weerspiegelt vaak al iets van het standpunt dat men ten opzichte van deze kwestie inneemt. Om dit te illustreren, zullen we hier kort ingaan op enkele formuleringen van wat euthanasie is.

In haar meerderheidsrapport uit 1985, geeft de Staatscommissie inzake euthanasie de volgende definitie: *'Het opzettelijk levensbeëindigend handelen door een ander dan de betrokkene, op diens verzoek.'* Hieraan wordt nog toegevoegd, dat er sprake moet zijn van een uitzichtloze noodsituatie. De toevoeging 'op diens verzoek' duidt er op, dat men in de wens van de patiënt de rechtvaardiging zoekt voor het 'opzettelijk levensbeëindigend handelen'. Deze omschrijving komt in grote lijnen overeen met die van het hoofdbestuur van de Koninklijke Nederlandse Maatschappij tot bevordering der Geneeskunst (KNMG) van 1984. De KNMG hanteert echter het begrip 'onaanvaardbaar lijden'. Hiermee wordt een grotere nadruk gelegd op het beleven van de patiënt. Dit blijkt uit de zorgvuldigheidscriteria, die de KNMG bij haar definitie vermeld: *'De ondraaglijkheid c.q. uitzichtloosheid van iemands leven is immers zozeer van individuele normen en waarden afhankelijk, dat de evidentie daarvan lang niet altijd voor een ander invoelbaar kán zijn, hoe wenselijk dat in dit verband ook mag zijn.'* Vergelijkbare definities vinden we terug in de richtlijnen voor euthanasie, zoals die in veel Nederlandse instellingen al langere tijd worden gehanteerd.

De Gezondheidsraad (Advies inzake Euthanasie, 1982) formuleert euthanasie veel ruimer en wel als *'het opzettelijk beëindigen of verkorten van het leven op verzoek van en/of in het belang van de betrokkene'*. Het woordje 'of' in deze definitie laat de mogelijkheid open om euthanasie ook toe te passen, wanneer de patiënt zijn wil niet kenbaar kan maken. Let wel, het gaat hier niet om het toepassen van euthanasie *tegen* de uitgesproken wil van de patiënt. Maar er zijn medici en ethici, die verdedigen dat euthanasie ook – onder voorwaarden – toelaatbaar is bij patiënten die hun wil niet (meer) kenbaar kunnen maken. Een belangrijk criterium voor de toelaatbaarheid van euthanasie vindt men dan, dat de patiënt niet (langer) die eigenschappen en vermogens heeft die de mens tot mens zouden maken, zoals met name de mogelijkheid tot communicatie. Soms zegt men ook wel, dat het denken en redeneren iemand pas echt mens maakt. Deze toevoeging heeft tot

gevolg, dat niet alleen de patiënt zelf, maar ook anderen een beslissing kunnen nemen over de 'leefbaarheid' en daarmee de beschermwaardigheid van iemands leven. Immers, om de kwaliteit van iemands leven te beoordelen, hoeft men dan alleen maar vast te stellen welke 'typisch menselijke' vermogens iemand (nog) heeft en welke niet. Indien iemand bepaalde dingen niet meer kan – bijvoorbeeld communiceren met anderen of op een bepaald niveau denken – dan blijft de kwaliteit van het leven van die persoon onder de maat van het typisch menselijke en, zo gaat de redenering, dan zou euthanasie gerechtvaardigd zijn.
Naast de verschillende omschrijvingen van euthanasie is ook het taalgebruik vaak veelzeggend; denk aan termen als 'zelfgekozen einde', 'maakbare dood' en 'stervensverkorting'. Zo zien we, dat achter verschillende definities van euthanasie verschillende opvattingen over leven en dood schuil gaan. Wij zullen euthanasie in het vervolg opvatten als *het doden van een patiënt op diens verzoek door een arts.*

2.2 *Actieve en passieve euthanasie*

Kenmerkend voor de handeling die we 'euthanasie' noemen, is het doel waarmee deze wordt verricht, namelijk de dood van de patiënt. Dit doel wordt in de praktijk bewerkstelligd door het toedienen van een dodelijk middel (euthanaticum), of door het nalaten of staken van een medische behandeling die juist noodzakelijk is om het leven van een patiënt in stand te houden. Beide handelingen kunnen de dood tot gevolg hebben.
Soms maakt men wel een onderscheid tussen beide soorten handelingen. Het staken of nalaten van een handeling noemt men dan 'passieve euthanasie' en het toedienen van een dodelijk middel noemt men 'actieve euthanasie'. Dit onderscheid wordt veelal gemaakt om te verdedigen, dat passieve euthanasie ethisch wel toelaatbaar zou zijn en actieve euthanasie niet. Het onderscheid tussen actieve en passieve euthanasie nemen wij niet over. Tussen het staken of nalaten van een medisch zinvolle behandeling met als doel het overlijden van de patiënt en actieve euthanasie bestaat namelijk moreel gezien geen onderscheid. Immers, beide vormen van euthanasie beogen iemands dood en vergen een handeling om dit tot stand te brengen. Om deze reden is het verwarrend en kan het zelfs misleidend zijn, om een onderscheid te maken tussen actieve en passieve euthanasie.
Heel uitdrukkelijk moet hieraan worden toegevoegd, dat het staken of nalaten van een naar heersend inzicht medisch zinloze behandeling niet onder het begrip (passieve) euthanasie valt. Het afzien of stoppen van dergelijk handelen, of 'abstineren', wordt reeds eeuwenlang als normaal medisch handelen aanvaard. Immers, waarom zou men een patiënt extra belasten met een behandeling, die – menselijkerwijs – de genezing niet meer dichterbij kan brengen? In zo'n geval beoogt of veroorzaakt men met het staken van een behandeling niet de dood van de patiënt. Deze sterft dan aan een ziekte, waarop behandelingen geen invloed meer hebben.

Abstineren met dit oogmerk voorkomt het 'rekken' van het (soms moeilijke en pijnlijke) stervensproces en kan zo ook een eventuele vraag om actieve beëindiging van het leven voorkomen. De grote vraag hierbij is natuurlijk, wat medisch zinloos is. We zullen hierop in par. 2.7 punt b) nog terugkomen.

2.3 Versterven

De term 'versterven' kwam een aantal jaren geleden in het nieuws door het onderzoek *Sterven op drift* van de psychiater B. E. Chabot (1996) waaruit bleek dat met name in verpleeghuizen bewoners stierven door onthouding van vocht en voedsel. In de discussie daarna bleek dat met de term 'versterven' verschillende situaties bedoeld worden.

Verschillende situaties die 'versterven' genoemd worden

Onder 'versterven' verstaan we het lichamelijke proces dat voorafgaat aan het overlijden en dat optreedt bij te lage voedings- en vochtinname, waarbij de oudere of zeer zieke patiënt weinig tot geen last heeft van honger- of dorstgevoelens. Dit kan optreden in de volgende situaties:

- Onvoldoende aanbod van vocht en voeding. Dit kan bijvoorbeeld voorkomen bij oudere mensen met een slechte mobiliteit of een lichte verwardheid, gecombineerd met een tekortschietende mantelzorg. Warme zomermaanden kunnen een en ander nog verergeren. Zo'n situatie vraagt eventueel om opname in een instelling, waarbij tijdelijk vochttoediening via een sonde of infuus nodig kan zijn.
- Weigering van het aangeboden vocht en voeding. Hierbij is het belangrijk om te onderscheiden tussen hen die wilsbekwaam zijn en de vaker voorkomende situatie van wilsonbekwaamheid. De uitdroging die resulteert, kan leiden tot sufheid en obstipatie. Extra 'drinkrondes' zijn dan een sympathiekere oplossing dan 'opdringen' of 'dwang'. Het komt ook voor dat er 'wisselend geweigerd' wordt. Overigens is interpretatie van voedselweigering vaak een moeilijk probleem.
- Niet meer in staat zijn tot voldoende opname van vocht en voedsel. Dit kan optreden indien een bepaalde mate van uitdroging reeds is opgetreden. In deze categorie komen de situaties voor waar een behandelbeleid pas na intensief overleg vastgesteld kan worden. Hierin hebben de patiënt of diens vertegenwoordiger, de verpleging/verzorging en – afhankelijk van de situatie – de psychiater en geestelijk verzorger een rol. Met name dient gekeken te worden of er behandelbare of te verhelpen oorzaken zijn, naar de algehele conditie van de patiënt en naar zijn prognose. In sommige situaties kan er consensus zijn over een niet kunstmatig (blijven) toedienen van voeding en vocht. Communicatie is hier een sleutelwoord; niet in de laatste plaats door gesprekken met de familie die anders hierover met verwerkingsproblematiek te maken kan krijgen.

Bijzondere situaties van 'versterven'
Een heel andere situatie is aanwezig wanneer men *voedsel en vocht actief onthoudt aan de patiënt.* Dit komt neer op staken van voor de patiënt zinvolle verzorging, hetgeen wij afwijzen. Het is met name om dit punt dat er kritiek is op het beleid zoals dat vooral in verpleeghuizen wel gevoerd zou worden. Er is dan sprake van verwaarlozing en een sterfbed vol lijden. Wij noemen deze vorm van 'doen sterven' geen versterven ook al overlijdt de patiënt aan dezelfde symptomen van uitdroging. Wat soms wel 'versterven' genoemd wordt, maar toch eveneens een bijzondere situatie is, is *het willens en wetens weigeren van vocht en voedsel om 'afscheid te nemen van het leven'.* Dit wordt in sommige landen aan patiënten aangedragen als alternatief voor euthanasie. Overigens dient het in principe gerespecteerd te worden wanneer een wilsbekwame patiënt pertinent weigert voedsel en vocht tot zich te nemen. Als het een patiënt betreft met een behoorlijke levensverwachting, is het op zijn plaats te proberen de patiënt op andere gedachten te brengen. Ook moet vastgesteld worden of de patiënt wilsbekwaam is en de weigering niet voortkomt uit bijvoorbeeld een depressie. In de laatste situatie is een gedwongen behandeling te overwegen, hoewel de juridische mogelijkheden volgens de Wet BOPZ hiertoe beperkt zijn.

Gevolgen van uitdroging voor de patiënt
Is uitdroging lijden? De geneeskunde maakt onderscheid tussen verschillende vormen van uitdroging ofwel dehydratie; een onderscheid dat is gelegen in de mogelijke oorzaken (te weinig vochttoediening met of zonder elektrolyten, nierfunctiestoornissen, verstoringen van het hormonale evenwicht, enz.), in de lichamelijke consequenties (bloedcirculatie, celfunctie, enz.) en in de symptomen die het gevolg kunnen zijn (dorst, misselijkheid, sufheid, enz.). Voor ons onderwerp is het voldoende te bespreken of er een ernstig dorstgevoel optreedt in het geval van minder drinken en uitdroging bij ernstig zieke en bejaarde patiënten. In deze situaties blijkt er echter geen correlatie te bestaan tussen de mate van uitdroging en het dorstgevoel. Andere factoren blijken voor het welbevinden, inclusief de vermindering van het dorstgevoel, veel belangrijker. Deze factoren zijn met name het voorkomen van een droge mond en van een onprettige smaak in de mond. Regelmatig een klein slokje laten drinken of frequente verzorging van mond en lippen zijn hiervoor vooral aangewezen. Dit laatste vraagt extra zorg bij patiënten die beschadigde slijmvliezen hebben door een schimmelinfectie of door recente chemo- of radiotherapie.
Is extra vochttoediening wel of niet aangewezen bij patiënten die niet meer (kunnen) drinken? Hoewel veel artsen gevoelsmatig de indruk hebben dat een infuus nuttig is om bij stervende patiënten symptomen van uitdroging te behandelen, is dit niet op wetenschappelijke feiten gebaseerd. Er zijn zelfs nadelen aan ver-

bonden. Een eerste nadeel van zo'n infuus is dat een zekere mate van uitdroging juist gunstig is; minder vochtophoping in de darm, minder oedemen, minder moeizame ademhaling. Bovendien is er het nadeel van het introduceren van een extra technische hulpmiddel, waarin veel van de aandacht gaat zitten; aandacht die beter aan de patiënt gegeven had kunnen worden.

2.4 Hulp bij zelfdoding

Hulp bij zelfdoding verschilt van euthanasie doordat het niet door 'een ander dan betrokkene' maar door betrokkene zelf wordt uitgevoerd. De patiënt neemt zelf de euthanatica (de dodelijke middelen) in; de arts verstrekt ze en is meestal aanwezig bij de zelfdoding. Dit laatste heeft mede tot doel bij mislukken van de zelfdoding alsnog een dodelijke injectie toe te dienen.
In de praktijk speelt hulp bij zelfdoding met name een rol bij psychiatrische patiënten. Er zijn artsen die ook bij patiënten in de terminale fase voor deze vorm van levensbeëindiging een voorkeur hebben. Voor nabestaanden zou het geleidelijk in coma raken en overlijden gemakkelijker te verwerken zijn dan de abrupte 'dood door de naald'. Anderen wijzen op de technische problemen dat middelen die ingeslikt worden een onzekerder effect hebben dan intraveneuze, met name bij patiënten met slikklachten en braakneigingen. In Nederland zijn euthanasie en hulp bij zelfdoding voor de wet gelijkgeschakeld.

2.5 Levensbeëindigend handelen zonder verzoek

Iemand ongevraagd het leven benemen is geen euthanasie omdat een essentieel element – het verzoek van de patiënt – ontbreekt. In par. 3.3 komen recente ontwikkelingen op het gebied van levensbeëindigend handelen bij wilsonbekwamen aan bod; patiënten die per definitie geen verzoek om euthanasie kunnen doen zoals pasgeborenen en patiënten in langdurig coma. In par. 4.2 punten *d*) en *e*) zullen we bespreken in hoeverre het onderscheid tussen 'op verzoek' en 'zonder verzoek' houdbaar is.

2.6 'Pil van Drion' en 'klaar met leven'

Eind 1991 bepleitte H. Drion, oud-hoogleraar burgerlijk recht en oud-raadsheer in de Hoge Raad, in een krantenartikel voor een zelfmoordpil: de 'pil van Drion'. Alleenstaanden boven een bepaalde leeftijd zouden die van de huisarts moeten kunnen krijgen om op een zelfgekozen moment zelf een eind aan hun leven te kunnen maken. Ondanks het gevaar dat mensen onder druk van hun omgeving de pil zouden kunnen innemen, meende Drion dat het voordeel van het autonoom over je levenseinde kunnen beslissen daar tegen opwoog.
Juist toen de Tweede Kamer in 2000 begon aan de behandeling van de inmiddels aangenomen 'euthanasiewet', stond huisarts Ph. Sutorius voor de rechter wegens

het toepassen van hulp bij zelfdoding bij de 86-jarige oud-PvdA-senator E. Brongersma. Brongersma had – afgezien van enkele ouderdomskwalen – geen werkelijke lichamelijke of psychische aandoeningen; hij was slechts het leven moe. 'Klaar met leven' noemt men dat populair. De rechtbank in Haarlem ontsloeg de huisarts van rechtsvervolging, hetgeen de Hoge Raad in 2001 echter terugdraaide. Toch was de uitspraak van de Haarlemse rechtbank niet onverwacht. Het is een logisch voortvloeisel van de koers die Nederland al langere tijd gaat. Reeds in 1994 bepaalde de Hoge Raad in de zaak Chabot dat ook psychisch lijden 'ondraaglijk en uitzichtloos' kan zijn. En hier gaat het volgens velen bij de zaak Brongersma in feite ook om; er is alleen sprake van een verdere verruiming van het begrip 'ondraaglijk en uitzichtloos'.

De zaak Brongersma roept als voorbeeld van een 'klaar met leven'-situatie opnieuw de vraag op waar de grens ligt. Want zijn de eerste symptomen van een ziekte die mogelijk 'ontluistering' kunnen veroorzaken niet reeds ondraaglijk lijden in de zin van de wet? Of een genetische predispositie voor een nare kwaal? De beide gehoorde getuige-deskundigen in de zaak Brongersma meenden dat de grens lag bij een somatische of psychiatrisch classificeerbare oorzaak. Commentatoren merkten op dat het levenseinde steeds 'maakbaarder' wordt. In het boekje *Als de dood voor het leven. Over professionele hulp bij zelfmoord* van Hans Achterhuis et al. (1995) – geschreven naar aanleiding van de zaak Chabot – wordt hier ook op gewezen. De schrijvers, allen uit verschillende vakgebieden, bespeuren bovendien een ontwikkeling richting 'medicalisering van de dood': medici gaan bepalen wanneer iemand mag overlijden. En ondanks de veroordeling door de Hoge Raad in de zaak Brongersma is het te verwachten dat er zich door de publiciteit meer van zulke verzoeken zullen aandienen.

We zien hier een duidelijk voorbeeld van het 'hellend vlak'. Was er aanvankelijk sprake van de stervensfase; daarna van een objectiveerbare, onbehandelbare psychiatrische aandoening – bij de zaak Brongersma bleek een subjectief beleven van leegte en eenzaamheid voor sommige juristen al grond voor levensbeëindiging. Discussie over de 'pil van Drion' zal opnieuw de vraag doen opkomen hoe 'ondraaglijk en uitzichtloos lijden' vast te stellen. Al snel na de aanvaarding van de 'euthanasiewet' in 2001 waren deze geluiden te horen. De NVVE, gesteund door met name D66-politici, pleit voor een experiment met de 'pil van Drion' voor mensen met een 'authentieke doodswens'. Minister Borst van VWS sprak in een interview beeldend over 'een vrouw van vijfennegentig die zich te pletter verveelt'.

Wij vinden dit een zeer slechte ontwikkeling. En een principieel onderscheid met 'een jongeman van zestien die zich te pletter verveelt' kennen wij ook helemaal niet. Voor beide leeftijdscategorieën is een ander soort 'hulpverlening' aangewezen dan het ter beschikking stellen van een zelfmoordpil.

2.7 *Wat niet onder het begrip euthanasie valt maar er wel eens mee verward wordt*

Uit bovenstaande paragrafen kan men begrijpen, dat er vaak onduidelijkheid bestaat over wat men nu eigenlijk onder euthanasie moet verstaan. Het is daarom wellicht nuttig te vermelden, welke handelingen verder niet tot euthanasie moeten worden gerekend. Voor zover bekend zijn voor- en tegenstanders het er over eens, dat in de volgende situaties geen sprake is van euthanasie:

a. Het staken of achterwege laten van een levensreddende behandeling op uitdrukkelijk en ernstig verlangen van de patiënt waardoor de patiënt overlijdt

De patiënt is zelf verantwoordelijk voor de beslissing of hij een bepaalde behandeling wel of niet wil ondergaan. Wanneer de patiënt een behandeling weigert, is een arts niet gerechtigd in te grijpen. Immers, een patiënt mag niet behandeld worden zonder zijn toestemming en hij heeft het recht om een behandeling te weigeren, of zijn toestemming in te trekken. Uiteraard ligt de situatie anders bij patiënten die niet wilsbekwaam zijn; dan moet bepaald worden wie namens de patiënt moet beslissen. Zie ook hoofdstuk 10 par. 3 over 'Rechten van patiënten in de Nederlandse wetgeving'.

Het huidige gezondheidsrecht baseert het toestemmingsprincipe voor een medische behandeling op het zelfbeschikkingsrecht van de patiënt. Maar vanuit christelijk medisch-ethisch gezichtspunt willen wij het liever funderen op de verantwoordelijkheid van de mens voor zijn leven en gezondheid én op het respect voor de naaste, waarvan de 'onaantastbaarheid van het lichaam' een uitvloeisel is. (De onaantastbaarheid van het lichaam is ook een grondwettelijk recht; artikel 11 Grondwet.) Hoewel het ondergaan van medische behandelingen niet verplicht gesteld kan worden, kan het vanuit christelijk standpunt wel laakbaar zijn een bepaalde medische behandeling te weigeren, wanneer dit tot het overlijden kan leiden. Aan de andere kant is deze mogelijkheid een onontkoombare consequentie van het recht op de onaantastbaarheid van het lichaam. Bovendien zou men de plicht om zich ten alle tijde aan een medische behandeling te onderwerpen, alleen kunnen verdedigen met een onbeperkt vertrouwen in de geneeskunst – geen fouten, nooit complicaties... – en met voorbijgaan aan de eigen verantwoordelijkheid van de patiënt. Kortom, wanneer een patiënt sterft door een bepaalde behandeling te weigeren, is er geen sprake van euthanasie. Immers, de arts is dan niet verantwoordelijk voor het sterven van de patiënt, zelfs als dat door die behandeling eventueel voorkomen had kunnen worden.

Een bijzonder geval van het achterwege laten van een mogelijk levensinstandhoudende ingreep is een Niet-reanimeer verklaring (NR-verklaring, of NR-code). Reanimeren betekent bij stoppen van ademhaling en bloedsomloop (hartstilstand, 'geen pols') deze kunstmatig te vervangen om in de tussentijd deze weer aan de gang te krijgen. Dit eventuele reanimeren dient zonder uitstel gestart te

worden, want indien dit niet gebeurt, zal de patiënt binnen enkele minuten overleden zijn. Dit vervangen kan met mond op mond beademing plus hartmassage, waarna het weer op gang krijgen van het hart afhankelijk van de oorzaak gebeurt met medicijnen of met behulp van een stroomschok (bijvoorbeeld defibrilleren). In ziekenhuizen vindt bij een patiënt met hartstilstand als regel reanimatie plaats, tenzij een niet-reanimeerbeleid voor die patiënt is afgesproken en op de status 'Niet reanimeren' staat. (In de praktijk zijn er gradaties van niet-reanimeer beleid, maar het zou nu te ver voeren daarop in detail in te gaan).
In de praktijk wordt niet zelden op een status van een patiënt 'NR' gezet zonder dat hierover met de patiënt of diens vertegenwoordiger is overlegd. Dat lijkt ons niet wenselijk. De eigen verantwoordelijkheid van de patiënt of diens familie wordt dan onvoldoende gerespecteerd. Wel is het zo dat er gronden kunnen bestaan om een NR-besluit opnieuw te bezien en bij te stellen en dat dan niet altijd direct overleg met patiënt of familie mogelijk is. Maar een dergelijke herziening van het afgesproken beleid zal wel moeten passen in hetgeen hierover globaal afgesproken is. Een niet-reanimeer besluit kan heel terecht zijn. De resultaten van reanimeren zijn over het geheel genomen niet zo positief. Het hangt namelijk erg af van de conditie van de patiënt en van de oorzaak van het stoppen van ademhaling en bloedsomloop. Bij patiënten die afgezien van de aandoening waarvoor ze in het ziekenhuis liggen nog een redelijke levensverwachting hebben, is het vaak wel zinvol, in andere gevallen vaak niet. Reanimatie kan een extra lijdensweg betekenen zonder positief resultaat voor de patiënt. Kortom, een niet-reanimeer besluit kan terecht worden genomen, maar instemming van patiënt en/of diens familie na goede voorlichting en goed overleg zijn ethisch vereist.

b. Het staken of niet instellen van een medisch zinloze behandeling

Van belang is de zin van een behandeling. Vanouds sloeg 'medisch zinloos' handelen altijd op medisch handelen dat niet meer proportioneel is. Dit houdt in, dat het verwachte resultaat van de behandeling niet meer in redelijke verhouding staat tot de belasting en de risico's die de behandeling voor de patiënt met zich meebrengt. Met andere woorden, een behandeling die niet proportioneel is, verlengt en/of versterkt het lijden, zonder een reële kans op verbetering van de toestand van de patiënt te bieden. Indien men een dergelijke behandeling achterwege laat, is dit geen euthanasie. De beslissing een zinloze behandeling te staken berust op het vaststellen van het feit, dat een bepaalde behandeling geen verantwoord medisch doel meer dient. Overigens kan het staken van die behandeling wel tot gevolg hebben dat de patiënt sneller overlijdt. Het beëindigen van of niet beginnen aan een medisch zinloze behandeling wordt soms 'passieve euthanasie' genoemd; dat dit een misleidende term is bespraken wij reeds onder par. 2.2. Helaas is de betekenis van het begrip 'medisch zinloos' niet eenduidig en dit wordt ook in de medische praktijk verschillend ingevuld. Zo berust het criterium 'medisch zinloos' niet alleen op strikt medisch-technische criteria, zoals door gezondheidsjuristen wel verdedigd wordt. Anderen willen het begrip 'medisch zinloos' laten bepalen door het begrip 'kwaliteit van leven'. Dan zou men medisch zinvolle behandelingen toch als zinloos kunnen beschouwen, wanneer het leven van de patiënt niet meer een bepaalde mate van 'kwaliteit' heeft. De (verwachte) kwaliteit van leven wordt dan een criterium van meer of minder beschermwaardig. Dit denken vindt helaas in kringen van artsen steeds meer ingang. Tenslotte, het is in de praktijk vaak onduidelijk, wie – op welke gronden – mag bepalen wanneer een behandeling medisch zinloos is. Meestal speelt de arts hierin een centrale rol. Maar de ene arts zal een behandeling eerder 'zinloos' vinden dan een andere. Toch moet subjectiviteit en willekeur zoveel mogelijk beperkt worden door medisch-ethische en eventueel juridische afspraken te maken.

c. Medisch handelen om ernstig lijden van een patiënt te verlichten, ook al kan hij hierdoor eerder overlijden

Ook wanneer de patiënt in het kader van een adequate symptoombestrijding – zoals pijnbestrijding – zo veel medicamenten toegediend krijgt, dat hij hierdoor sneller overlijdt, spreken we niet van euthanasie. Want het oogmerk van het medisch handelen is dan niet het overlijden van de patiënt, hoewel dit wel een onbedoeld en zelfs onvermijdelijk neveneffect kan zijn van het verlichten van geestelijk en lichamelijk lijden. Soms wordt dit 'indirecte euthanasie' genoemd. Wij gebruiken hiervoor het woord 'euthanasie' niet, aangezien het oogmerk van dit handelen niet het doden van de patiënt is. Wel wordt hiervoor de term 'dubbel effect' gebruikt; een term die afkomstig is uit de rooms-katholieke moraaltheologie. Hiermee bedoelt men dat een behandeling onvermijdelijke en voorspelbare neveneffecten heeft die echter geaccepteerd worden vanwege het beoogde hoofdresultaat van de behandeling.

Het is dus ook hier van belang om op de intenties van de arts (ofwel het medisch team) te wijzen. Zo is bij het bestrijden van pijn het misbruik van medicatie mogelijk. Met sterke pijnstillers kan men immers proberen de patiënt te doden, wanneer de doses pijnbestrijdende medicijnen doelbewust dusdanig worden verhoogd – tot een niveau dat hoger ligt dan nodig is om de pijn te verlichten – dat de patiënt eraan overlijdt. In zo'n geval wordt het leven van de patiënt opzettelijk bekort en beëindigd, en hier dienen we wel van euthanasie te spreken. Afhankelijk van de intentie van het 'medisch' handelen, kan pijnbestrijding dus gebruikt worden als dekmantel voor het actief doden van een patiënt.

Natuurlijk behoort de patiënt geïnformeerd te worden over mogelijke bijwerkingen van pijnverlichtende behandelingen, zoals de invloed ervan op het bewustzijn. Op grond van deze informatie zou een enkele patiënt er voor kunnen kiezen meer

pijn te verdragen om geestelijk helderder te kunnen blijven. Overigens bestaat hier bij patiënt en naasten veelal een onnodige angst voor. Juist bij tijdig instellen van de behandeling met pijnstillers en het verder – op geleide van het effect op de pijn – ophogen van de medicatie zijn de meeste bijwerkingen goed te beheersen. En omgekeerd zijn onvoldoende behandelde pijnen slopend voor de conditie van de patiënt, zodat hij mogelijk sneller bedlegerig wordt, minder energiek is en meer aan slapeloosheid en vermoeidheid lijdt. *Pain kills*, zegt men wel en dit is geen overdrijving. Ook dit kan aan bod komen bij het voorlichten van de patiënt.
Op sommige van deze aspecten die samenhangen met (risico's van) symptoombestrijding komen wij terug in par. 5.4.

3. Ontwikkeling van de euthanasiepraktijk in Nederland

3.1 Geneeskunde, politiek en recht

Ook in vroegere eeuwen werd geworsteld met het lijden dat ziekte met zich meebrengt en ook met de vraag hoe daar als hulpverlener mee om te gaan. In de 20e eeuw is er een kentering gekomen in de zin dat er openlijk ruimte kwam voor het debat over actieve levensbeëindiging. Een rol hierin lijkt het boekje *Medische macht en medische ethiek* (1969) van de Leidse hoogleraar psychiatrie J. H. van den Berg gespeeld te hebben. Deze stelde de vanzelfsprekendheid van medisch doorbehandelen en van medische grenzen blijven verleggen aan de kaak, zij het vooral door emotionele argumenten. Het boekje wekte veel beroering en werd ook buiten Nederland een bestseller. De ontsporing van de medische macht leek aangetoond. Voor sommigen was hiermee impliciet de onhoudbaarheid van de onvoorwaardelijke beschermwaardigheid van het menselijk leven aangetoond.
In 1973 wordt de Nederlandse Vereniging voor Vrijwillige Euthanasie (NVVE) opgericht. Dit gebeurde mede naar aanleiding van de rechtszaak tegen de Friese huisarts Postma die haar moeder een dodelijke dosis medicijnen toediende na een hersenbloeding. De toen door de rechtbank in Leeuwarden geformuleerde zorgvuldigheidseisen voor artsen (ongeneeslijk ziek zijn, ondraaglijk lijden, terminale fase, duidelijk verzoek van de patiënt) zijn de periode daarna steeds meer bepalend geworden voor de medische praktijk en de juridische beoordeling daarvan. Het eerste wetsvoorstel dat de strafbaarstelling van euthanasie door artsen beoogt op te heffen, wordt ingediend in 1984 door het D66-kamerlid Wessel-Tuinstra. In dat zelfde jaar spreekt de Hoge Raad een arts vrij van rechtsvervolging na het plegen van euthanasie, omdat hij zich beroept op 'ondraaglijk en uitzichtloos lijden'. In 1994 treedt de meldingsprocedure in werking, nadat deze euthanasieregeling door minister van justitie Hirsch Ballin in het derde kabinet-Lubbers door het parlement is geloodst. Artsen die zich bij het toepassen van euthanasie houden

aan een aantal zorgvuldigheidseisen – ontwikkeld door de commissie-Remmelink (par. 3.2) – hoeven niet langer te vrezen voor vervolging.
Eveneens in 1994 wordt door de Hoge Raad het begrip 'ondraaglijk en uitzichtloos lijden' verruimd tot psychisch lijden. Dit gebeurt in de uitspraak rond de psychiater B. E. Chabot; er hoeft geen sprake te zijn van lichamelijk lijden en een terminale fase. Wel dient een tweede, onafhankelijke arts geconsulteerd te worden.
Is wilsbekwaamheid steeds een vereiste geweest, dat verandert door een uitspraak in 1995 van het Amsterdamse hof. Deze spreekt de gynaecoloog Prins vrij, nadat hij een gehandicapte baby met een slechte medische prognose op verzoek van de ouders heeft gedood door middel van een dodelijke injectie.
In 2001 wordt het wetsvoorstel *Toetsing levensbeëindiging op verzoek en hulp bij zelfdoding* (de 'euthanasiewet') aangenomen en de daarmee samenhangende wijzigingen in het Wetboek van Strafrecht en de Wet op de lijkbezorging (zie hfdst. 10 par. 8). Dit legaliseert onder bepaalde voorwaarden euthanasie. Euthanasiegevallen dienen nog wel gemeld te worden bij één van de vijf regionale toetsingscommissies – elk bestaande uit een jurist, een ethicus en een arts – die toetst of er aan de 'zorgvuldigheidseisen' is voldaan. Vindt de commissie dat er niet zorgvuldig is gehandeld, dan kan het geval worden voorgelegd aan het Openbaar Ministerie. Een bijkomende wijziging is dat ook minderjarigen van 12 tot 16 jaar om toepassing van euthanasie kunnen vragen. Euthanasie mag alleen als de ouders hiermee instemmen, aldus de nieuwe wet, die op 1 april 2002 van kracht is geworden.
In deze ontwikkeling heeft een aantal commissies en onderzoeken een grote rol gespeeld. Deze bespreken we daarom apart.

3.2 Commissie-Remmelink

In september 1991 heeft de door de overheid ingestelde Commissie Onderzoek Medische Praktijk inzake Euthanasie (de commissie-Remmelink) de uitkomsten bekend gemaakt van een onder haar verantwoordelijkheid uitgevoerd onderzoek. Volgens deze resultaten komen in Nederland per jaar ongeveer 2300 gevallen van euthanasie (levensbeëindiging op verzoek) voor. Daarenboven vindt 400 maal per jaar hulp bij zelfdoding plaats en 1000 maal per jaar vindt levensbeëindiging plaats zonder dat de patiënt daar uitdrukkelijk om heeft gevraagd. Dit zou betekenen, dat in omstreeks 4100 gevallen per jaar (hulp bij) levensbeëindiging plaatsvindt. De commissie acht deze resultaten, in vergelijking met eerdere schattingen van veel hogere aantallen, geruststellend.
Dit onderzoek maakt verder duidelijk, dat er een groot grijs gebied ligt tussen intensieve pijnbestrijding en gerichte levensbeëindiging door de arts. Uit het onderzoek blijkt namelijk niet, hoe vaak de pijnbehandelingen zodanig werd geïntensiveerd, dat daardoor het leven van de patiënt bewust en onnodig werd verkort. Daardoor is het in feite onmogelijk om vast te stellen, hoe vaak het leven

van patiënten op deze manier opzettelijk wordt beëindigd. Los van de numerieke gegevens blijkt verder dat voor artsen vaak niet het verzoek van de patiënt maar diens toestand bepalend is of levensbeëindigend handelen plaatsvond. Dit feit is op zich niet verrassend; artsen plegen zich altijd bij hun medisch handelen te laten leiden door medische indicaties en niet door het verzoek van de patiënt. Het is wel in strijd met de heersende rechtvaardiging van euthanasie.
Bovendien is er in het rapport sprake van een zekere aanvaarding van levensbeëindiging-niet-op-verzoek, hetgeen los van de cijfers een ingrijpende verschuiving in de discussie over dit onderwerp betekende.

3.3 Rapport van Van der Wal en Van der Maas
In 1996 publiceren de onderzoekers G. van der Wal en P.J. van der Maas et al. het rapport *Euthanasie en andere medische beslissingen rond het levenseinde. De praktijk en de meldingsprocedure.* Gegevens werden verzameld door middel van interviews van 405 van de 559 steekproefsgewijs benaderde artsen (124 huisartsen, 74 verpleeghuisartsen en 207 specialisten) plus bestudering van de overlijdensgegevens van 6060 personen (77% terugontvangen vragenlijsten). Daarbij werden gegevens van 1990 en 1995 met elkaar vergeleken. Ook werden 175 artsen die een levensbeëindigend handelen hadden gemeld, benaderd voor een vervolginterview; hieraan werkten 147 artsen mee.
Een overzicht van de kwantitatieve gegevens vindt u in onderstaande tabel, waarin ook de resultaten van een vergelijkbaar onderzoek uit 2001 zijn meegenomen.

		2001		**1995**		**1990**	
1a.	Sterfgevallen in Nederland	140.500	100,0%	135.500	100,0%	129.000	100,0%
1b.	Sterfgevallen waarbij een arts was betrokken			99.000	73,0%	94.000	73,0%
2.	Verzoeken om euthanasie	9.700	6,9%	9.700	7,1%	8.900	7,0%
3.	Euthanasie toegepast	3.500	2,5%	3.200	2,4%	2.300	1,8%
4.	Hulp bij zelfdoding	300	0,2%	300	0,2%	400	0,3%
5.	Levensbeëindiging niet op verzoek	1.000	0,7%	900	0,7%	1.000	0,8%
6.	Intensivering pijn- en symptoombestrijding:	27.800	19,8%	20.000	14,8%	22.500	17,5%
	a. uitdrukkelijk om het levenseinde te bespoedigen	2.100	1,5%	2.000	1,5%	1.350	1,0%

		2001		1995		1990
b. mede om het levenseinde te bespoedigen			3.200	2,4%	6.750	5,2%
c. tenminste rekeninghoudend met de waarschijnlijkheid dat het levenseinde wordt bespoedigd	25.800	18,4%	14.800	11,0%	14.400	11,3%
7. Staken of niet instellen van een behandeling (incl. sondevoeding):	28.500	20,3%	27.300	20,1%	22.500	17,5%
a. op verzoek van de patiënt	*op & zonder verzoek samen:*		5.200	3,8%	5.800	4,5%
b. zonder expliciet verzoek van de patiënt						
b1. mede of uitdrukkelijk om het levenseinde te bespoedigen	17.900	12,7%	14.200	10,5%	5.840	4,5%
b2. rekening houdend met de waarschijnlijkheid dat daardoor het levenseinde wordt bespoedigd	10.600	7,5%	7.900	5,8%	10.850	8,4%
8. Opzettelijke levensbeëindiging bij pasgeborenen	15		15			
9. Hulp bij zelfdoding bij psychiatrische patiënten			2-5			

Het onderzoek laat meerdere conclusies toe.

a. De praktijk van euthanasie is niet meer controleerbaar

De praktijk van euthanasie in Nederland laat zich nog maar heel moeilijk adequaat controleren. Dit is strijdig met het goed functioneren van de rechtsstaat en als zodanig een ernstige zaak. Ook wijst dit onderzoek uit, dat artsen eraan gewend zijn geraakt om beslissingen te nemen en handelingen te verrichten met het uitdrukkelijke doel het levenseinde te bespoedigen, met name in de eerste lijn. Naar onze mening valt een dergelijke intentie buiten het professionele handelen; wij willen hier dan ook niet spreken van 'medische beslissingen'. (Een beslissing van een arts is nog niet een medische beslissing.) Verder blijkt uit de gegevens dat niet het verzoek van de patiënt, maar diens toestand de belangrijkste grond is om over te gaan tot euthanasie. In veel situaties beslissen artsen eigenmachtig over het levenseinde van patiënten.
Wij menen dat deze situatie in de hand is gewerkt door de formuleringen in het onderzoek in opdracht van de commissie-Remmelink en mogelijk daarna ook versterkt werd door het onderhavige onderzoek. De formuleringen in de vraagstellingen helpen artsen niet om onderscheid te maken tussen hun persoonlijk gevoelen ten aanzien van de wenselijkheid van een spoedig overlijden van een patiënt, en hun intentie het leven van de patiënt te bekorten.

b. Van moreel vraagstuk naar procedurele kwestie

In het morele debat over euthanasie heeft zich in Nederland een verschuiving voorgedaan. Het is opmerkelijk dat het in het gepubliceerde onderzoeksrapport nauwelijks nog gaat over euthanasie als een moreel probleem, over de vraag of het überhaupt aanvaardbaar is. De discussie is bijna geheel verlegd naar de toetsing van de euthanasiepraktijk, alsof dit euthanasie ook moreel zou rechtvaardigen. Procedurele overwegingen hebben de plaats ingenomen van morele vragen.

c. Toetsing niet vergemakkelijkt door de nieuwe regeling

De juridische acceptatie en regeling van euthanasie heeft niet tot een wezenlijke verbetering geleid van de mogelijkheid tot toetsing van levensbeëindigend handelen. Er is sinds de invoering van de regeling wel een toename geweest van het aantal euthanasiegevallen. Deze toename is bijna even groot als de stijging van het aantal gemelde gevallen, zodat het *aantal* niet gemelde gevallen nauwelijks is teruggelopen.
Deze trend is niet veranderd na het aannemen van de 'meldingsprocedure' in 1998. De gezamenlijke regionale toetsingscommissies hebben inmiddels namelijk jaarverslagen uitgebracht. Het aantal meldingen bleek in 2000 licht gedaald te zijn ten opzichte van 1999: 2123 respectievelijk 2216. (Voor de duidelijkheid: de toetsingscommissies bestonden reeds voordat de Euthanasiewet in 2001 werd aangenomen; alleen is hun rol nu wettelijk verankerd.)

d. Beheersbaarheid niet beter door openheid

Voorstanders van wettelijke regeling zeggen wel dat maatschappelijke openheid over de euthanasiepraktijk de beheersbaarheid ervan bevordert. In dat verband wordt erop gewezen dat ook in het buitenland (en voorheen in Nederland) een bepaalde onbekende en daardoor oncontroleerbare praktijk van levensbeëindigend handelen in de gezondheidszorg bestaat. Inderdaad bestaat ook in andere landen hoogst waarschijnlijk wel een zekere praktijk van levensbeëindigend handelen. Maar vijf jaar na de meldingsregeling blijkt volgens dit onderzoek in Nederland nog altijd een oncontroleerbaar grijs gebied van twee procent te bestaan, maar daar bovenop nog een gebied van opzettelijk levensbeëindigend handelen van 3-4%, dat zich in feite voor het grootste gedeelte evenmin laat controleren. De Nederlandse situatie blijkt door het 'open' euthanasiebeleid dus eerder verslechterd dan verbeterd.

e. Medisch handelen rond levenseinde niet verbeterd

Ervaringen in de integrale palliatieve zorg leren dat bij goede zorgverlening, waaronder adequate pijnbehandeling, slechts weinig verzoeken om euthanasie resteren. Het aanbod van zulke zorg en de kennis op dit terrein zijn in Nederland nog onvoldoende aanwezig. (Zie hierover een uitgebreidere bespreking in par. 5.)

3.3 CAL-nota's

In 1985 besloot de artsenorganisatie KNMG een commissie in het leven te roepen om – in haar eigen woorden 'in aansluiting op zijn standpuntbepaling met betrekking tot euthanasie, een standpunt voor te bereiden ten aanzien van levensbeëindiging bij patiënten die niet in staat zijn een verzoek om euthanasie te uiten dan wel niet in staat kunnen worden geacht de consequenties van een dergelijk verzoek te overzien'. De commissie heette de KNMG-Commissie Aanvaardbaarheid Levensbeëindigend Handelen (CAL). De conclusies van de CAL werden verwoord in vier deelnota's, waarvan de discussienota's verschenen tussen 1988 en 1993 en welke later gebundeld werden in één rapport *Medisch handelen rond het levenseinde bij wilsonbekwame patiënten* (1997). De vier deelnota's betroffen de volgende onderwerpen:

a. Levensbeëindigend handelen bij zwaar-defecte pasgeborenen;
b. Levensbeëindigend handelen bij langdurig comateuze patiënten;
c. Levensbekortend handelen bij ernstig demente patiënten;
d. Hulp bij zelfdoding bij psychiatrische patiënten.

In al deze delen vallen onder andere de vele subjectieve, nauwelijks beargumenteerde criteria op. Uiteraard blijft er bij deze categorieën patiënten een noodzaak bestaan om de verschillende medische behandelingen die overwogen worden te toetsen aan het al dan niet medisch zinvol zijn, maar daarin verschilt de situatie niet van alle overige medische behandelsituaties.

Belangwekkender echter – en daarom vermelden we de werkzaamheden van de CAL – is het omgaan van een belangrijke wissel: het aanvaarden van doden als medische behandeling; en daarbij de acceptatie van levensbeëindigend handelen bij wilsonbekwamen. Naar onze smaak is dit een niet te miskennen ontwikkeling van acceptatie van euthanasie naar levensbeëindiging zonder verzoek – een bewijs van het 'hellende vlak'. In de praktijk blijken artsen zich namelijk niet zozeer door het verzoek van de patiënt als wel door de toestand van de patiënt te laten leiden; het verzoek van de patiënt dient meer als aanleiding om euthanasie te gaan overwegen. De vier categorieën patiënten die in deze nota's besproken worden, verkeren in een toestand waarvoor men euthanasie een reële optie zou vinden, wanneer de patiënten daarom zouden vragen. Hun wilsonbekwaamheid zou een levensbeëindiging niet in de weg mogen staan – zo zou men consequent redenerend dan kunnen menen.

4. *Argumenten pro en contra euthanasie*

4.1 De belangrijkste argumenten pro euthanasie

a. Zelfbeschikkingsrecht – recht op sterven
Als belangrijkste argument voor het recht op euthanasie wordt het *autonomieprincipe* of *zelfbeschikkingsrecht* van de mens genoemd. Dit recht houdt in dat mensen over hun leven mogen beschikken zoals ze zelf willen, voor zover de samenleving dit toelaat. In de Nederlandse wet of internationale verdragen is het zelfbeschikkingsrecht niet letterlijk terug te vinden. Maar het autonomieprincipe wordt binnen de geneeskunde en de rechtspraak algemeen aanvaard, zo zeggen de voorstanders van euthanasie, en het zou daarom verkeerd zijn dit recht niet te respecteren wanneer een patiënt wenst te sterven. Sommige juristen onderbouwen dit recht door het af te leiden uit de Grondwet, waar deze handelt over het recht op eerbiediging van de persoonlijke levenssfeer en het recht op de onaantastbaarheid van het menselijk lichaam. Ook wordt het geclaimde recht op zelfbeschikking wel vergeleken met de in de Grondwet vastgelegde vrijheid van godsdienst en vrijheid van meningsuiting.
We zullen hieronder enkele bezwaren noemen tegen dit gebruik van het zelfbeschikkingsrecht, maar we willen niet uitvlakken dat we er ook een zekere baat bij hebben.
1. Het mag duidelijk zijn, dat niemand aanspraak kan maken op een absoluut zelfbeschikkingsrecht. Het wordt beperkt, doordat anderen ook rechten en vrijheden hebben. Zo is het onaanvaardbaar, dat iemand zijn eigen leven in gevaar brengt, wanneer dit ook anderen in gevaar brengt. Het recht op zelfbe-

schikking kan dus niet los gezien worden van de belangen van medemensen. Wanneer een patiënt een verzoek om euthanasie doet, hebben ook de familieleden belangen, bijvoorbeeld emotionele, juridische en financiële. En ook degenen die euthanasie toepassen hebben dergelijke belangen.
2. Ook voorstanders van een vergaand zelfbeschikkingsrecht en van euthanasie erkennen dat dit recht afhankelijk is van de communicatiemogelijkheden en overtuigingskracht van de patiënt. Het zelfbeschikkingsrecht van een patiënt kan alleen gerespecteerd worden, indien de patiënt daadwerkelijk kenbaar kan maken, hoe hij over zichzelf wil beschikken. Ook hieruit blijkt, dat het zelfbeschikkingsrecht feitelijk maar een beperkte geldingskracht heeft.
3. In pleidooien ten gunste van het recht op euthanasie wordt wel gewezen op de situatie waarbij een patiënt een behandeling weigert. In deze gevallen beslist de patiënt toch ook zelf? Waarom zou hij dan niet zelf kunnen beslissen dat zijn leven wordt beëindigd door euthanasie? Dit zouden echter alleen maar vergelijkbare situaties zijn indien er sprake zou zijn van een 'recht op euthanasie'. Een arts heeft hierin zijn eigen verantwoordelijkheid en behoeft deze niet ondergeschikt te maken aan de wens van de patiënt. Een patiënt kan de inwilliging van zijn verzoek om euthanasie dus niet opeisen, wanneer dit in strijd zou zijn met de verantwoordelijkheid van de arts. (Ter illustratie een vergelijking met abortus provocatus. Een vrouw zei tegen een gynaecoloog die weigerde te aborteren: 'Het is toch mijn eigen buik'. Waarop de arts passend antwoordde: 'En dit zijn mijn eigen handen'.) Zo blijkt opnieuw dat het autonomieprincipe geen absolute geldingskracht heeft.
4. Tenslotte, zelfbeschikking wordt doorgaans opgevat als een niet-religieus begrip. Het begrip duidt op het recht te beslissen over zichzelf, eventueel in relatie tot de medemens. Vanuit christelijk standpunt kunnen we zeggen dat er een verantwoordelijkheid is ten opzichte van God.

b. Het onnodig 'rekken' van het leven door moderne medische technieken

Met al onze technische middelen kunnen we nu zieken in leven houden, die jaren geleden – toen die technieken er nog niet waren – aan dezelfde ziekte overleden zouden zijn. We kunnen nu het leven van patiënten 'verlengen', maar daardoor geraken zij soms in een situatie, waarin het lijden ondraaglijk is. De dood wordt maar uitgesteld, terwijl die ziekten vroeger veel eerder tot een barmhartige dood geleid zouden hebben. Sommigen beschouwen het dan ook als goed medisch handelen, het leven op verzoek van de patiënt te beëindigen. Is dit immers niet een 'daad van barmhartigheid', een grondregel van de geneeskunde? Dit alles aldus de voorstanders van dit argument.
We kunnen ons echter afvragen of ons enorme medische kennen en kunnen de vraag naar euthanasie rechtvaardigt. Is euthanasie inderdaad het enige en onont-

koombare gevolg van het medisch handelen dat het leven en het lijden kan verlengen? Het is zeker zo, dat de uitgebreide medische mogelijkheden een beslissing om in een bepaalde situatie nog een nieuwe behandeling in te stellen vaak moeilijker hebben gemaakt. Ook is het zo, dat patiënten in de praktijk nogal eens te lang met medische ingrepen zijn belast. Soms komen patiënten mede ten gevolge van medisch handelen in een toestand die veel lijden inhoudt; invaliditeit, ernstige pijn en aftakeling. Maar het is beslist niet zo, dat euthanasie in dergelijke gevallen het aangewezen, of zelfs maar het enige alternatief is.
Een beter antwoord in zulke gevallen is het weten te stoppen met behandelingen, die niet meer in proportie staan tot het stadium van de ziekte van de patiënt. Dit zijn dan ook actuele onderwerpen geworden in de geneeskunde; met name in de intensive care geneeskunde en in de kankergeneeskunde (oncologie). Ook onder het publiek, zo hebben onderzoeken uitgewezen, is er een groeiende angst voor het 'slachtoffer' worden van een steeds machtiger gezondheidszorg die van geen ophouden weet. Soms vraag je je af of de medische stand voldoende beseft, dat ziekte tot de dood kan leiden... En dat levensverlengende therapieën niet per se zinvol zijn. In het Engels spreekt men wel van *the failure of success*. De palliatieve geneeskunde kenmerkt zich juist door het besef dat de wenselijkheid om het leven nog te verlengen, beperkt is. Naast het kunnen stoppen van zinloze behandelingen, wendt men wel alle geneeskundige en verpleegkundige mogelijkheden aan ter verlichting van het lijden. Wij realiseren ons, dat niet altijd alle lijden teniet gedaan kan worden. Waar we echter ook op willen wijzen, is dat dit in nog sterkere mate het geval was vóór wij allerlei moderne technieken ter beschikking hadden. Dit kan dus niet als een 'nieuw' argument ten gunste van euthanasie aangevoerd worden, omdat er ook betere mogelijkheden tot palliatie (verlichting van het lijden) zijn dan ooit.
Dit betekent dus dat een patiënt niet alles over zich heen moet laten komen wat artsen hem aan behandelopties voorstellen. Er komt een fase dat niet een fanatiek doorbehandelen aangewezen is, maar dat het begeleiden van de stervende en zijn naasten centraal staat. Zie hierover verder par. 5.5.

c. Mensonwaardig lijden – doden uit barmhartigheid

Het verschrikkelijke lijden en de ontluistering die patiënten aan het eind van hun leven kunnen ervaren, is mensonwaardig, zo wordt gesteld. Dit lijden zou niet getolereerd moeten worden: de mens heeft recht op een menswaardig levenseinde en wie anders dan de arts kan daarvoor zorgen? Men noemt het dan 'barmhartigheid' om een eind aan het leven te maken.
Inderdaad komt het heel vaak voor dat mensen door hun ziekte enorm lijden. Dit kan zijn ten gevolge van pijn maar ook als gevolg van geheel andere zaken. Een gevoel van 'dodelijk moe' zijn; de indruk hebben dat men anderen tot last

is; angst het niet meer vol te houden. Maar moeten we dat alles 'mensonwaardig lijden' noemen? De waardigheid van de mens kan niet afgemeten worden aan de omstandigheden of aan bepaalde vermogens van de mens. Die waardigheid ligt verankerd in het feit dat de mens naar Gods beeld is geschapen. De waardigheid die de mens voor God heeft kan hem dan ook nooit worden ontzegd. Ook buiten het christelijk denken wordt de onontvreemdbare waardigheid van de mens erkend, bijvoorbeeld in de Universele Verklaring van de Rechten van de Mens. Men kan daarom niet stellen dat lijden, hoe erg ook, een mensenleven mensonwaardig maakt. Wel dient al het mogelijke gedaan te worden het lijden te verlichten (par. 5).
De vaak gebezigde term 'ondraaglijk lijden' is evenzeer bezwaarlijk. Wie maakt uit wat ondraaglijk is? De patiënt zelf – in dat geval is elk herhaald verzoek per definitie 'ondraaglijk' – of zijn er meer objectiveerbare maatstaven?

d. Economische noodzaak

Een argument, dat vaak niet openlijk wordt geuit, maar wat wel zijn invloed zou kunnen uitoefenen, is het volgende. De gezondheidszorg is een duur 'bedrijf', terwijl haar financiële middelen beperkt zijn. Doelmatigheid en betaalbaarheid zijn sleutelwoorden. De dure medische ingrepen moeten succes en resultaat opleveren. Hulp aan terminale patiënten zou in dit opzicht als verspilling van energie en geld beschouwd kunnen worden; en euthanasie een goedkopere oplossing...
Hier hangt een andere trend mee samen. Onze maatschappij is in de ban van jeugd en gezondheid, van prestatie en economisch nut; ouderen kunnen het gevoel krijgen uitgerangeerd te zijn. Dit kan tot een beleid leiden om bejaarden dure behandelingen te ontzeggen, zodat dezen de maatschappij niet op kosten jagen. Of het kan ertoe leiden bejaarden een 'zelfmoordpil' aan te bieden met de suggestie dat er een moment komt, dat men er beter 'uit kan stappen' dan op dure zorg aan te sturen (par. 2.6).

4.2 De belangrijkste argumenten contra euthanasie

Er zijn meerdere soorten argumenten die tegen euthanasie pleiten. In de eerste plaats zijn er argumenten die uitgaan van regels en normen: *deontologische ethiek* (zie hfdst. 1); deze rangschikken we onder *a*) tot en met *d*).
Daarnaast zijn er argumenten die uitgaan van de gevolgen: *consequentialistische ethiek*. Een consequentialistische ethiek stelt, dat euthanasie moreel is af te keuren als de gevolgen ervan schadelijk zijn, terwijl euthanasie moreel positief beoordeeld moet worden als de gevolgen goed zijn (zie ook hfdst. 1). Deze argumenten vermelden we onder *e*) tot en met *h*).

a. Christelijke normen: het leven is van God
Een christen ziet het leven als een gave en opdracht van de Schepper, aan Wie het alleen toekomt leven te geven of te nemen. Hierbij gaat het niet om een willoos schikken naar het gebod, maar vooral om het vertrouwen dat het leven, maar ook het sterven veilig zijn in Gods hand. Gods macht wordt niet beperkt, ook niet door de meest vernuftige medische technieken.
De christelijke levensovertuiging houdt ook een mensvisie in, die zich verzet tegen euthanasie. Het leven van een mens blijft het beschermen waard, ook al lijkt het nog zo ontluisterd, omdat de mens is geschapen naar het beeld van God en zijn waardigheid niet afhangt van zijn mogelijkheden. Als schepsel van God is ieder mens een uniek en onvervangbaar persoon.
Het aanvaarden van euthanasie kan er toe leiden, dat sommige mensen zullen gaan beslissen over het leven van anderen. Op basis van de toestand en capaciteiten van iemand zal worden beslist dat deze persoon dood beter af is, met als conclusie dat zulk leven beëindigd mag worden. Deze mentaliteit is de consequentie van het verabsoluteren van het wetenschappelijke, technische mensbeeld. Dit is in strijd met de eerder genoemde christelijke mensvisie en met het christelijk geloof. Dit leidt niet tot moreel dogmatisme, dat wil zeggen een houding van blinde wetstoepassing ongeacht de gevolgen, maar tot het zoeken van een beter antwoord op de nood van medemensen (zie par. 5).

b. De eed van Hippocrates en andere medisch-ethische codes wijzen euthanasie af
Bekend is dat de Hippocratische code, die sedert de Griekse oudheid de plichten van artsen beschrijft, ook de toepassing van euthanasie afwijst. Ditzelfde geldt bijvoorbeeld voor de wereldwijd geaccepteerde Verklaring van Genève. Het is duidelijk, dat men goede redenen zal moeten hebben om de argumenten, die zovele eeuwen zo wezenlijk zijn geweest voor de beroepsgroep van de artsen, aan de kant te schuiven.

c. Euthanasie is niet verdedigbaar met een beroep op het zelfbeschikkingsrecht
Een van de belangrijkste argumenten voor de aanvaarding van euthanasie is het beroep op het autonomieprincipe of zelfbeschikkingsrecht, zoals we hierboven zagen. Er zijn echter verschillende argumenten aan te voeren tegen het zelfbeschikkingsrecht; zie par. 4.1. punt a).
Euthanasie wordt (per definitie) uitgevoerd door een arts. Men bedenke dat niet alleen het denken van een mens zijn handelen beïnvloedt, maar dat omgekeerd ook het handelen invloed heeft op het denken. Door het toepassen van euthanasie verandert het denken, de houding van de arts ten opzichte van de mens in het algemeen en ten opzichte van zijn patiënten in het bijzonder. Het toestaan van

euthanasie heeft dan ook gevolgen voor de sociale verhoudingen waarin hij staat en is derhalve *ook* een sociale, niet alleen een persoonlijke kwestie.
Het feit, dat euthanasie altijd een handeling inhoudt die in een intermenselijke relatie plaatsvindt, betekent dat het zelfbeschikkingsrecht van een individu op zichzelf nooit voldoende basis vormt voor de acceptatie van euthanasie. Als fundering voor het recht op euthanasie kan het niet worden aangevoerd. Er kan om deze en andere redenen dan ook niet gesproken worden van een *recht* op euthanasie.

d. In de praktijk is een beroep op het zelfbeschikkingsrecht niet goed mogelijk
We zagen al dat een individu zich niet goed op het zelfbeschikkingsrecht kan beroepen, omdat hiermee altijd belangen van derden gemoeid zijn. Verder is het zo, dat een beroep op het autonomieprincipe alleen mogelijk is als sprake is van een *vrijwillig* verzoek om levensbeëindiging. Een belangrijke vraag hierbij is dan ook, of het criterium van de vrijwilligheid in de praktijk wel hanteerbaar is. Kan een ernstig zieke werkelijk een onafhankelijk en vrijwillig verzoek doen om euthanasie? Hoe vrijwillig en zorgvuldig is dit overwogen? We moeten hierbij namelijk beseffen, dat een patiënt dit verzoek doet in de meest afhankelijke, onvrijwillige en soms onmondige situatie in zijn leven.
Er zijn lichamelijke factoren die de capaciteit om beslissingen te nemen aantasten. Immers, de terminale fase – alsmede de medicijnen die in deze situatie vaak worden gegeven – bemoeilijken in enige mate een helder en normaal functioneren van de hersenen. Dit kan veroorzaakt worden door een bepaalde mate van metabole ontregeling ('zelfvergiftiging' veroorzaakt door de ziekte) alsmede door een invloed van de medicatie.
Ook psychisch bevindt de patiënt zich in een afhankelijke situatie. Hij is afhankelijk van artsen, die de informatie geven; hun houding, gebaren, de toon van de stem, enzovoort, kunnen een verzoek van de patiënt om euthanasie uitlokken (dit kan zelfs onbewust gedaan worden door de arts). En voorbeelden van misstanden rondom euthanasie – een arts die zelf het euthanasievoorstel doet, familie die het leven van een opa of oma beëindigd wil zien – zijn er helaas te over. Hij is afhankelijk van de verzorging door de verpleging en van de steun – of juist het gebrek daaraan – van de familie. Hierbij komt nog de druk van de samenleving, die bij een bepaalde mate van ziek zijn en lijden, het toepassen van euthanasie meer en meer ervaart als normaal en als de beste oplossing voor zijn lijden: de patiënt moet nu toch maar van zijn zelfbeschikkingsrecht gebruik maken. Dit alles kan ertoe leiden dat de patiënt zichzelf als een overbodige last gaat ervaren en onder druk om euthanasie verzoekt.
Daarnaast is er de mogelijkheid dat de patiënt aan een psychiatrische stoornis leidt. Met name depressie komt veel voor bij patiënten met kanker. En gelukkig

zijn depressieve klachten vaak goed te verlichten door medicatie en andere maatregelen. Dat depressie zo vaak voorkomt – evenals bovenstaande beïnvloeding van het vermogen besluiten te nemen – is voor velen een reden om in geval van een euthanasieverzoek een psychiater een rol toe te dichten bij het beoordelen van de competentie tot het nemen van besluiten. Maar ook voor artsen die geschoold zijn in de psychiatrie is de beoordeling hiervan niet ongecompliceerd; factoren die naast depressie een rol kunnen spelen zijn onbehandelde pijn en ander lichamelijk ongemak, *coping* mechanismen zoals ontkenning (*coping*: omgaan met moeite), karaktereigenschappen en culturele aspecten.
Het is dan ook twijfelachtig of het in de meeste situaties om een echt vrijwillig verzoek om euthanasie gaat. En in de zeldzame gevallen dat een verzoek werkelijk vrijwillig *is*, kan het in de praktijk nog erg moeilijk zijn om ook *vast te stellen* dat een verzoek vrijwillig is. Het belangrijkste argument voor de legalisering van euthanasie blijkt in de praktijk bepaald niet sterk te staan.

e. Het hellende vlak: (vrijwillige) euthanasie leidt tot 'onvrijwillige euthanasie'
De ideologische achtergronden van de (vrijwillige) euthanasie en de onvrijwillige levensbeëindiging komen in belangrijke mate overeen. In beide gevallen wordt het 'kwaliteit van leven'-criterium prioriteit gegeven boven het principe van eerbied voor het leven. De vrijwilligheid van een verzoek om euthanasie is weliswaar het centrale verschil tussen beide vormen van levensbeëindiging, maar de mogelijkheid en de toetsbaarheid van die vrijwilligheid moeten ernstig betwijfeld worden, zoals we al zagen.
De ontwikkeling van 'op verzoek' naar 'zonder verzoek' is te zien bij de discussie over de positie over wilsonbekwamen; 'een wilsonbekwame heeft toch ook recht op euthanasie!' Het argument zelfbeschikkingsrecht maakt plaats voor het argument barmhartigheid (par. 4.1. punt c).
Verder is uit enquêtes onder de Nederlandse bevolking gebleken, dat het percentage van de ondervraagden dat voor (vrijwillige) euthanasie is, bijna even hoog is als dat van de ondervraagden dat voor onvrijwillige levensbeëindiging is. Dit kan er op duiden, dat ook het grote publiek hiertussen geen duidelijk onderscheid maakt. Het onderscheid tussen (vrijwillige) euthanasie en onvrijwillige levensbeëindiging kan theoretisch wel gemaakt worden, maar blijkt in de praktijk te vervagen en niet gehandhaafd te kunnen worden.
Dit consequentialistische argument zegt kortom: de kans is groot dat de legalisering van vrijwillige euthanasie de acceptatie van onvrijwillige levensbeëindiging tot gevolg heeft; daarom moeten we deze legalisering beslist afwijzen. Legalisatie van euthanasie kan via de *ongevraagde* levensbeëindiging tot *onvrijwillige* levensbeëindiging leiden. Dit noemen we het argument van het 'hellend vlak': het gaat van kwaad tot erger. Dat dit reeds gebeurt, blijkt uit de cijfers uit het rapport van

de commissie-Remmelink (par. 3.2), het rapport van de CAL (par. 3.3) en uit het pleidooi voor een 'pil van Drion' (par. 2.6).

f. De houding van de arts ten opzichte van de zieke en de ziekte zal veranderen, en het imago van de arts als 'beschermer van het leven' zal veranderen

Acceptatie van euthanasie zal de relatie tussen de arts en de patiënt ernstig doen verslechteren. Met name de mentaliteit van de artsen en verpleegkundigen ten opzichte van terminale patiënten, wilsonbekwaam of niet, zal door deze acceptatie veranderen. Deze nieuwe mentaliteit zal zich onder andere uiten in het eerder 'opgeven' van patiënten; of het ontzeggen van medisch geïndiceerde behandelingen aan mensen die bijvoorbeeld ouder zijn dan 70 jaar. Een oude regel in de geneeskunde, 'de gezondheid en het welzijn van de patiënt is de hoogste wet', wordt dan opzij geschoven.

Deze nieuwe mentaliteit kan het gevolg zijn van een medisch behandelingsfanatisme, dat patiënten slechts onderscheidt in gevallen die men kan behandelen en gevallen die men moet opgeven. Artsen zijn opgeleid om te handelen en te behandelen. Het kan voor hen moeilijk zijn te accepteren, dat er geen genezing meer is voor een patiënt. Het staken van levensverlengende behandelingen, welke een onnodige en onbarmhartige belasting van de patiënt vormen, is geen vorm van euthanasie, maar van goed medisch handelen. Maar we hebben al eerder gezien – in par. 4.1. punt b) – dat het in deze situatie juist van belang is, dat artsen de wil en het vermogen hebben, om de beperkingen van de geneeskunde te erkennen en te accepteren. Op een bepaald moment zal de dood onvermijdelijk komen. Dan wordt het belangrijk om de patiënt en diens familie te helpen bij het accepteren van de dood. Dan wordt de arts niet gedwongen tot de keus tussen behandelen of euthanasie. We komen daar in par. 5.5 nog uitgebreider op terug. Het toelaten van euthanasie zou echter wel tot zo'n denkwijze kunnen leiden, en moet daarom afgewezen worden.

Ook het imago van de overheid die zich juist inspant ter bescherming van mensen die een zwakke positie hebben in de samenleving, kan hier schade door lijden. Juist zieken, gehandicapten en mensen die lijden, moeten kunnen rekenen op de sterke arm van de overheid, die ook hun leven beschermt.

g. Vergaande consequenties door menselijke feilbaarheid

Mensen maken fouten. Ook artsen. In de geneeskunde kan dit in veel situaties grote gevolgen hebben. Zo is een accurate prognose zeer belangrijk bij een euthanasievraag. Het komt voor, dat het artsenteam een onjuiste prognose afgeeft. Iedere arts kent voorbeelden van patiënten, van wie hij verwachtte dat ze nog slechts enkele weken zouden leven en die na lange tijd nog in redelijk goede gezondheid bleken te zijn. Maar ook de praktische, organisatorische fouten die in elke gezondheidszorginstelling gemaakt worden – zoals het verwarren van namen van patiënten, of het toedienen van verkeerde medicijnen – zouden hier tot fatale vergissingen leiden...

h. Een verzoek om euthanasie is vaak een 'noodkreet'
Een verzoek om euthanasie kan meerdere dingen betekenen. Het kan betekenen dat de patiënt er tegen opziet nog lang te moeten leven in zijn miserabele omstandigheden. Het is vaak ook een teken van onvoldoende en inadequate zorg of aandacht. De patiënt voelt zich ellendig en heeft pijn; hij is bang voor wat nog kan komen en is bezorgd over familie en vrienden. Temidden van deze zorgen, pijn en aftakeling kan hij een verzoek om euthanasie doen. Maar wil zo'n patiënt nu wel echt dood? Wat zijn de werkelijke verlangens van de patiënt? In de praktijk blijkt vaak, dat de vraag om euthanasie geen vraag om de *dood* is. Het is veelal een vraag om niet *onder deze omstandigheden* verder te hoeven leven. Het is een 'noodkreet'. Adequate pijnbestrijding, goede zorg en aandacht van familie, artsen en verpleegkundigen is dan een beter antwoord.

5. Hoe zorgen voor een patiënt die ernstig lijdt?

5.1 Inleiding
Te lang heeft de discussie over euthanasie zich beperkt tot de vraag of euthanasie is toegestaan en onder welke voorwaarden. Dit betreft het rapport van Van der Wal en Van der Maas (zie par. 3.3) en geldt ook voor het overigens informatieve boek *Levensbeëindigend handelen door een arts: tussen norm en praktijk* onder redactie van J. Legemaate en R. J. M. Dillmann (1998). Men aanvaardt blijkbaar het bestaan van onbehandelbare noodsituaties. Erger nog: men berust erin. Tegelijkertijd echter is er veel gebeurd op het gebied van het ontwikkelen van nieuwe behandelingsmethoden voor deze moeilijke situaties. En juist het voorkómen van crisissituaties is het doel van palliatieve zorgverlening. Er wordt met name vanuit het buitenland wel in verwijtende zin opgemerkt, dat in Nederland palliatieve zorg met daarbij pijnbestrijding verwaarloosd worden, omdat euthanasie toegestaan is.
Overigens is er ook een zorgvuldigheidseis in de nieuwe wetgeving opgenomen die palliatieve zorgverlening in beeld laat komen: Alvorens men namelijk tot euthanasie mag besluiten, moet de arts met de patiënt tot de overtuiging gekomen zijn dat er voor de situatie waarin deze zich bevond geen redelijke andere oplossing was. Deze zorgvuldigheidseis zou goed uitgelegd kunnen worden als een eis tot een voorafgaande consultatie van een in de palliatieve geneeskunde geschoolde arts; deze precisering zou naar onze smaak opgenomen moeten worden in de wettelijke consultatieplicht. Eigenlijk zou een toetsingscommissie euthana-

sie zich dat moeten afvragen: is er wel genoeg gedaan om te voorkomen dat de patiënt wel om euthanasie 'moest' vragen? Daarbij zou de deskundigheid van de geconsulteerde arts beoordeeld moeten worden. Is er onderzocht of er behandelingsmogelijkheden aanwezig zijn en is er een schriftelijk verslag van deze bevindingen? Wanneer er mogelijkheden voor palliatie aanwezig zijn, zou niet mogen worden overgegaan tot euthanasie, zelfs al zou de patiënt een behandeling (in eerste instantie) weigeren (handhaving subsidiariteitsbeginsel). In palliatieve zorg geschoolde consulenten zouden verspreid over het land beschikbaar moeten zijn. En wanneer het lijden vooral een psychische oorzaak heeft, zou een psychiater de patiënt persoonlijk dienen te onderzoeken en een behandelingsvoorstel te doen. Om in geval van ernstig lijden – en ook bij een euthanasieverzoek – op de juiste manier te reageren, dient er goede *palliatieve zorgverlening* beschikbaar te zijn inclusief goede stervensbegeleiding. We bespreken deze aspecten van palliatieve zorg hieronder dan ook in algemene zin, want elke patiënt en ieders problematiek is verschillend.

5.2 Het begrip 'palliatieve zorg'

Wat kenmerkt palliatieve zorgverlening; waarin onderscheidt het zich van de curatieve geneeskunde? Het woord 'palliatie' is afgeleid van het Latijnse *pallium* dat 'mantel' betekent. Dit symboliseert het concept van zorg en beschutting bieden; palliëren betekent letterlijk 'met een mantel bedekken'. Het doel is optimale zorg bieden aan patiënten met een ver gevorderd, progressief verlopend ziektebeeld, die een beperkte levensverwachting hebben. Het focus is hierbij de kwaliteit van leven en niet een langer leven; 'leven aan de dagen toevoegen' in plaats van 'dagen aan het leven'. De patiënt en zijn naasten worden geholpen om – ook met de dood voor ogen – zo goed mogelijk te kunnen leven.
Kenmerkend bij palliatieve zorg is de attitude; het is niet zomaar het bestrijden van symptomen als was 'palliatief' synoniem aan 'symptoombestrijding'. Er is volstrekt geen bezwaar tegen de inzet van 'hightech' geneeskunde bij ongeneeslijk zieke patiënten, maar van wezenlijk belang zijn de onderstaande kenmerken:
a. Acceptatie van het sterven van de patiënt. Dit staat in tegenstelling tot de curatieve gezondheidszorg waarbij genezing het hoogste doel is.
b. Integrale, multidisciplinaire zorg. Er dient bij de hulpverleners een bereidheid te zijn om in teamverband samen te werken, waarbij gebruik gemaakt wordt van elkaars expertise en mogelijkheden.
c. Betrekken van de familie of andere belangrijke derden bij de zorg. Dit is niet alleen van belang voor het heden – familieleden zijn enorm belangrijk voor de patiënt – maar ook met het oog op een goede rouwverwerking later.
De hospicebeweging is juist ontstaan als reactie op de sterk op curatiegerichte, technologische geneeskunde.

Palliatieve zorg is geen rozig gebeuren waar lijden niet meer bestaat: mensen overlijden wel, maar gemakkelijk en vanzelf en zonder verdriet. Nee, het bieden van palliatieve zorg vraagt van betrokkenen enorm veel inzet en creativiteit. In de volgende boeken staan daar veel aansprekende voorbeelden van; Zuster Leontine: *Menswaardig sterven* (Leuven, 1992), en J. Enklaar: *Terminus. Dr. Ben Zylicz en de kunst van het sterven* (Zutphen/Apeldoorn, 1999).
Overigens is er ook waakzaamheid geboden voor het risico dat er een nieuw soort 'medicalisering van de dood' optreedt. Het zou kunnen lijken alsof iemand niet kan sterven zonder bemoeienis van artsen en andere hulpverleners. Ook is er het gevaar dat een intensieve symptoombestrijding een verstoring van het 'gewone' stervensproces kan vormen, doordat er allerlei technische hulpmiddelen aan te pas kunnen komen. Vaak is er meer behoefte bij patiënt en naasten aan een betrokken persoon en aan rust dan aan thuiszorgtechnologie. De dood lijkt in sommige medische onderzoeken soms gereduceerd tot een technisch proces dat tot in detail te managen is.
Een ander punt van zorg is de noodzaak van een goede beschikbaarheid en toegankelijkheid van de palliatieve zorg. Over uitbreiding van faciliteiten voor bijscholing en financiële steun voor instellingen en voor de eerste lijn om deze zorg ook te geven, blijkt over het algemeen wel consensus te bestaan. Maar helaas blijft dit vaak bij bevlogen woorden zonder dat er uitvoering aan gegeven wordt.

5.3 De hulpvraag achter een euthanasieverzoek – patiënten hoop geven

Wanneer een patiënt een 'euthanasieverzoek' doet, kan hij daar heel verschillende dingen mee willen uitdrukken. De meest voorkomende reden is angst; bang om de waardigheid te verliezen, bang om pijn te hebben, bang om te stikken, bang om alleen te zijn. Deze angsten kunnen mede veroorzaakt worden door wat men bij anderen heeft gezien; men is bang dat hen eenzelfde lot treft.
Andere achtergronden om te vragen om euthanasie zijn: uitgeput zijn; de behoefte om controle over de situatie te behouden; depressief zijn. Daarnaast zijn er extreme situaties die normaal niet te beheersen zijn en waarvoor 'terminale sedatie' overwogen moet worden (zie par. 5.8).
In de regel is de vraag om euthanasie een 'noodkreet': een vraag om een uitweg uit het lijden. Deze hulpkreet om verlichting van het lijden wordt dan geuit in de vorm van een verzoek om euthanasie. De arts dient zich er dus allereerst van te vergewissen of een euthanasieverzoek nu daadwerkelijk een vraag om de dood is of om hulp. Overigens stellen de voorstanders van de legalisatie van euthanasie dit ook.
Ook bij een terminale patiënt geldt dat hoop doet leven. Hiermee bedoelen we niet dat een patiënt optimistisch zou moeten zijn, of stoïcijns alles zou moeten ondergaan. Wel kunnen we ons ervoor inspannen dat de patiënt uitzicht krijgt

op betere momenten en zich daarnaar uitstrekt. Als arts mag men de hoop en de geruststelling geven, dat alles gebeurt om het sterven zoveel mogelijk van lijden te ontdoen. Er kan hoop zijn op een zich beter gaan voelen; op het nog zaken kunnen afronden vóór het overlijden, enz. Die 'betere momenten' kunnen ook de verwachting van het leven na de dood betreffen; zeker binnen christelijke kring mag er van hoop en troost bij leven en sterven gesproken worden. Een geestelijk houvast in het leven is van veel betekenis in tijden van moeite, teleurstelling en verdriet. Deze Troost is bedoeld voor ieder mens (Romeinen 8, vs. 39).

5.4 Een goede behandeling van pijn en andere klachten

Een gunstig gevolg van de euthanasiediscussies is dat er meer aandacht is gekomen voor pijn- en symptoombestrijding bij terminale patiënten. Uit verschillende onderzoeken is vast komen te staan, dat het medische beleid bij pijnbestrijding ernstig te kort schiet. Onbekendheid met beschikbare methoden, onnodige terughoudendheid in het toedienen van sterke pijnstillende middelen vormen enkele belangrijke oorzaken. De situatie is zich aan het verbeteren, maar vaak wordt nog wel te lang gewacht met het gebruik van morfine en hieraan verwante stoffen. Misverstanden ten aanzien van de hiermee verbonden risico's zijn daarvan de oorzaak. Voorbeelden hiervan zijn angst voor remming van de ademhaling en angst voor verslaving. Beide zijn bij terminale patiënten van geen belang; met name wanneer de patiënt geleidelijk gewend is geraakt aan deze medicijnen. De doctrine van het 'dubbele effect' (zie par. 2.7 punt c) is in dit soort situaties dan ook meer een theoretische kwestie.

Naast het lijden aan pijn zijn er ook andere aspecten van lijden; deze kunnen lichamelijke klachten betreffen of van psychosociale aard zijn. Veel van al deze 'klachten' kunnen adequaat behandeld worden, maar terwijl de klacht 'pijn' de naam heeft het moeilijkst te behandelen te zijn, vormen vermoeidheid, benauwdheid, jeuk en doorliggen soms een grotere uitdaging voor het behandelend team. Een handicap om een effectieve behandeling in te stellen, is de gedachte dat 'pijn niet meer hoeft tegenwoordig' en dat er voor elke vorm van lijden een instant oplossing voorhanden is. Ondanks alle medische en verpleegkundige zorg kan het sterven toch een moeizame gang zijn voor de patiënt. Maar dankzij de palliatieve zorg vermindert de vraag naar euthanasie en neemt de 'waardigheid' van de stervensfase toe.

Pijnbestrijding dient een wezenlijk ander doel dan euthanasie. Dat spreekt vanzelf, maar toch is hierover wel eens verwarring. Geleidelijke ophoging van een pijnstillend middel als morfine – zonder dat de pijnklachten daarom vragen – wordt namelijk wel eens moedwillig ingezet als euthanaticum. Nu gaat dat gelukkig niet zo 'makkelijk', want morfineachtige middelen zijn een ongeschikt middel voor dat doel. (Ook het rapport *Toepassing en bereiding van euthanatica* van het Wetenschappelijk Instituut Nederlandse Apothekers uit 1998 raadt de keus van morfine niet aan.) Maar dit heeft wel een bijzonder ongewenst neveneffect. Want terwijl het juist een groot goed is dat de vooroordelen over het gebruik van morfineachtige middelen geleidelijk aan het verdwijnen zijn, dreigen deze medicamenten zo opnieuw in een kwaad daglicht gesteld te worden. Medicamenten die voor een goede symptoomcontrole aangewezen zijn, krijgen op deze manier een verdacht imago. Een aantal van deze kwesties rond pijn en pijnbehandeling wordt op sympathieke wijze besproken door B. J. P. Crul in *Mens en pijn* (Nijmegen, 1999).

5.5 Verandering van prioriteiten bij de behandeling

Wanneer een patiënt niet meer zal genezen, zullen de accenten van de medische behandeling verschuiven naar verlichting van lijden. Dit noemden we reeds als essentieel kenmerk van palliatieve zorgverlening (par. 5.2). Behandelingen gericht op levensverlenging moeten extra zorgvuldig worden afgewogen tegen het ongemak dat zo'n behandeling met zich meebrengt en zullen tenslotte gestaakt moeten worden. Denk bijvoorbeeld aan het toedienen van middelen tegen kanker (chemotherapie), die veel bijwerkingen hebben. Met name de misselijkheid is voor de patiënt zeer onaangenaam. Weegt de (vaak onzekere) kans op levensverlenging van bijvoorbeeld enkele maanden op tegen de soms zeer onaangename effecten van de behandeling? Vaak is van te voren het effect van een behandeling bij een individuele patiënt heel moeilijk in te schatten. Tijdige evaluatie of de therapie aanslaat, is dan belangrijk. Wanneer het gewenste effect niet bereikt lijkt te worden, kan die behandeling beter gestaakt worden. Hoewel 'kwaliteit van leven' geen criterium hoort te zijn voor levensbeëindiging, dient de geneeskunde wel gericht te zijn op een zo hoog mogelijke 'kwaliteit van leven'.
Patiënten hebben uiteraard het laatste woord. En ze kunnen alleen dan goed een beslissing nemen, wanneer ze evenwichtig zijn voorgelicht. De patiënt moet een duidelijke indicatie krijgen van wat de artsen van de behandeling verwachten en welke onaangename effecten kunnen optreden. Anderzijds is te grote terughoudendheid niet op zijn plaats, want uit wetenschappelijk onderzoek is gebleken dat een medicamenteuze behandeling bij kankerpatiënten die enigszins levensverlengend is, in de overgrote meerderheid van de gevallen zowel door de patiënt als zijn familie positief wordt gewaardeerd. Mensen hechten aan het leven; ook die laatste maanden zijn vaak waardevol.

5.6 Thuis sterven mogelijk maken

In steriele en onpersoonlijke ziekenhuiskamertjes kunnen de gevoelens van vervreemding en eenzaamheid toenemen. Dit kan eerder leiden tot een 'noodkreet'; een verzoek om euthanasie. Thuis daarentegen, kan er de geborgenheid zijn, je

hoeft je niet te schamen voor je gevoelens en tranen, je familie en vrienden zijn om je heen, er is meer aandacht, warmte en menselijkheid. Waar je in het ziekenhuis in een 'sterfkamertje' soms al een 'sociale dode' bent, kun je thuis nog deelnemen aan het leven. Stervenden kunnen zich nog wel degelijk interesseren voor de gewone dagelijkse dingen en je hoeft niet bang te zijn dat je hen kwetst met het vertellen van leuke dingen. Thuis kan men sterven op de plaats waar iedereen dezelfde taal spreekt, ook zonder woorden.
Verpleegkundige zorg is, hoewel minder dan in het ziekenhuis, ook thuis te verkrijgen. Met moderne, programmeerbare infuuspompjes zijn ook thuis complexe vormen van pijnbestrijding te realiseren. Dit valt echter alleen te overwegen als de situatie en de mensen thuis positief staan tegenover deze zogeheten terminale thuiszorg.
Op verschillende plaatsen zijn er initiatieven tot het opzetten van terminale thuiszorg ter ondersteuning van soms overbelaste familieleden. Zo is er een actieve organisatie Vrijwilligers Terminale Zorg (VTZ) met een groot aantal plaatselijke afdelingen en een landelijk steunpunt in Bunnik. Vergelijkbare initiatieven zijn hier en daar van de grond gekomen met begeleiding van Stichting Schuilplaats en de Nederlandse Patiëntenvereniging (NPV). Dit zijn allemaal groepen van gemotiveerde vrijwilligers die het mede mogelijk maken dat mensen die dat willen, thuis kunnen sterven. Het is bedoeld als aanvulling op de zorg van familieleden. Zij helpen en steunen de familie bij de zware taak die de verzorging van een stervende met zich meebrengt.

5.7 De hospice-beweging

Wanneer thuis sterven om de één of andere reden niet mogelijk is, kan men ook denken aan een hospice. In zo'n hospice kunnen terminale patiënten terecht om hun laatste levensdagen door te brengen zonder de geavanceerde apparatuur die een ziekenhuisopname zou vergen, maar wel met artsen, verpleegkundigen en maatschappelijk werkers die intensief contact hebben met de patiënt en diens familie. Goede zorg en aandacht, samen met adequate pijnbestrijding kan ook hier een vraag om euthanasie doen verdwijnen. Dit is, in het kort, de filosofie achter de hospice-beweging zoals die in Engeland ontstaan is.
Het jaartal 1967 wordt hier wel bij geplaatst. Toen werd namelijk door Cicely Saunders de eerste moderne instelling van palliatieve zorg gesticht: het 'St Christopher's Hospice' bij Londen. Hierbij werd overigens teruggegrepen op het idee van de oude 'hospitia' of 'gasthuizen' die reeds in de Middeleeuwen opvang verzorgden van hulpbehoevenden, geïnspireerd door christelijke naastenliefde. Deze 'gasthuizen' waren de voorlopers van onze hedendaagse ziekenhuizen.
In Nederland zijn er de afgelopen 10 tot 15 jaar allerlei lokale initiatieven van de grond gekomen met een vergelijkbare opzet, waaronder enkele 'bijna thuis-

huizen' en een paar professionele hospices. De meeste van deze huizen zijn klein van opzet. Een aantal ervan is aangesloten bij het 'Netwerk Palliatieve zorg voor Terminale patiënten Nederland' (NPTN). De meeste kennen nog nauwelijks structurele financiële ondersteuning van de overheid. Het lijkt daarom soms makkelijker om binnen een bestaande instelling – zoals een verpleeghuis – een palliatieve zorgafdeling te starten. Sommigen menen echter dat de echte hospices een duidelijker functie hebben om pionierend het vakgebied palliatieve geneeskunde verder te ontwikkelen.

5.8 Terminale sedatie

Er komt sporadisch een situatie voor dat er ondanks de meest ingrijpende behandelingen geen adequate symptoomverlichting te bewerkstelligen is; dat samen met de patiënt geconcludeerd wordt dat er ook binnen afzienbare termijn geen situatie te creëren is, waarmee hij voort kan leven. Soms kan dat komen, doordat er in eerdere fasen kansen zijn gemist om de klachten beter onder controle te krijgen. Wanneer zo'n situatie dreigt te ontstaan, is het dan ook met spoed geboden om een palliatief zorgteam te consulteren, als dat niet reeds is ingeschakeld. Maar in bepaalde extreme situaties is het mogelijk dat men er samen met de patiënt op uit komt dat een zekere mate van bewusteloosheid te prefereren is boven het volledig bewust ervaren van die laatste uren of dagen van zijn lijdensweg. Hierbij is te denken aan een pijn die alleen enigszins onder controle te krijgen is door een bijna complete verlamming van dat deel van het lichaam te veroorzaken; of aan verstikkingsnood ten gevolge van een onbehandelbare longbloeding; of aan een delier met grote onrust dat onbehandelbaar blijkt.
Onder 'terminale sedatie' verstaan we het gebruik van hoge doses suf makende medicamenten (sedativa) om de patiënt te verlossen van extreme, lichamelijke nood. Dit wordt gewoonlijk bewerkstelligd door continue toediening via een infuus. De overige medicatie zoals bijvoorbeeld pijnstillers gaat gewoon door. Ook de zorg voor de patiënt gaat door en wordt vaak extra intensief. Iemand verplegen en verzorgen die bewusteloos is, vormt namelijk een forse belasting voor hulpverleners en mantelzorgers. De toevoeging 'terminaal' suggereert dat het doel is te 'termineren' – als was het euthanasie – maar dit is geenszins het geval. Het doel is alleen om door het bewerkstelligen van bewusteloosheid het lijden te verlichten, dat niet op een andere manier bestreden kon worden. Het heeft niet tot doel de patiënt eerder te laten sterven – ook al zou het dat wel eens als bijeffect kunnen hebben. Behalve de verzorging van de bewusteloze patiënt heeft ook de familie extra ondersteuning nodig. Familieleden dienen duidelijke uitleg te krijgen wat dit alles betekent; met name moeten ze beseffen dat de fase van bewusteloosheid heel wat dagen kan duren, maar dat de patiënt zelf bijna niets meer meemaakt van de pijn of de andere factoren die het lijden veroorzaakten.

5.9 Training van artsen en verpleegkundigen

Ervaren clinici die in Nederland naam hebben op het gebied van pijnbestrijding of palliatieve geneeskunde hebben meermaals betoogd dat scholing van artsen in de behandeling van pijn en andere klachten van ongeneeslijk zieke patiënten én uitbreiding van de capaciteit van dit soort hulpverlening vooraf zou dienen te gaan aan de discussie over euthanasie. Ook in het buitenland zijn studies gedaan die aantoonden dat verzoeken om euthanasie of hulp bij zelfdoding afnemen, wanneer artsen geschoold zijn in zorg voor het levenseinde en zich vaardigheden op dit terrein hebben verworven.

Onverwachte steun voor dit standpunt komt geleidelijk aan juist ook van artsen die ervaring hebben met het toepassen van euthanasie. Zo kwamen in 2001 Amsterdamse huisartsen die als euthanasieconsulent functioneren, in het nieuws door hun eigen vaststelling dat zij steeds vaker patiënten en collega's van euthanasie proberen af te houden. Deze huisartsen waren werkzaam voor het project 'steun en consultatie bij euthanasie in Nederland' (SCEN). De ervaring had deze SCEN-artsen geleerd dat patiënten soms wel erg gemakkelijk om euthanasie vragen en bovendien dat de mogelijkheden van palliatieve zorg te vaak onderschat worden en onvoldoende benut. En ook elders in de gezondheidszorg worden dergelijke geluiden uit de mond van artsen gehoord; nogmaals: juist bij artsen die ervaren zijn in het wel toepassen van euthanasie.

Verspreid in Nederland is er een aantal Centra voor de Ontwikkeling van Palliatieve Zorg (COPZ) welke een taak hebben op het gebied van onderzoek, onderwijs en consultatie. Sommige hebben voor dat laatste ook een 'consultatief palliatief team' opgericht. Huisartsen en andere werkers in de eerste lijn weten deze teams geleidelijk ook te vinden. Helaas schort er nog veel aan de coördinatie en de bereikbaarheid van al deze vormen van consultatie en crisisopvang; de verschillende teams, hospices en vrijwilligersorganisaties worden dan ook nog steeds onderbenut.

Naast aandacht voor medisch-technische aspecten van stervensbegeleiding dient er in de opleiding en bij de nascholing van artsen ook aandacht te komen voor de psychosociale kant van stervensbegeleiding. Mede door eigen angsten – moeite met het sterven van de patiënt, angst voor de eigen dood – wordt goede stervensbegeleiding nogal eens verwaarloosd. Een aspect van deze (na)scholing is training in gesprekstechniek; bruikbare tips hiervoor zijn te vinden in *Talking to cancer patients and their relatives* van Ann Faulkner en Peter Maguire (Oxford, 1994).

Juist aan doodzieke mensen wordt soms maar weinig aandacht besteed. En dat, terwijl juist hier 'het goud van de medische roeping wordt beproefd' (G.A. Lindeboom).

6. Besluit

Vanuit het christelijk geloof weten wij, dat we het leven van onze naaste niet mogen aantasten. De dood is onze laatste vijand; aan de andere kant is voor de gelovige de dood een doorgang naar het eeuwige leven bij de Heer. Christus leert ons dat wij liefde en barmhartigheid moeten betrachten, juist voor hen die zwak zijn en onze zorg behoeven.
Wat nu is een 'goede dood' eigenlijk? Het levenseinde en heel concreet de stervensfase is voor de christen een voorbereiding op de ontmoeting met God. Het leven van een mens is heilig, maar het sterven niet minder. Ook in die stervensfase is God werkzaam in de ziel van mensen. We spreken vandaag wel over het 'regisseren' van het levenseinde. Het sterven kan dan een eigenmachtige beslissing worden. Voor christenen is dit een huiveringwekkende praktijk.

Literatuur

G. van der Wal, A. van der Heide, et al. *Medische besluitvorming aan het einde van het leven. De praktijk en de toetsingsprocedure euthanasie.* Utrecht: De Tijdstroom 2003.
H. Jochemsen, *Een barmhartige dood? Een christelijke visie op euthanasie*, Ede: Christelijke Hogeschool Ede (reeks Herkenning 8), 2000.
G. van der Wal, P.J. van der Maas et al. *Euthanasie en andere medische beslissingen rond het levenseinde. De praktijk en de meldingsprocedure.* Den Haag: SDU uitgevers 1996.
J. Eareckson Tada, *Wanneer mag je sterven?*, Kampen, 1994.
H. Jochemsen (red.), *Zorg voor wilsonbekwame patiënten*, Amsterdam: Buijten & Schipperheijn, 1994.
W.H. Velema, *Mag ik sterven, moet ik leven? Een praktische en pastorale benadering rond de levensbeëindiging*, Zoetermeer: Boekencentrum, 1993.
N. van der Voet, *Doorlopend bezoek*, Zoetermeer: Boekencentrum, 1993.
A. Bac, A.A. Teeuw, *Thuiszorg. Een handreiking aan vrijwillige hulpverleners*, in de serie 'Praktisch en pastoraal', Leiden, 1991.

ooo 6 ooo

Orgaantransplantatie

1. *Inleiding*

Orgaantransplantatie geniet een grote belangstelling, zeker sinds elke inwoner van 18 jaar en ouder in 1998 een envelop van het Ministerie van Volksgezondheid op de deurmat kreeg met de vraag orgaandonor te worden. In de media wordt ook ruime aandacht besteed aan spectaculaire transplantaties. Steeds meer verschillende organen en weefsels kunnen met succes getransplanteerd worden. Veelal wordt de transplantatiegeneeskunde met instemming begroet. Maar deze tak van geneeskunde roept ook tal van (ethische) vragen op. Zo is er sprake van een groot tekort aan donororganen. Hoe moet daarmee worden omgegaan? In dit hoofdstuk zullen verschillende aspecten van de transplantatiegeneeskunde aan de orde komen.

2. *Stand van zaken*

2.1 *Begripsbepaling*

Onder transplantatie verstaat men dat bepaalde weefsels en organen van het lichaam van de ene persoon naar dat van de andere wordt overgebracht, of van de ene plaats naar een andere in het lichaam van een en dezelfde persoon. Een voorbeeld van het eerste is wanneer iemand de nier van een broer ontvangt om een disfunctionerende nier te vervangen. Een voorbeeld van het laatste is het overplanten van een stuk huid van het been naar de arm, omdat de arm ernstig verbrand is. De donor en de ontvanger zijn in dat geval dezelfde persoon (hoewel het weefsel in het geval van verbranding ook van een andere persoon afkomstig kan zijn). Een donor is met andere woorden iemand die geeft – in onze context iemand die organen en/of weefsels afstaat voor transplantatiedoeleinden. Dit kan zowel vóór als na het overlijden plaatsvinden. Een ontvanger krijgt weefsel of een orgaan ingeplant dat door een donor is afgestaan. Dit weefsel of orgaan wordt ook wel het transplantaat genoemd.

2.2 *Enkele historische opmerkingen*

Er zijn verhalen bekend, dat er al in de vroege oudheid huidtransplantaties werden uitgevoerd, onder andere in Egypte en China. Volgens de legende hebben de christenartsen Cosmas en Damianus, die leefden in de tijd van keizer Diocletianus, het been van een overleden neger getransplanteerd naar een priester. Zij werden door de kerk heilig verklaard.
Rond 1900 werd het mogelijk om bloedvaten met elkaar te verbinden. Hierdoor werd het mogelijk om organen met een eigen aan- en afvoerend bloedvat te transplanteren. Publicaties over chirurgisch succesvolle niertransplantaties bij dieren volgden. Zelfs werd geëxperimenteerd met de transplantatie van een varkensnier bij een vrouw. Alle transplantaties van dier naar mens mislukten echter. In 1933 verrichtte een Russische chirurg de eerste niertransplantatie bij de mens met gebruikmaking van een nier van een overleden donor. De getransplanteerde nier heeft gewerkt tot de patiënt op de derde dag na de operatie aan een longontsteking overleed.
De eerste geslaagde niertransplantatie bij de mens vond plaats te Boston in 1954 bij een eeneiige tweeling. De chirurgisch-technische problemen waren grotendeels opgelost, maar niet het grootste probleem, namelijk de afstoting van transplantaten. Van nature verdraagt het menselijk lichaam geen lichaamsvreemde stoffen, en maakt er juist antistoffen tegen. Dit vormt tot op heden nog steeds één van de grote problemen van de transplantatiegeneeskunde.
Toch is het de laatste dertig jaar mogelijk geworden om een steeds groter aantal transplantaties te verrichten met steeds betere resultaten. Een aantal factoren heeft tot deze verbetering geleid. Te noemen zijn de betere preservatietechnieken, waardoor organen beter en langer bewaard kunnen blijven, maar ook betere technieken op het gebied van de bloedtransfusie en weefseltypering, betere middelen die afstotingsreacties tegengaan en de steeds ruimere ervaring van zogenaamde transplantatieteams. Het afweersysteem van de mens tegen lichaamsvreemde stoffen kan steeds beter onderdrukt worden.
De ontwikkelingen binnen de transplantatiegeneeskunde gaan snel. Veel soorten transplantaties hebben inmiddels het experimentele stadium verlaten en zijn routinematig geworden. In de volgende paragrafen wordt eerst besproken welke organen men tijdens het leven kan doneren en vervolgens welke na overlijden.

2.3 *Donatie tijdens het leven*

2.3.1 *Beschrijving*

Ook tijdens het leven kan men donor zijn. De bekendste vorm is het doneren van bloed voor de bloedtransfusiedienst. In bijzondere situaties kan het ook mogelijk zijn om beenmerg, huid of een organen af te staan. Het betreft dan een geheel andere situatie dan bij een overleden donor. Meestal gaat het om een donatie aan

een ernstig zieke patiënt binnen de eigen familie. Zo is het mogelijk om tijdens het leven een nier af te staan. Met één nier kan men leven, hoewel de donor wel enige gezondheidsrisico's zal dragen. De operatie om de nier te verwijderen brengt bijvoorbeeld risico's mee en als bovendien de overgebleven nier problemen geeft, kunnen gevaren voor de gezondheid ontstaan.
Zo'n niertransplantatie binnen de familie heeft een grote kans van slagen omdat de weefseltypes van de donor en de transplantatiepatiënt meestal veel overeenkomen. Ook een ander zoals de partner kan – hoewel de kans kleiner is – geschikt blijken als donor. Een transplantatie met een levende donor heeft ook als voordeel dat er tijd is om de operatie voor te bereiden en het orgaan kan zo gaaf mogelijk worden getransplanteerd. Meestal is de donor ook zeer gemotiveerd: het gaat immers om het welzijn van een naaste verwant. De resultaten van dit soort transplantaties zijn aanzienlijk beter dan die met organen afkomstig van een overleden donor.
Familiedonatie van andere weefsels of organen komt ook voor. Transplantatie van huidweefsel of een gedeelte van de lever of pancreas binnen de familie is betrekkelijk zeldzaam. Maar het doneren van beenmerg vindt bijvoorbeeld wel meestal plaats binnen de familiekring. Per jaar worden in Nederland ongeveer 120 beenmergtransplantaties uitgevoerd. De donor is meestal een naast familielid waarvan het bloed- en weefseltype zoveel mogelijk overeenkomt met die van de patiënt. Zoals bij bloeddonatie de hoeveelheid bloed binnen vrij korte tijd weer op peil gebracht is, is bij een beenmergdonatie de hoeveelheid beenmerg bij de donor vrij snel weer aangevuld. Beenmergtransplantatie in de strijd tegen bepaalde vormen van leukemie wordt inmiddels regelmatig toegepast.

2.3.2 *Ethische vragen*

Naast evidente voordelen zijn er ook aspecten die ethische vragen oproepen. De risico's en de belasting door de noodzakelijke orgaanuitname voor de donor moeten bijvoorbeeld niet onderschat worden. De donor dient meerderjarig te zijn maar het kan een grote belasting vormen als men de meest aangewezen donor is en door de hele familie druk wordt uitgeoefend om een nier af te staan. De laatste jaren vinden er vaker familietransplantaties plaats, dit vanwege de lange wachtlijst voor een 'gewone' niertransplantatie.
Bij familiedonatie mag naastenliefde de enige drijfveer zijn. Ook de politiek is de mening toegedaan dat het afstaan van weefsels en/of organen beschouwd moet worden als een gift. Dat wil zeggen dat er geen betaling tegenover hoort te staan. Behalve dat financiële prikkels ethisch en juridisch onaanvaardbaar zijn, mag de donor ook niet emotioneel gedrongen worden om een orgaan of weefsel af te staan. De donor moet kunnen rekenen op voldoende deskundige voorlichting en de beslissing zal in alle vrijwilligheid genomen moeten worden. Dit laat-

ste is in de praktijk erg moeilijk omdat donor en ontvanger vaak familie van elkaar zijn (bijvoorbeeld ouder en kind). Als het gaat om minderjarigen mag er geen materiaal worden weggenomen tenzij bijvoorbeeld een familielid alleen op deze wijze door een beenmergtransplantatie in leven kan worden gehouden en als het geen blijvende nadelige gevolgen heeft voor de lichamelijke toestand van het kind.

2.4 Donatie na overlijden

2.4.1 Organen

De nieren

Patiënten waarvan door een ziekte de nieren hun functie hebben verloren, dienen gedialyseerd te worden. In ons land worden ruim 2500 nierpatiënten twee of drie maal per week met een kunstnier behandeld (hemodialyse). Deze behandeling is voor de patiënt evenwel zeer intensief. Een tweede vorm van dialyse is de continue ambulante peritoneale dialyse (CAPD), waarbij de patiënt zichzelf thuis kan 'spoelen'. Het betreft eveneens een intensieve behandeling. De dialysepatiënt moet ook een dieet houden en is in zijn of haar mogelijkheden zeer beperkt. Een niertransplantatie vervangt deze belastende maatregelen en brengt zo een normaler leven weer binnen bereik. Wel moet de getransplanteerde patiënt levenslang medicatie gebruiken tegen afstotingsreacties en dat zijn medicamenten die soms ernstige bijwerkingen hebben.
De eerste niertransplantatie in Nederland vond plaats in 1966. Per jaar worden in Nederland ongeveer 350 niertransplantaties verricht. De niertransplantaties is dan ook de meest voorkomende vorm van orgaantransplantatie. De kosten van een niertransplantatie zijn hoog, maar een behandeling met een kunstnier kost per jaar ongeveer de helft. Uiteindelijk is de niertransplantatie dus niet alleen aangenamer voor de patiënt, maar ook goedkoper dan dialyse. Intussen is daardoor de wachtlijst voor donornieren is behoorlijk lang. Bij de stichting Eurotransplant in Leiden wachten 10.000 mensen op een donornier, waarvan ongeveer 1.100 in Nederland.

Het hart

De eerste harttransplantatie in Nederland vond plaats in 1984. Als patiënten voor een harttransplantatie in aanmerking komen, verkeren ze in het eindstadium van een hartziekte met een levensverwachting van hooguit een jaar. Medicamenten of chirurgische therapieën kunnen niet meer helpen. Drie jaar na de ingreep is 88% van de patiënten nog in leven en verkeert in goede gezondheid. De meeste patiënten kunnen na een harttransplantatie een vrij normaal leven leiden.

Bij de transplantatie van een hart komt echter geen nieuwe zenuwverbinding tot stand tussen het donorhart en de ontvanger. Er is geen koppeling meer tussen de hartfunctie en de hersenfunctie, waardoor het hart niet meer kan reageren op de prikkels die de hersenen uitzenden. Het hartritme staat dan los van de activiteiten en behoeften van de rest van het lichaam (en wordt op peil gehouden door een pacemaker). Daardoor reageert het getransplanteerde hart minder bij een sterke lichamelijke inspanning en bij emoties. Dit kan serieuze psychische problemen teweegbrengen.
Per jaar worden in Nederland ongeveer 60 harttransplantaties verricht. De kosten bedragen ongeveer anderhalf à twee ton per harttransplantatie. Ook de nabehandeling is erg kostbaar.

De lever
In 1979 vond de eerste levertransplantatie plaats in Nederland. Per jaar worden 80 levertransplantaties verricht. Na vijf jaar is gemiddeld 60% van de patiënten die een lever ontvingen nog in leven. Er zijn twee soorten levertransplantaties. Bij de levertransplantatie wordt de lever van de patiënt verwijderd en vervangen door een transplantaat dat op dezelfde plaats (of orthotoop) wordt ingezet. Tegenwoordig vinden echter ook levertransplantaties plaats, waarbij het transplantaat elders in het lichaam wordt geplaatst om de eigen leverfunctie te ondersteunen (auxiliaire heterotope transplantatie). Een van de meest voorkomende indicaties voor een levertransplantatie is cirrose, een proces waarbij het leverweefsel verschrompelt tot bindweefsel. Alcoholmisbruik is een bekende, maar zeker niet de enige oorzaak van deze ziekte. Een andere belangrijke indicatie wordt gevormd door aangeboren afwijkingen bij kinderen.

De alvleesklier
In 1985 werd voor het eerst in Nederland een alvleesklier getransplanteerd, in combinatie met een nier. Tot deze transplantatievorm kan besloten worden bij bepaalde vormen van suikerziekte. Meestal gebeurt dit in combinatie met een niertransplantatie. De ingreep verkeert nog in een experimenteel stadium.

De longen
In 1989 vond in Nederland de eerste longtransplantatie plaats. De longen hebben in het menselijk lichaam een erg belangrijke functie, zij voorzien immers het lichaam van zuurstof. Sommige longziekten kunnen dit in ernstige mate verstoren. Een longtransplantatie (soms in combinatie met een harttransplantatie) kan in bepaalde gevallen levensreddend zijn. Per jaar worden er enkele tientallen longtransplantaties in Nederland verricht.

Tabel 1. **Wachtlijsten en aantal orgaantransplantaties in 2002**

Aantal patiënten	Nier	Lever	Pancreas met nier	Hart	Long	Hart/long
Wachtlijst	1272	94	15	25	65	1
Transplantaties	378	109	17	41	41	2

2.4.2 *Weefsels*

Het hoornvlies

Het hoornvlies van het oog kan zodanig zijn aangetast, dat het niet meer helder is. De patiënt ziet slechts nog vage contouren, zoals bij de oogaandoening 'staar' (cataract). Hoornvliestransplantaties kunnen hier succesvol zijn. Al in 1939 vond de eerste hoornvlies-transplantatie plaats in Nederland. Gemiddeld worden er 600 hoornvliestransplantaties per jaar in Nederland uitgevoerd.

De huid

Huidtransplantatie wordt meestal gebruikt bij ernstige brandwonden. Wanneer veel huid verloren gaat, kan de stofwisseling worden verstoord zodat de zogenaamde verbrandingsziekte ontstaat. Hierbij vergiftigt het lichaam zichzelf. Aan deze ziekte overlijden veel verbrandingsslachtoffers. Het gebruik van donorhuid kan levensreddend zijn. Ook kan donorhuid sterk pijnverminderend werken bij brandwonden. De donorhuid fungeert als het ware als een verbandmiddel. Na verloop van tijd zal de huid van de ontvanger weer gaan groeien. Veel slachtoffers van de brand in Volendam bijvoorbeeld danken hun leven aan de huidtransplantaties.

Het bot

Transplantatie van botweefsel komt veel voor. Een belangrijke indicatie vormt het teloor gaan van bot bij uitgebreide carcinoomoperaties. Botweefsel kan vele jaren worden bewaard (botbanken).

De hartkleppen

Hartkleppen worden getransplanteerd bij patiënten met een ernstige hartklepafwijking. Een alternatief is de kunsthartklep, maar menselijke hartkleppen bieden meer voordelen. Met name voor jonge vrouwen met kinderwens. Bij kunstkleppen dient men namelijk bloedverdunningsmiddelen te gebruiken en dat is bij menselijke kleppen niet nodig. De hartkleppen worden gesteriliseerd en bewaard bij een temperatuur van ongeveer –190 °C.

Voor elk van deze organen gelden verschillende voorwaarden voor de maximale leeftijd van de donor, de termijn waarin het transplantaat in goede toestand bewaard kan worden, enzovoort. In de media krijgen vooral de 'grote' transplantaties veel aandacht (hart, lever, long en dergelijke). Een voorname reden hiervoor is, dat vooral aan deze organen een groot tekort bestaat. Transplantaties van bijvoorbeeld hoornvlies en huid staan veel minder in de belangstelling maar zijn ook nuttig. In de toekomst zullen waarschijnlijk nog meer soorten transplantaties mogelijk zijn. Er worden op dit moment onder andere experimentele transplantaties uitgevoerd met zenuwweefsel, stembanden en kruisbanden van de knie.

Tabel 2. **Wachtlijsten en aantal weefseltransplantaties in 2002**

Aantal patiënten	**Cornea**	**Hartkleppen**	**Botweefsel**
Wachtlijst	336	3	2
Transplantaties	695	147	1137

2.5 De procedure in Nederland

Als bij een patiënt organen en/of weefsels mogen worden uitgenomen na overlijden, wordt een keten van activiteiten in gang gezet. Meestal is dit ook een race tegen de klok, omdat de meeste organen niet zo lang in goede toestand bewaard kunnen blijven. De stichting Eurotransplant, die gevestigd is in Leiden, speelt hierbij een belangrijke rol. Eurotransplant bemiddelt in de internationale uitwisseling van organen. Dat wil zeggen, transplantatiecentra in de Benelux, West-Duitsland en Oostenrijk werken intensief samen met Eurotransplant. In een uitgebreid computerbestand heeft Eurotransplant alle belangrijk medische gegevens opgeslagen van de patiënten op de wachtlijst. Nederland is ingedeeld in een aantal regio's met daarbij een transplantatiecoördinator. Als er een orgaan of weefsel beschikbaar komt, draagt de regionale coördinator zorg voor de verdere gang van zaken. Een medisch team doet allerlei onderzoeken om medische gegevens te verkrijgen van de donor. Met behulp van de computer wordt bekeken welke patiënt op de wachtlijst de meest geschikte ontvanger zal zijn voor het vrijgekomen orgaan. De weefselgroepen van donor en ontvanger moeten namelijk zoveel mogelijk op elkaar aansluiten. Als er bloed nodig is, moeten de bloedgroepen van donor en ontvanger gelijk zijn. Zo moeten ook de organen van ontvanger en donor een zoveel mogelijk gelijke weefseltypering hebben. Dit kan een groot probleem zijn, omdat er honderden verschillende weefselgroepen zijn.

In schema: van potentiële donor tot donoroperatie

Behandelend arts	Signalering potentiële donor met waarschijnlijke hersendood door: • hersenletsel • bloeding onder het hersenvlies • primaire hersentumor • zuurstoftekort van de hersenen
	▼
Behandelend arts	☎ Overleg transplantatiecoördinator • donorselectie-criteria • laboratorium-diagnostiek
	▼
Neuroloog	Vaststellen hersendood aan de hand van: • hersendoodcriteria • EEG • apneu- (zuurstofgebrek-) test
	▼
Behandelend arts **Neuroloog** **Transplantatie-coördinator**	Raadplegen Centrale Donorregistratie. Zonodig toestemming vragen aan: • familie van de donor • Officier van Justitie
	▼
Behandelend arts	Voorbereiding transplantatie: • bloed afnemen • weefseltypering ☎ Overleg transplantatiecoördinator
	▼

Chirurg	Operatie-personeel inlichten
Chirurgisch team	Operatie-kamer gereedmaken
	→ Donor-operatie

Het medisch team, dat zorg draagt voor de uitname van organen, is strikt gescheiden van het medisch team dat de donor tot het moment van overlijden behandelt. Dit moet voorkomen, dat een arts iemand vroegtijdig overleden verklaart om de organen te kunnen gebruiken. Als de organen worden uitgenomen, wordt op een andere plaats, in binnen- of buitenland, de geschikte ontvanger voor de operatie voorbereid. Na uitname van de organen worden deze behandeld met speciale vloeistoffen en komt het transport in hoog tempo op gang. Afhankelijk van waar het orgaan heen moet, worden ook vliegtuigen en helikopters ingezet. De regel is dat men niet te weten krijgt wie het orgaan of weefsel heeft afgestaan. Voor de weefsels die niet direct bij een ontvanger ingeplant hoeven te worden, geldt een andere procedure. Deze weefsels worden bewerkt en kunnen soms jaren lang worden bewaard. Dit materiaal wordt opgeslagen in de zogenaamde weefselbanken, die ook onder het beheer van de stichting Eurotransplant vallen. Zo kennen we in Nederland bijvoorbeeld de bottenbank, de huidbank, de hoornvliesbank en hartkleppenbank.

3. Medisch-ethische problemen

3.1 Bijbelse uitgangspunten

Door de transplantatiegeneeskunde is de behandeling van een aantal aandoeningen mogelijk geworden, maar in het hiernavolgende kunnen we zien dat aan deze vorm van geneeskunde ook problemen verbonden zijn. Als we de ontwikkelingen op het gebied van de transplantatie-geneeskunde volgen, kan naast verwondering ook twijfel ontstaan. We kunnen ons bijvoorbeeld vragen stellen als we op (mogelijke) uitwassen letten, die de transplantatiegeneeskunde met zich mee kan meebrengen. We formuleren enkele van die vragen. Gaat de geneeskunde niet veel te veel uit van de mens als machine, waarvan kapotte onderdelen vervangen moeten worden door goede onderdelen? Kan er worden vertrouwd op een juiste vaststelling van het tijdstip van de dood? Zijn er organen die beslist niet getransplanteerd mogen worden? Moet een menselijk lichaam niet in z'n geheel begraven worden? Deze rij vragen kan zonder al te veel moeite verder worden aangevuld.
Bij het zoeken naar een antwoord op deze en andere vragen, willen we als christenen de Bijbel als ons vertrekpunt nemen. Het zal duidelijk zijn, dat we op

bovengenoemde vragen geen direct antwoord zullen vinden. In de tijd van de Bijbel kwam de transplantatiegeneeskunde immers niet voor. De Bijbel kan niet worden geraadpleegd als een encyclopedie. We zullen daarom te rade moeten gaan bij meer algemene bijbelse uitgangspunten. Omdat geen pasklaar antwoord in dezen te vinden is, zal er onder christenen verschil van mening kunnen zijn.
De Bijbel laat zien, dat we met alle eerbied moeten omgaan met het leven van mensen. Niet in de eerste plaats om het leven zelf, maar omdat God er de Schepper en Onderhouder van is. Hij vraagt eerbied voor Zichzelf en voor de dingen door Hem geschapen. Een absoluut zelfbeschikkingsrecht past niet in een bijbelse levenshouding, maar gehoorzaamheid aan de Gever bepaalt ons handelen. Het zelfbeschikkingsrecht in de medische ethiek kan gezien worden als een verabsolutering van wat van oorsprong een christelijk principe is, namelijk de (eigen) verantwoordelijkheid van ieder mens voor zijn lichaam en leven. We zijn immers ook over ons leven geen heer en meester, maar rentmeester. Dit betekent dat we er in verantwoordelijkheid en met grote zorgvuldigheid mee moeten omgaan. Ons lichaam is niet van minder waarde dan ons geestelijke 'zijn', maar God heeft de mens geschapen als een wonderlijke eenheid, als kroon op de schepping, naar Zijn beeld. Een ieder is geschapen als een uniek mens. Alles aan een mens draagt het stempel van uniciteit, of het nu gaat om hersenweefsel, geslachtscellen of om organen als lever en nieren. Ons lichaam moet een tempel zijn van de Heilige Geest (1 Kor. 6: 19). In die 'tempeldienst' worden we geroepen tot dienst aan God, maar ook tot dienst aan de naaste. We worden in de Bijbel steeds weer opgeroepen tot het betonen van liefde aan de naaste.
Het afstaan van organen voor transplantatiedoeleinden kán gezien worden als een concrete invulling van het gebod onze naaste lief te hebben als onszelf ook in het uur van ons sterven. Het handelen van Jezus Christus maakt duidelijk hoe wij behoren te staan tegenover ziekte en handicaps. Als de grote Heelmeester heeft Jezus op aarde zieken genezen. Ook wij mogen zoeken naar genezing en herstel. Maar niet ongelimiteerd. De christelijke vrijheid is gebonden aan Christus en zijn Woord. Christus zegt: 'Ik ben de Opstanding en het Leven' (Joh. 11:25). Voor de gelovige bepaalt dat zijn bestaan. Dat doet zeggen: 'Hetzij wij leven, hetzij wij sterven, wij zijn des Heren' (Rom. 14: 8). Dat relativeert onmiddellijk al ons overspannen streven naar verlenging van het leven. Immers, het leven in Christus wordt door de dood niet teniet gedaan.
We leven in een tijd, waarin de dood en de eigen vergankelijkheid steeds meer worden verdrongen. De Bijbel laat zien dat het lichaam van een overledene niet waardeloos is, maar met zorgvuldigheid behandeld moet worden. Maar het openen van een lichaam na het overlijden om organen ten dienste van de naaste te kunnen stellen, kan niet betiteld worden als lijkschennis. In dit verband is het belangrijk op te merken dat na orgaanuitname het lichaam op de gebruikelijke tijd

en wijze kan worden opgebaard en begraven. Het is goed hier te wijzen op het balsemen zoals dat in de tijd van de Bijbel voorkwam. Jozef gebood de artsen zijn vader te balsemen. Bij dit balsemen werden alle organen uit het lichaam gehaald. Deze werden wel bij het lichaam begraven.
Het is waar dat na orgaanuitname het lichaam niet intact begraven wordt. Dit geldt echter ook voor mensen die tijdens hun leven een amputatie hebben ondergaan. De kerk heeft altijd geloofd dat God bij de opstanding de overledene met een nieuw en gaaf lichaam zal scheppen . Toch is het een belangrijke vraag of we een gedeelte van ons lichaam aan de ontbinding mogen onttrekken. Volgens Genesis 3 heeft God immers gesteld dat we tot stof moeten wederkeren. Maar door orgaanuitname wordt dat proces voor de betreffende organen slechts tijdelijk uitgesteld.
Er dient voor gewaakt te worden dat door de transplantatiegeneeskunde een mensbeeld in de geneeskunde in stand wordt gehouden, waarin de organen in geval van ziekte als repareerbare of zo nodig als vervangbare onderdelen gezien worden. Deze opvatting van het menselijk lichaam staat haaks op het bijbelse verstaan van de mens, waarin het mens-zijn en de eigen identiteit wezenlijk met het lichamelijke bestaan zijn verbonden. De immunologische afweer van het lichaam tegen lichaamsvreemde stoffen en organen maakt reeds duidelijk dat het huidige medische 'reparatiemodel' ook biologisch gezien maar gedeeltelijk opgaat. Door reeds vermelde medisch-technische ontwikkelingen zijn orgaantransplantaties toch mogelijk geworden.
Wat de consequenties zijn van deze verschillen in mensvisie voor onze opstelling tegenover orgaantransplantatie is niet zomaar te zeggen. We maken immers allen wel op één of andere manier gebruik van diezelfde moderne geneeskunde en voor veel mogelijkheden ervan kunnen we met recht dankbaar zijn. Naar het ons voorkomt, noopt het achterliggende denken ons tot een houding van grote voorzichtigheid en zorgvuldigheid bij het omgaan met (de mogelijkheid van) orgaantransplantatie.
Uitgaande van genoemde bijbelse uitgangspunten zal een aantal medisch-ethische aspecten van orgaantransplantatie in het hiernavolgende besproken worden.

3.2 De overleden donor

3.2.1 Beschrijving

Weefsels als hoornvliezen, botten, huid en hartkleppen worden verwijderd bij mensen die enkele uren eerder zijn overleden en van wie de familie op de gebruikelijke wijze afscheid heeft kunnen nemen. Men spreekt in dit verband dan ook wel van 'non-heart-beating' donors. De ingreep vindt dan ook vaak plaats in het mortuarium maar kan soms ook wel thuis plaats vinden. Het verwijderen van botweefsel wordt onder operatiekamerachtige omstandigheden gedaan, daar dit

steriel moet plaatsvinden. Het betreft vaak toch uitgebreide ingrepen op de overledene maar dit gebeurt zo piëteitsvol mogelijk en na het verwijderen van de betreffende weefsels wordt de overledene zo goed mogelijk verzorgd en bij het opbaren is er niets meer van te zien.
Het is echter niet mogelijk om op deze wijze organen te verkrijgen voor transplantatiedoeleinden. Tijdens ziekte of stervensproces zijn de inwendige organen namelijk al dermate beschadigd geraakt dat zij onbruikbaar zijn geworden. Organen voor transplantatie zijn afkomstig van mensen die aan de beademingsmachine overlijden maar waarbij na overlijden op kunstmatige wijze de ademhaling en daarmee de hartfunctie en de functie van andere organen in stand is gehouden, een situatie die 'hersendood'genoemd wordt. De patiënt overlijdt dan op de intensive care van een ziekenhuis en de doodsoorzaak is een ernstig hersenletsel veroorzaakt door een verkeersongeval of een plotselinge hersenbloeding.
Voor artsen en verpleegkundigen in het ziekenhuis en voor de familie van de patiënt is orgaandonatie ook een emotionele aangelegenheid. De patiënt bevindt zich vaak in een toestand, waarin zeer intensieve zorg noodzakelijk is. Artsen en verpleegkundigen vechten menselijkerwijs gesproken voor het leven van de patiënt. De familie hoopt op herstel. Tegelijkertijd staan bij transplantatie betrokken zorgverleners te wachten of de patiënt misschien overlijdt om dan zo spoedig mogelijk tot orgaanuitname ten behoeve van donatie over te gaan. Om de eenduidigheid van de inzet van de zorgverleners te houden, bestaat het transplantatieteam uit andere mensen dan het behandelend team. Zodra duidelijk is, dat de patiënt is overleden, moeten ook de zorgverleners die de patiënt hebben behandeld en verzorgd zich richten op uitname van organen en moet de overledene aan het transplantatieteam worden overgedragen. Voor een arts die gevochten heeft om het leven van een patiënt te behouden is het ook emotioneel niet goed mogelijk deze omslag te maken.
Het vaststellen van de dood zal nauwkeurig moeten plaatsvinden. Ook vanuit christelijk standpunt is dit een zeer belangrijke morele eis. In de medische praktijk wordt sinds geruime tijd gewerkt met het criterium 'hersendood'. De volgende paragraaf gaat hier verder op in. Het is belangrijk om beide vormen van donatie, 'non-heart-beating' en 'heart beating' donors, te onderscheiden. Medisch-technisch, emotioneel en ethisch is er sprake van een sterk verschillende situatie.

3.2.2 Criteria voor hersendood

Voor veel mensen is het criterium hersendood een grote vraagteken. De vraag komt steeds weer naar boven: 'Word ik niet eerder voor overleden verklaard dan werkelijk het geval is?' Het wegnemen van twijfel over het 'echt overleden zijn' kan het tekort aan donororganen misschien doen verkleinen.

Hoe wordt de dood vastgesteld? In de meeste gevallen, met name bij mensen die thuis sterven, wordt de dood vastgesteld op basis van de kenmerkende houding waarin de overledene ligt, de bleke gelaatskleur, de constatering dat de ademhaling afwezig is en de hartslag tot stilstand gekomen. Het kloppen van het hart wordt dan niet meer gehoord noch gevoeld. De patiënt reageert niet op krachtig aanroepen, noch op pijnprikkels. Ook is er geen pupilreflex (reactie van de pupil op licht). De lage lichaamstemperatuur en het optreden van lijkvlekken vormen aanvullende criteria.

Bij het optreden van een acute hartstilstand (bijvoorbeeld door een hartinfarct) of een ademstilstand (bijvoorbeeld door verdrinking of andere ongevallen) treedt de dood niet onmiddellijk in. De hersenen kunnen namelijk enkele minuten zonder zuurstof. Na vijf minuten treden er onherstelbare beschadigingen in de hersenen op en na tien minuten is geen herstel meer mogelijk. De kritische tijd wordt mede bepaald door de leeftijd van het slachtoffer en de lichaamstemperatuur. Lukt het om binnen deze tijd door middel van hartmassage, kunstmatige beademing, defibrillatie en andere reanimatietechnieken de circulatie te herstellen, dan kan het leven van de patiënt gered worden. Bij een langdurig zuurstofgebrek van de hersenen treedt er wel een blijvend hersenletsel op maar is de patiënt niet overleden.

Ook bij openhartoperaties worden de functies van het hart tijdelijk overgenomen door de hart-longmachine. Bij kleine kinderen wordt het lichaam bij dergelijke operaties onderkoeld, zodat de circulatie zelfs geheel stil gezet kan worden. De opkomst van genoemde reanimatietechnieken heeft teweeggebracht, dat de afwezigheid van hartslag en ademhaling in genoemde situaties niet langer als volledige doodscriteria kunnen gelden. Kort na een hartstilstand kan soms door hartmassage en beademing het hart weer op gang gebracht worden. Toch zijn deze patiënten niet overleden. Dit alles heeft de geneeskunde geplaatst voor de noodzaak de doodscriteria te verfijnen tot het criterium van de totale hersendood. Als bij een beademingspatiënt de hersendood wordt vastgesteld is het gebruikelijk om de beademing te stoppen omdat de patiënt reeds overleden is.

Totale hersendood betekent dat alle functies zowel van de hersenschors (verbonden met onder andere het bewustzijn en het denken) als van de hersenstam (verbonden onder andere met de vitale lichaamsfuncties zoals ademhaling, regeling van bloeddruk en temperatuur) onomkeerbaar verloren zijn gegaan. Daarvoor is kennis nodig van de oorzaak van de hersendood (langdurige hartstilstand of een ernstig hersenletsel) en het verdere klinische beeld, dat wil zeggen: de ontwikkeling van de toestand en reacties op onderzoeken. Op de hersenscan worden dan uitgebreide afwijkingen gezien. Meestal kan de hersendood op deze wijze met voldoende zekerheid klinisch worden vastgesteld door de behandelende neuroloog of neurochirurg.

Wanneer er sprake is van orgaandonatie dienen er aanvullende onderzoekingen te worden gedaan.
De wijze waarop de hersendood moet worden vastgesteld is wettelijk uitvoerig voorgeschreven in het zogeheten protocol Orgaan/Weefseldonatie. Een uitvoerige verslaglegging vormt hiervan een onderdeel. Zo dient de dood te worden vastgesteld door middel van een uitvoerig klinisch neurologisch onderzoek. Verder dient er een EEG (elektro-encefalogram of hersenfilmpje) te worden vervaardigd waaruit blijkt dat de hersenen geen enkele elektrische activiteit meer vertonen, noch spontaan noch na het toedienen van sterke prikkels. Tevens moet ook een zogeheten apneutest afgenomen worden. Hierbij wordt door analyse van de bloedgassen vastgesteld dat er geen enkele vorm van spontane ademhaling plaatsvindt als de kunstmatige beademing wordt onderbroken (ook een zeer ernstig beschadigd ademcentrum vertoont dan nog enige activiteit). Het ontbreken van elke activiteit staat gelijk met het vaststellen van de dood. Als een van deze twee methoden niet uitvoerbaar is kan een röntgenonderzoek van de hersenen (hersenangiogram) waarbij contrastvloeistof wordt ingespoten in de halsslagaders aantonen dat er geen hersencirculatie meer aanwezig is. Dit laatste onderzoek wordt alleen verricht als er zekerheid bestaat dat de patiënt overleden is. Het is namelijk een ingreep die schadelijk is voor nog functionerende hersenen. Voor kinderen gelden nog extra bepalingen en dient het onderzoek na verloop van een aantal uren te worden herhaald.
Nadat de hersendood is vastgesteld, kunnen de uitgevallen hersenfuncties tijdelijk worden vervangen door de beademing en andere intensieve medische technieken te handhaven. Daardoor kunnen de inwendige organen van een overleden patiënt gedurende korte tijd in een redelijke conditie gehandhaafd worden voor transplantatiedoeleinden.
Een overleden orgaandonor, die voor de uitnameoperatie klaarligt, ziet er niet dood uit: hij of zij wordt kunstmatig beademd, heeft een normale roze gelaatskleur en een normale temperatuur. Urine wordt geproduceerd en infusen lopen. De aanstaande donor wordt gewoon op een bed op de intensive care intensief verpleegd. Medisch-technisch gezien zullen de organen worden verwijderd uit een lijk met een nog kloppend hart, een 'heart-beating donor' waarin de beademingsapparatuur de circulatie in stand houdt. Gevoelsmatig is dat echter meestal heel moeilijk te accepteren. De situatie is dan ook geheel anders dan die bij overledenen waarbij weefsels verwijderd worden enkele uren na het overlijden in een mortuarium en waarbij de familie op een normale wijze afscheid heeft kunnen nemen van de overledene. Indien het begrip hersendood eenduidig en volledig wordt gehanteerd, indien de arts de nabestaanden altijd via een EEG en andere onderzoekingen laat zien dat er geen hersenwerking meer is bij de warme, roze, schijnbaar levende, maar toch doodverklaarde donor, dan zal het vertrou-

wen in de medische stand blijven en angst voor donatie misschien verminderen. Hoewel alle medische organisaties waar ook ter wereld het criterium van de hersendood onderschrijven wordt dit niet overal geaccepteerd, bijvoorbeeld in Japan waar men dit concept strijdig acht met de heersende godsdienst, het shintoïsme. Ook in ons land zijn er mensen die de dood gelijkstellen met de onherstelbare uitval van ademhaling en circulatie en voor wie een hersendode dus niet feitelijk overleden is.
Tenslotte zij opgemerkt, dat een toestand van hersendood nooit verward mag worden met een *coma*. Bij een coma is de hersenstam nog intact en bestaan er nog soms minimale functies van de grote hersenen. Al het boven genoemde onderzoek is juist bedoeld om zekerheid te geven dat de patiënt niet comateus is maar hersendood.

3.3 Toestemming

Volgens de Nederlandse wet moet voor elke ingreep in het lichaam van de overledene toestemming worden gegeven. Om organen of weefsel bij een overledene te kunnen verwijderen is dus toestemming vereist. Tot de inwerkingtreding van de Wet op de orgaandonatie in 1996 was dit als volgt geregeld. Veel overledenen hadden tijdens hun leven een donorcodicil ingevuld. Een codicil is een laatste wilsbeschikking. Zo houdt een donorcodicil in, dat men vastlegt dat men na het overlijden organen beschikbaar stelt voor transplantatiedoeleinden. Het donorcodicil is geldig wanneer het met de hand geschreven is, van datum voorzien is en is ondertekend. Tijdens het leven kan een codicil uiteraard altijd nog herroepen of gewijzigd worden. Er is geen uniforme tekst voor een donorcodicil. Het hoeft ook niet per se op een bepaald formulier geschreven te zijn. Naar schatting hebben ooit ongeveer twee miljoen Nederlanders een donorcodicil ingevuld. Meestal gebeurde dit door middel van het invullen van een voorgedrukt codicil, uitgegeven door de Werkgroep Donorwerving. Uit enquêtes bleek dat bijna 80% van de Nederlandse bevolking wel bereid is een donorcodicil te schrijven, maar dit nog nooit heeft gedaan. Het vermoeden lijkt gerechtvaardigd, dat naast principiële bezwaren, ook laksheid en emotionele weerstanden belangrijke redenen hiervoor zijn.
De toestemming tot het uitnemen van organen van een overledene moest juridisch gezien aan de familie worden gevraagd. Het was dus raadzaam om bij het bezit van een donorcodicil de familie hiervan op de hoogte te stellen. Het codicil had namelijk geen wettelijke status en het was aan de familie om te beslissen of zij de wens van de overledene wilde respecteren. Als de familie geen toestemming gaf, mocht de uitname van organen niet plaatsvinden, ook al had de betreffende overledene een codicil. Een donorcodicil was ook geen vereiste om voor orgaandonatie gevraagd te worden want in dat geval mocht de familie

beslissen. Het nut van het codicil was voornamelijk het volgende: Wanneer de overledene zelf een codicil heeft ingevuld, zal de familie veel eerder toestemming geven omdat men dan handelt overeenkomstig de wil van de overledene. Bovendien hoeft de discussie over het wel of niet afstaan van organen niet plaats te vinden op een wel zeer ongeschikt moment en de aanwezigheid van een codicil kan veel tijd besparen. Dit is zeer belangrijk omdat de meeste organen snel uit het lichaam verwijderd moeten worden, willen ze nog geschikt zijn voor transplantatie-doeleinden.

Na het in werkingtreden van de Wet op de Orgaandonatie (WOD) in 1996 is deze procedure gewijzigd. In deze nieuwe wet wordt uitgegaan van een volledig-beslissysteem. Dit systeem houdt in, dat elke Nederlander die 18 jaar is geworden een formulier toegezonden krijgt door de overheid, waarop aangegeven kan worden of men na overlijden zijn organen en weefsels ter beschikking wil stellen, of dat men daartegen bezwaar heeft. Ook kan men die beslissing delegeren aan de familie of aan een met name genoemde vertegenwoordiger. Aan de achterzijde van het formulier kan men aangeven welke organen of weefsels men niet wil afstaan. Dit donorregistratieformulier wordt vervolgens naar een centraal registratiepunt gestuurd. Na overlijden kan dit centrale register worden geraadpleegd door hiertoe gemachtigde artsen. Het is altijd mogelijk tijdens het leven de vastgelegde verklaring te wijzigen. Niemand is verplicht de donorkaart terug te sturen. Ook de eigenhandig geschreven, gedagtekende en ondertekende verklaring zal rechtsgeldig blijven.

Als de overledene op geen enkele wijze bij zijn leven zijn wil heeft vastgelegd, zullen nabestaanden bevoegd zijn toestemming te geven of te weigeren. Deze bevoegdheid is niet bij de arts komen te liggen. Dat zou in feite neerkomen op een geen-bezwaar-systeem. Voor de arts geeft het wetsvoorstel meer zekerheid, omdat er duidelijkheid is over de wilsbeschikking en eventuele toestemming van de nabestaanden. Ook worden er procedures aangegeven die rond het overlijden en vaststellen van de dood gevolgd moeten worden als orgaandonatie zal plaatsvinden. De dood moet worden vastgesteld aan de hand van de volgens de laatste stand van de wetenschap geldende methoden en criteria voor het vaststellen van de hersendood.

Volgens het wetsvoorstel moet orgaandonatie tijdens leven met terughoudendheid worden benaderd. Als een donor blijvende gevolgen zal ondervinden, mag verwijdering van een orgaan of weefsel alleen plaatsvinden als de ontvanger in levensgevaar verkeert. Bovendien moet dit levensgevaar niet op andere wijze af te wenden zijn. Donatie door kinderen met blijvende gevolgen wordt verboden.

3.4 Selectie van ontvangers: criteria

Door de betere medische mogelijkheden, krijgen patiënten steeds eerder te horen dat ze in aanmerking komen voor orgaantransplantatie. De consequentie hiervan is dat de wachtlijsten langer worden. Het aanbod aan donororganen is afnemend en zo wordt het spanningsveld tussen vraag en aanbod steeds groter. Het probleem van de selectie wordt dan steeds dringender. Zo is er enige tijd sprake van geweest om bij patiënten boven de 55 jaar geen harttransplantaties meer te verrichten. Dit leeftijdscriterium is niet ingevoerd. Leeftijd op zich is inderdaad een dubieus criterium, maar selectie is wel noodzakelijk. Kan bijvoorbeeld iemand, wiens lever is verwoest als gevolg van alcoholisme, nog een levertransplantatie krijgen? Als we hiertoe niet bereid zijn, moeten we ook geen patiënten met longkanker meer behandelen die hun leven lang een verwoed roker zijn geweest. Zo simpel ligt dit alles echter niet. Bij Eurotransplant in Leiden wordt gekeken naar de medische urgentie, de medische prognose en de wachtlijst die de patiënt achter de rug heeft. Deze criteria worden echter vele malen doorkruist, omdat bloed en weefsel van donor en ontvanger op elkaar moeten aansluiten. Voor zover sociale factoren geen directe medische implicatie hebben, zijn ze ons inziens als selectiecriterium onaanvaardbaar.

3.5 Welke organen niet?

Een veelvoorkomende vraag is, of er organen en weefsels zijn die niet getransplanteerd mogen worden. In principe is de menselijke identiteit in elke lichaamscel aanwezig. Maar de menselijke identiteit komt in sommige cellen wel duidelijker tot uitdrukking dan in andere cellen. De geslachtsorganen die de geslachtscellen produceren (eierstokken bij de vrouw en testes bij de man) zijn hiervan een duidelijk voorbeeld. Bij transplantatie van die geslachtsorganen zou de ontvanger eventueel kinderen kunnen krijgen die genetisch nakomelingen zijn van de donor. Transplantatie van geslachtsorganen is daarom ongeoorloofd. Overigens vindt dat ook niet plaats. In geval van ongewenst kinderloosheid wordt meestal gebruik gemaakt van sperma, eicel of embryodonatie (wat onzes inziens evenmin geoorloofd is).

Ook de transplantatie van hersenweefsel wordt wel ethisch onaanvaardbaar genoemd, omdat de identiteit van de donor daarmee te zeer zou zijn verbonden. Dit bezwaar gaat op, wanneer het zou gaan om de transplantatie van bepaalde onderdelen van de totale hersenen, bijvoorbeeld hersenschors, middenhersenen, hersenstam en dergelijke. Maar zolang het doodscriterium totale hersendood is, is transplantatie van dergelijke hersenonderdelen per definitie onmogelijk (als die hersengedeelten nog leven is de patiënt per definitie nog niet overleden), of zinloos (als het weefsel dood is, is transplantatie zinloos). Dit nog afgezien van het feit dat het medisch-technisch (nog) onmogelijk is.

Het is een moeilijke vraag, of er met betrekking tot het geoorloofd zijn van transplantatie onderscheid is tussen de verschillende organen. Op dit gebied spelen gevoelens vaak een zeer belangrijke rol. Tegen het afstaan van huid of een hoornvlies zal gevoelsmatig minder weerstand bestaan dan tegen het afstaan van een hart. Het is een open vraag of er een principieel onderscheid is. Bij het invullen van een donorregistratieformulier bestaat overigens de mogelijkheid om aan te geven welke organen niet mogen worden uitgenomen.

3.6 De foetus als donor?

Het is bekend dat gezocht wordt naar mogelijkheden tot behandeling van onder andere Parkinson-patiënten door gebruik te maken van foetaal hersenweefsel. Dit weefsel is in de praktijk afkomstig van geaborteerde foetussen. De foetus wordt na een abortus gewoon vernietigd, dus daarom kun je er beter iets nuttigs mee doen, zo wordt geredeneerd. Het kind is ongewenst, kortom, maar de organen ervan niet. Foetaal weefsel bezit namelijk een enorme groei-activiteit en er zijn nauwelijks afstotingsreacties. In het buitenland zijn ook al gevallen bekend van het speciaal laten ontstaan van foetussen voor transplantatiedoeleinden. Vrouwen hebben zich zelfs spontaan aangeboden om foetussen voor patiënten met de ziekte van Parkinson te 'produceren'. Het resultaat van deze experimentele behandeling bij Parkinson-patiënten is echter zeer gering gebleken.

Maar met dergelijke ontwikkelingen wordt wel een gevaarlijke weg ingeslagen. Door het gebruik van weefsel van geaborteerde foetussen, wat niet kan zonder afspraken met de abortuskliniek, wordt men medeverantwoordelijk voor abortus provocatus. In de meeste gevallen vindt deze plaats om redenen die voor ons niet acceptabel zijn. Daarbij komt dat de foetus bij voorkeur levend moet zijn, om de hersencellen te kunnen gebruiken. Voor de foetus wordt dan het criterium van de volledige hersendood opzij gezet.

Een extra belemmering is dat het in het genoemde voorbeeld gaat om gebruik van hersenweefsel. Hier speelt dus ook de vraag naar de mate waarin de identiteit van de donor is verbonden met het betreffende hersenweefsel. Het schuldgevoel van vrouwen die twijfelen of ze een abortus zullen laten plegen, zal wellicht verminderd worden door de wetenschap dat de foetus nog een goed doel kan dienen. Maar het embryo is vanaf de bevruchting een menselijk wezen. Om die reden mag abortus provocatus op geen enkele wijze worden bevorderd, ook niet als het een goed doel zou kunnen dienen. De conclusie kan, het geheel overziende, alleen maar zijn dat het gebruik van geaborteerde foetussen als orgaandonor ongeoorloofd is.

3.7 Commercie en orgaantransplantatie

In Nederland is commercie op het gebied van orgaan- en weefseldonatie wettelijk verboden en dat standpunt wordt ook door alle organisaties die zich op dit terrein in West Europa bewegen onderschreven. Dit neemt niet weg, dat internationaal toezicht op handel in organen van groot belang blijft, want in veel arme landen, zoals India, komt deze praktijk voor. Mensen zonder geld worden door betaling verleid een orgaan af te staan. Soms doet men het om in het levensonderhoud van zichzelf of familie te kunnen voorzien. Dit kan tot schade zijn van zichzelf. En het zijn natuurlijk alleen de rijken, die het zich kunnen veroorloven om een orgaan voor transplantatie te kopen. Er zijn berichten bekend, met name uit Zuid-Amerika, dat niet alleen in organen maar zelfs in mensen gehandeld werd, om vervolgens hun organen te verkopen. Deze gruwelijke praktijken mogen absoluut niet voorkomen.

3.8 Menselijke stamcellen en orgaantransplantatie

Een tamelijk nieuwe ontwikkeling die voor de transplantatiegeneeskunde van grote betekenis zou kunnen zijn, is de opkomst van het onderzoek met menselijke stamcellen. De discussie hierover is vooral losgemaakt door een advies van de Gezondheidsraad dat op 26 november 1997 is uitgebracht. Dat advies heeft betrekking op het wetsvoorstel inzake handelingen met menselijke geslachtscellen en embryo's dat in 2002 is aangenomen. Aanvankelijk werd in dat voorstel het gebruik van menselijke embryo's voor onderzoek alleen toegestaan voor onderzoek betreffende verbetering van de kennis van (on)vruchtbaarheid, kunstmatige voortplanting en erfelijke of aangeboren afwijkingen.
In het genoemde advies bepleit de Gezondheidsraad ook embryo-onderzoek toe te staan dat is gericht op het kweken van zogenaamde embryonale stamcellen. Dit zijn cellen van een bepaald deel ('inner cell mass') van een embryo van enkele dagen oud, die de oorsprong zijn van alle weefsels en organen die in het menselijk lichaam worden gevormd. Met embryonale stamcellen van de muis wordt al jarenlang veel onderzoek gedaan. Een belangrijke toepassing is het introduceren van nieuwe erfelijke eigenschappen in muizen, die ook op volgende generaties worden overgedragen. Onderzoek van zulke genetisch gemodificeerde muizen is van onschatbare betekenis voor medisch-biologisch onderzoek.
Met embryonale stamcellen van muizen wordt ook onderzoek verricht naar de manier waarop die stamcellen zich stapsgewijs ontwikkelen in de richting van de honderden verschillende celsoorten van een volwassen individu. Voorgesteld werd in genoemd advies – en in het wetsvoorstel werd dat deels overgenomen – om ook uit menselijke embryo's zulke stamcellen te isoleren en in het laboratorium te kweken. Men voert verschillende redenen aan om dat te gaan doen.

In de eerste plaats kan men gekweekte menselijke embryonale stamcellen, net als bij de muis, gebruiken om onderzoek te doen naar normale en abnormale ontwikkeling van stamcellen in het vroege embryo tot gespecialiseerde cel in het kind als het wordt geboren (bijvoorbeeld spiercel, levercel, hersencel). Zulk onderzoek zal het inzicht verdiepen in het ontstaan van kanker en in de wijze waarop allerlei aangeboren en erfelijke afwijkingen ontstaan en tot uiting komen. Ten tweede zouden de stamcellen ook kunnen worden gebruikt als startmateriaal voor het kweken van verschillende soorten cellen voor transplantatie. Patiënten met een aandoening die samenhangt met het niet goed meer functioneren van bepaalde typen cellen, zouden hiermee behandeld kunnen worden. Bijvoorbeeld patiënten met de ziekte van Parkinson.
Sommige onderzoekers menen nu dat door het kweken van embryonale stamcellen een in principe onbeperkt aanbod gecreëerd kan worden van cellen waarmee patiënten behandeld zouden kunnen worden. Het zou vooralsnog overigens alleen gaan om patiënten die met *cellen* geholpen zouden zijn. Het kweken van *vaste organen* als bijvoorbeeld een nier is nu in elk geval nog niet mogelijk. Van een met deze methode werkelijk opheffen van het tekort aan organen voor transplantatie is voorlopig helemaal geen sprake. De onderzoekers zelf zijn tamelijk realistisch, maar in de media ontstaat gemakkelijk een veel te optimistisch beeld. Bij het gebruik van weefsels die gekweekt zijn uit embryonale stamcellen van overblijvende embryo's, zal de immunologische afstoting een probleem blijven, zoals bij alle weefsel- en orgaantransplantatie. Technisch zou dit probleem opgelost kunnen worden als het te transplanteren weefsel genetisch identiek zou zijn aan de ontvanger/patiënt. In theorie zou dat mogelijk zijn door de kloneringstechniek à la Dolly ('stem cell nuclear transfer') te combineren met embryonale stamcelkweek. Een celkern van een patiënt zou men dan in een ontkernde eicel brengen en die vervolgens stimuleren tot een embryonale ontwikkeling. Het aldus tot stand gebrachte embryo zou een kloon zijn van de patiënt – diens eeneiige tweeling maar dan zovele jaren later tot stand gebracht. Uit dit kloonembryo zou men vervolgens embryonale stamcellen in kweek kunnen brengen, waarvan men de verdere ontwikkeling stuurt in de richting van die weefsels die in de patiënt niet goed functioneren en die men zou willen vervangen. Anders gezegd, het kloonembryo wordt de bron van nieuwe cellen waarmee de patiënt behandeld kan worden. In dit verband is in de literatuur wel gesproken van 'therapeutisch kloneren'. Hierbij worden dus geen kloonbaby's geboren, dat wordt dan 'reproductief kloneren' genoemd. (Dit is in feite een pleonasme aangezien kloneren per definitie een vorm van voortplanting is. Ook bij 'therapeutisch kloneren' is sprake van voortplanting, maar men vernietigt dan het embryo voordat het in de baarmoeder wordt overgebracht; er wordt dan geen kloonbaby geboren.) Maar duidelijk is dat het therapeutische bedoeld is voor de donor van de

celkern, niet voor het kloonembryo dat opgeofferd wordt ten behoeve van de patiënt.
Internationaal vinden momenteel discussies plaats over regulering van deze techniek.
Sommige onderzoekers, en biotechnologische en farmaceutische bedrijven en groepen van patiënten willen de mogelijkheden van 'therapeutisch kloneren' openhouden. Andere groepen, waaronder godsdienstige groeperingen, de prolife beweging, feministische en 'groene' groepen, pleiten voor een volledig verbod op alle vormen van kloneren. Wij sluiten ons bij hun pleidooi aan. In het kort bestaan daarvoor de volgende redenen.

a. Op grond van de volledige beschermwaardigheid van het menselijke embryo (zie hfdst. 2) wijzen wij het instrumentele gebruik van embryo's af. Dit geldt zowel overtollige embryo's als – in nog sterkere mate – het tot stand brengen en verbruiken van kloonembryo's. Dit laatste betekent immers dat een embryo totaal instrumenteel tot stand gebracht en gebruikt wordt. Dat nu in de praktijk 'overtollige' embryo's feitelijk beschikbaar zijn, is het gevolg van ethisch onverantwoorde handelingen. Het 'nuttige' gebruik betekent een medeplichtigheid daaraan.
b. Het zal heel moeilijk te controleren zijn of er geen kloonembryo's voor de voortplanting worden gebruikt en de druk van paren die alleen via deze weg een kind kunnen krijgen zal groot zijn.
c. Als therapeutisch kloneren wel, maar reproductief kloneren niet wordt toegestaan (en een verbod op dit laatste krijgt brede steun) dan zou er een wettelijke verplichting bestaan om embryo's die via de kloontechniek in het leven zijn geroepen, te doden voordat ze geboren worden. Een bizarre situatie.
d. Voor therapeutisch kloneren heeft men eicellen nodig. Het is allerminst denkbeeldig dat er een aanzienlijke vraag van of zelfs druk op vrouwen zal ontstaan om eicellen te doneren. Reeds nu wordt in de VS veel geld gegeven aan vrouwen die een ovulatiestimulering en puncties ten behoeve van het oogsten van eicellen willen ondergaan.
e. De laatste jaren heeft het onderzoek met zogenaamd lichaamsstamcellen (met een anglicisme ook wel 'adulte stamcellen' genoemd) een grote vlucht genomen. Dergelijke gespecialiseerde stamcellen die in ieder weefsel voorkomen en die zorgen voor het normale proces van vernieuwing van het weefsel, blijken veel flexibeler dan vroeger gedacht. Ze blijken (meestal) niet zo weefselspecifiek te zijn als men vermoedde. Voor beenmerg wordt deze methode al jaren toegepast. Ook stamcellen uit navelstrengbloed blijken zich in een heel aantal verschillende typen cellen te kunnen ontwikkelen. Beenmerg stamcellen blijken zich te kunnen ontwikkelen in skeletspier, hersenmicroglia en -astroglia en levercellen. Er is enkele jaren geleden zelfs een celtype geïsoleerd uit been-

merg dat zich in (vrijwel) elk celtype dat in het lichaam voorkomt lijkt te kunnen ontwikkelen. Ook stamcellen uit andere weefsels, bijvoorbeeld uit een bepaald weefsel in de neus en uit hersenen blijken zich tot diverse celtypen te kunnen specialiseren.

Al met al lijken voor de behandeling van patiënten de lichaamsstamcellen een veel beter perspectief te bieden dan embryonale stamcellen. Daarop zou dan ook het onderzoek nu vooral gericht moeten worden.

4. *Besluit*

Door de transplantatiegeneeskunde is het voor veel mensen mogelijk geworden een levensreddende behandeling te ondergaan. Voor een groot aantal weefsels en organen geldt dat succesvolle transplantaties mogelijk zijn. Het traject van orgaanuitname tot orgaanimplantatie is omgeven met hoogwaardig medisch en logistiek optreden. Tegelijkertijd roept de transplantatiegeneeskunde veel vragen op. Wetenschap en techniek zijn overheersend geworden. Men verwacht er de oplossing van alle problemen van. Op alle mogelijke manieren wordt gestreefd naar het verwijderen van het lijden uit deze wereld. Maar het opheffen van het lijden, hoe belangrijk op zichzelf ook, is een lagere waarde dan het handhaven van de geboden van God.

Wat ons kan tegenstaan is de toon waarin de propaganda wordt gezet. Een toon van goedwillende humaniteit en van eenzijdige gerichtheid op het lichamelijke bestaan. Alsof wij met het afstaan van onze organen het geluk van een ander echt kunnen bevorderen, zijn of haar leven kunnen 'redden', in de volle zin van het woord. Alleen door de Here Jezus kan gezegd worden: 'Ik voor u, daar gij anders de eeuwige dood had moeten sterven.' We moeten de orgaandonatie niet zo'n draai geven, dat het een goede daad zou zijn die de dood zin zou geven. Het feit dat de mens moet sterven blijft een oordeel van God. Tegelijkertijd is de dood de laatste vijand die door Christus onttroond zal worden (1 Kor. 15: 26). Het moet ons niet gaan om de zingeving van het eigen sterven. Noch om een streven naar levensverlenging als hoogste waarde.

In een christelijke benadering zullen we ons bewust moeten zijn van het feit dat de God van het leven eerbied vraagt, voor Zichzelf en voor ieder mens, omdat die is geschapen naar Zijn beeld. Vanuit deze relatie tot God is er de oproep onze naaste lief te hebben als onszelf. Orgaandonatie kan als een uiting hiervan opgevat worden. Toch mag ons inziens in de oproep tot naastenliefde niet zonder meer een oproep tot orgaandonatie worden gelezen. Iedereen zal in vrijwilligheid een keuze moeten kunnen maken omtrent het afstaan van organen na overlijden. Onze keus moet een beslissing in geloof zijn, te nemen in de weg van bestudering van Gods Woord en van gebed. Een ieder zij in zijn eigen geweten ten volle verzekerd.

Eeuwig leven is een hoger goed dan een nieuw orgaan. Het is het belangrijkste te mogen weten dat als de tekenen van verval in het lichaam zich gaan vertonen, we een gebouw van God hebben, niet met handen gemaakt, maar een eeuwig huis in de hemelen.

Met de invoering van de Wet op de Orgaandonatie had men gehoopt het tekort aan donororganen op te heffen. De verwachting was dat de Nederlandse bevolking zich massaal als donor zou laten registreren. Om dit te bereiken wordt ook veel aandacht besteed aan goede voorlichting aan patiënten, maar vooral ook aan artsen.

Het tegendeel echter was het geval en op dit moment is minder dan 20 procent van de Nederlanders ouder dan achttien jaar als donor geregistreerd. Bovendien blijken steeds minder families toestemming te geven voor orgaandonatie als die beslissing aan hen is. Blijkbaar wordt het feit dat een overledene zich niet heeft laten registreren door veel families uitgelegd als een weigering. Door de organisaties die zich inzetten voor de orgaan- en weefseltransplantatie wordt dit met lede ogen aangezien. Men spreekt van een 'verkeerde wet' en streeft naar een wetswijziging in de zin van een geen-bezwaarsysteem, zoals dat ook onder andere in België geldt. Dit houdt in, dat organen na overlijden mogen worden uitgenomen, tenzij de betrokkene zich daar uitdrukkelijk tegen heeft uitgesproken. Registratie van deze bezwaren zou plaatsvinden in een centraal register. Men wordt dan als het ware verplicht te beslissen. Van het afstaan van organen als daad van naastenliefde is dan geen sprake meer. Dit is ook in strijd met grondwettelijke regels, die de onaantastbaarheid van het menselijk lichaam en de persoonlijke levenssfeer willen beschermen. Bovendien zou men dan voorbijgaan aan het zelfbeschikkingsrecht (voor ons is dit niet het grootste probleem; we hadden het zelfbeschikkingsrecht als ethisch principe immers afgewezen ten gunste van het respect voor het menselijk lichaam en de erkenning van de eigen verantwoordelijkheid van ieder mens, ook ten opzichte van het eigen lichaam). Een dergelijke dwang kan wellicht de houding van positief naar negatief doen omslaan. In februari 2002 werd dit probleem uitvoerig besproken in de Tweede Kamer. De meerderheid vond wetswijziging niet aan de orde. De minister werd gevraagd maatregelen te nemen om de procedures te verbeteren.

Literatuur

C. Hoffer, *Levensbeschouwing en orgaandonatie. Een vergelijking van joodse, christelijke, islamitische en humanistische opvattingen*, Alblasserdam: Dutch University Press/Amsterdam: Rozenberg Publishers [distr.], 2002
Th.A. Boer, *Orgaan- en weefseldonatie. De balans na een jaar WOD*, Zeist: CVZ, 1999.
D. Pranger, Kerken en orgaandonatie, uitgave Nierstichting, 3e druk, 1998.
A.A. Teeuw, *Wilt u donor zijn?*, Heerenveen: uitgeverij J.J. Groen en Zoon, 1998.
H. Jochemsen, Embryo-onderzoek ten gunste van IVF en preïmplantatie genetische diagnostiek? *Pro Vita Humana,* 1998; 5, nr.6: 159-163.
Centraal Begeleidingsorgaan voor de Intercollegiale Toetsing, Nederlandse Transplantatie Vereniging, *Protocol Orgaan/weefseldonatie*, Den Haag, 1997.
E.J. Westerman, T. van Laar, H. Jochemsen, *De foetus als donor?* Lindeboomreeks deel 7. Amsterdam: Buijten & Schipperheijn, 1995.
A.R. van Netten, *De meest gestelde vragen over orgaan- en weefseldonatie*, Hilversum: Stichting Orgaan- en weefseldonorvoorlichting, 1994.
R. Seldenrijk, *Organen en weefsels op reis. Een medisch-ethische afweging van de transplantatiegeneeskunde*, Leiden: uitgeverij J.J. Groen en Zoon, 1993.

ooo 7 ooo

Medisch onderzoek met mensen

1. Inleiding

De vooruitgang in de geneeskunst in sterke mate afhankelijk van de ontwikkeling van de medische wetenschap. Deze wetenschap kan zich niet ontwikkelen zonder wetenschappelijk onderzoek. In de geneeskunde kan dit betekenen dat in het chemisch of biochemisch laboratorium onderzoek gedaan wordt naar scheikundige verbindingen die misschien tot nieuwe geneesmiddelen ontwikkeld kunnen worden. Het kan ook betekenen dat onderzoek met dieren of mensen wordt gedaan. Het gaat dan om het testen van nieuwe operatietechnieken, nieuw instrumentarium of ook nieuwe geneesmiddelen. Het kan ook gaan om onderzoek van lichaamsmateriaal van patiënten (of gezonde vrijwilligers). Soms is dit materiaal afgenomen in het kader van een behandeling (bijvoorbeeld een zieke galblaas of een tumor); soms betreft het materiaal voor genetisch onderzoek naar bepaalde familiair voorkomende ziekten bij op dat moment (nog) gezonde mensen.
Wanneer onderzoek met dieren gedaan wordt, is dit gebonden aan strenge regels die neergelegd zijn in een wet (de kaderwet Wet op de dierproeven uit 1977; de uitvoering van deze wet werd geregeld in het begin 1986 van kracht geworden Dierproevenbesluit).
Uiteindelijk is, na een zeer lange voorbereidingsperiode, per 1 december 1999 een Wet medisch-wetenschappelijk onderzoek met mensen (WMO) van kracht geworden, waarin regels zijn neergelegd waaraan men zich dient te houden bij onderzoek waarbij mensen (zowel zieken als ook gezonden) betrokken zijn.
Door de ontwikkeling van het medisch-wetenschappelijk onderzoek is er in de geneeskunde een spanning ontstaan. Immers, het primaire doel van de geneeskunde is hulpverlening; het behandelen van, en het verlenen van zorg aan individuele patiënten. Dat is dus een ethische handeling. Maar wetenschappelijke experimenten worden niet in de eerste plaats ondernomen in het belang van de betreffende individuele patiënt. Er moet wel een belang voor patiënten zijn, anders mag er geen onderzoek worden gedaan. Maar wetenschappelijke experi-

menten zijn in principe gericht op het doel algemene, wetenschappelijke kennis te vergaren. We zullen nog terugkomen op deze spanning. Dokters die patiënten behandelen kunnen immers tegelijkertijd onderzoek doen. Het is soms voor de patiënt niet helemaal duidelijk of zijn dokter dingen doet in het kader van een behandeling of van een onderzoek. Hierover mag bij patiënten echter geen misverstand bestaan, sterker nog, een behandelaar mag niet tegelijkertijd onderzoeker zijn van een en dezelfde patiënt en omgekeerd. Ook hierop komen we nog terug. Nu eerst meer over medisch onderzoek met patiënten.

2. *Onderzoek in de zorgverlening*

2.1 Doel

Het doel van een experiment is het verkrijgen van specifieke kennis, die eventueel later patiënten ten goede kan komen, maar hier nu niet in de eerste plaats voor bedoeld is. De medisch onderzoeker is dus iemand anders dan de medisch behandelaar. Aangezien artsen in de medische praktijk ook vaak onderzoek doen is het gevaar aanwezig van een dubbelrol. De patiënt zou kunnen denken dat de arts zijn individuele welzijn en belang op het oog heeft, terwijl het de arts in de eerste plaats te doen is om het verkrijgen van kennis, niet direct ten bate van deze patiënt. De rol van de arts waar de patiënt mee te maken krijgt, dient wel heel duidelijk te zijn. De patiënt moet hierover (en over enkele ander dingen) uitvoerig worden ingelicht. De nieuwe wet geeft hiervoor heel duidelijke voorschriften.

De wet schrijft voor dat voorgenomen wetenschappelijk onderzoek moet worden getoetst door een lokale Medisch-Ethische Toetsings Commissie (METC). Deze commissies, die in de meeste grote ziekenhuizen en wetenschappelijke instituten aanwezig zijn, moeten aan bepaalde voorschriften voldoen, onder meer qua samenstelling. Volgens de WMO moeten in elk geval deel uit maken van een METC; artsen, rechtswetenschappers, personen die de methodologie van wetenschappelijk onderzoek als vakgebied hebben (klinisch epidemiologen en biostatistici), ethici en mensen die het voorgestelde onderzoek van de kant van de patiënt of proefpersoon kunnen beoordelen. Deze commissies dienen te worden goedgekeurd door de ook bij wet ingestelde Centrale Commissie Medisch Wetenschappelijk Onderzoek met Mensen (CCMO), die in den Haag zetelt (art. 16 WMO).

De lokale toetsingscommissies toetsen of aangemeld onderzoek wel op de juiste wijze is opgezet, of het zal leiden tot het beoogde doel en of het wetenschappelijk relevant en ethisch toelaatbaar is. Onderzoek kan pas starten na toestemming van een METC (art. 2 WMO); soms kan een onderzoek pas starten na toestemming van de CCMO. Bij dit laatste valt te denken aan niet-therapeutisch onderzoek en placebo-gecontroleerd onderzoek met wilsonbekwamen, onderzoek met betrekking tot gentherapie en xenotransplantatie). Ook zijn de Algemene Wet Bestuursrecht (AWB) en de Wet Openbaarheid van Bestuur (WOB) van toepassing op dit onderzoek.

In sommige ziekenhuizen, meestal de kleinere, hielden de medisch-ethische commissies zich zowel met onderzoek als ook met vragen rondom de patiëntenzorg bezig. Dit is met de nieuwe wet onmogelijk geworden. In de grote ziekenhuizen, en zeker in de academische, waren er van oudsher al verschillende commissies (de eerste METC in Leiden in 1977); een toetsingscommissie voor onderzoek en een andere commissie die zich met ethische vragen in de patiëntenzorg bezighield. Over deze laatste commissies kan iets in hoofdstuk 1 worden gelezen.

In dit hoofdstuk willen we nader ingaan op het medisch-wetenschappelijk onderzoek met mensen, op de regels die daarvoor gelden en op de toetsing door Medisch Ethische Toetsings Commissies. We beginnen met een korte uiteenzetting betreffende de aard van het experiment in de geneeskunde en een kort historisch overzicht waaruit zal blijken dat het stellen van regels voor dit onderzoek zeer nodig is. Sommige onderzoekers menen dat de regels nu zo strikt zijn dat ze wetenschappelijk onderzoek eerder verhinderen dan bevorderen. Men meent dat ook de Wet op de Geneeskundige Behandel Overeenkomst (WGBO) dit allemaal nog erger gemaakt heeft. Dat wij een andere mening zijn toegedaan, zal uit het vervolg blijken.

2.2 Het experiment in de geneeskunde

Om te beginnen kunnen we onder medische experimenten onderscheid maken tussen therapeutische en niet-therapeutische experimenten, ofwel het medisch-praktische experiment en het medisch-wetenschappelijke experiment.

Het medisch-praktische experiment wordt verricht met het oog op een medisch onderzoek van een patiënt of een medische behandeling. De basis hiervoor wordt gevormd door de arts-patiëntrelatie. De vraag die we stellen is: wat is er met *deze* patiënt aan de hand en wat moet er *in dit concrete geval* worden gedaan? De legitimering van dit experiment en ook de reden dat de patiënt hierin toestemt is de relatie tussen de patiënt en zijn/haar dokter. De patiënt verwacht voordeel, namelijk genezing of verbetering van zijn/haar situatie. De dokter past de bij het onderzoek verkregen kennis direct toe op *deze* patiënt. We spreken dan ook wel van een therapeutisch experiment. Het zou verkeerd zijn als de dokter de arts-patiënt relatie in dit geval zou misbruiken om algemene kennis en inzicht te verwerven, die niet van belang zou zijn voor *deze* patiënt.

Bij het medisch-wetenschappelijk experiment fungeert de zieke of gezonde als proefpersoon. De basis voor wat er in deze verhouding gebeurt is niet de arts-patiëntrelatie maar de relatie onderzoeker-proefpersoon. De proefpersoon is van belang omdat hij bepaalde ziekte- en/of genezingsverschijnselen vertoont. Het doel van de onderzoeker is niet het heil van *deze individuele* patiënt of proefpersoon, maar het verwerven van algemene kennis, los van het individu. Of de ziekte die de patiënt heeft te genezen is, interesseert de onderzoeker in eerste instantie op dat moment niet. Het verwerven van kennis is het doel en niet de toepassing van die kennis. In een dergelijk geval spreken we ook wel van een niet-therapeutisch experiment.

We zien meteen dat verschillende experimenten verschillen beoordeeld moeten worden. Ethisch gezien heeft de onderzoeker dan ook niet zomaar de vrije beschikking over de mens als experimenteerobject, en dat geldt ook voor delen van de mens zoals bloed, andere lichaamsvloeistoffen en -weefsels, cellen, en dergelijke. Het beschikken over deze zaken is ethisch gezien dus alleen toelaatbaar op basis van een vrije, verantwoorde en goed geïnformeerde beslissing van de betrokkene. We spreken in zo'n geval van '*informed consent*'. Onder 'informed consent' dient men te verstaan *toestemming, gegeven nadat adequate informatie over al datgene, dat zal worden verricht, is verstrekt.* Hieraan dient dan nog te worden toegevoegd dat degene die de inlichtingen geeft, er zich van dient te overtuigen dat deze ook begrepen zijn.

De informed consent procedure is van cruciaal belang en er wordt door METC's dan ook scherp op gelet dat deze procedure waarlangs de proefpersoon toestemming geeft goed verloopt. Het doel van de hele procedure kan als volgt worden samengevat:

a. De individuele zelfstandigheid van patiënt of proefpersoon wordt bevorderd.
b. De status van de patiënt of proefpersoon wordt beschermd.
c. Fraude en dwang worden vermeden.
d. De onderzoeker wordt gedwongen om in zijn/haar handelen zo nauwkeurig mogelijk te zijn.
e. Beslissingen worden op rationele gronden genomen.
f. Het grote publiek wordt bij de zaak betrokken.

Bij de beoordeling van de inhoud van het informed consent let de commissie op de volledigheid en objectiviteit van de geven voorlichting, op de woordkeus (begrijpelijk Nederlands en geen potjeslatijn). De volstrekte vrijwilligheid van de medewerking moet worden benadrukt en ook het recht om de medewerking te allen tijde te beëindigen zonder dat dit invloed heeft op de behandeling of bejegening. Er moet tijd worden gegeven om na te denken alvorens toestemming te geven en ook dient de mogelijkheid te worden geboden om met een onafhankelijk arts, indien gewenst, te overleggen. De te verwachten ervaringen of mogelijke bijwerkingen tijdens het onderzoek moeten worden uitgelegd. De voorlichting moet schriftelijk worden gegeven, hoge uitzonderingen daargelaten. Zowel de onafhankelijk arts (expliciet vereist onder de nieuwe wet) als de onderzoeker moeten altijd bereikbaar zijn voor de patiënt/proefpersoon tijdens het onderzoek. Toetsing van medisch wetenschappelijk onderzoek moet ook aan andere eisen voldoen voor een METC besluit dat het mag plaatsvinden; daarover komen we later in dit hoofdstuk te spreken.

2.3 De praktische uitvoering van onderzoek

Medisch-wetenschappelijk patiëntgebonden onderzoek, ook wel *clinical trial* genoemd, is iedere vorm van gepland onderzoek waarbij patiënten betrokken zijn. Het dient ertoe om de meest geschikte manier van behandeling te vinden van toekomstige patiënten met een bepaalde ziekte. Essentieel hierbij is dat de resultaten, behaald bij een beperkt aantal patiënten, gebruikt worden om uit te maken hoe de algemene patiëntenpopulatie met de bepaalde ziekte in de toekomst behandeld moet gaan worden. Of de resultaten van een nieuwe behandeling beter zijn dan die van de bestaande therapie wordt statistisch aangetoond. In plaats van naar het lot van de individuele patiënt, wordt dus naar de statistiek van de groep gekeken. Er zullen ook patiënten zijn die geen baat ondervinden van een bepaalde behandeling, ondanks het feit dat de grote meerderheid van de patiënten er wel baat bij heeft. Hoewel dit de minst slechte manier is om iets aan te tonen, dient men altijd te bedenken dat een mens geen statistiek is; wat voor de een geldt, behoeft niet noodzakelijkerwijs ook voor de ander te gelden.
Men onderscheidt bij de clinical trial vier fasen:
Fase I: Dit is onderzoek dat gebeurt bij gezonde vrijwilligers. Het gaat primair om de veiligheid van een geneesmiddel en nog niet om de effectiviteit. Hoeveel van het middel kunnen we geven zonder ernstige bijwerkingen. Gekeken wordt naar wat het lichaam met de stof doet en hoeveel van de stof er beschikbaar komt na diverse manieren van toediening van de stof. Later worden doseringsschema-'s getest. Eerst hierna wordt het middel aan de eerste patiënten gegeven.
Fase II: Dit is een tamelijk kleinschalig onderzoek naar de effectiviteit en de veiligheid van een middel bij patiënten.
Fase III: Nadat het nieuwe medicijn effectief is gebleken, wordt het vergeleken met de huidige standaardbehandeling voor een bepaalde aandoening. Dit vereist veel meer patiënten.
Fase IV: Dit is onderzoek dat wordt verricht nadat het nieuwe middel al geregistreerd is. Het betreft onderzoek naar bijwerkingen en lange termijn studies naar morbiditeit en mortaliteit.

Er zijn met andere woorden belangrijke vroege studies met mensen nodig (fase I en II) met hun eigen bijzondere logistieke, ethische en wetenschappelijke problemen, alvorens fase III kan worden ingegaan. Fase III-studies moeten vergelijkende studies zijn, hetzij met een standaardbehandeling of, indien deze niet bestaat, met een onbehandelde groep patiënten. Ook kan men een groep patiënten een onwerkzaam middel, een fopmiddel ofwel placebo genoemd, geven. De patiënten moeten bovendien 'gerandomiseerd' worden, dat wil zeggen via het lot in een van beide onderzoeksgroepen geplaatst worden (ook wel 'armen' van de studie genoemd).
Nog enkele begrippen die bij onderzoek van belang zijn, moeten hier genoemd worden. Een onderzoek kan retrospectief dan wel prospectief worden opgezet. In een retrospectieve studie worden de gegevens van vroeger behandelde patiënten uit de ziektegeschiedenissen gehaald en bewerkt om tot bepaalde conclusies te komen. Men zou zo kunnen vinden dat bijvoorbeeld 90% van de op een bepaalde manier behandelde patiënten na vijf jaar nog in leven is. Het zijn dus conclusies achteraf. Het aanvankelijke doel was behandeling. Eerst achteraf worden de gegevens voor onderzoek bewerkt. In een prospectieve studie wordt eerst een plan gemaakt, een behandelprotocol geschreven en vervolgens worden vanaf dat moment een aantal patiënten op een tevoren bepaalde speciale wijze behandeld. De resultaten daarvan worden onderzocht en vergeleken met een andere behandeling, bijvoorbeeld met een behandeling die een andere groep patiënten in dezelfde tijd krijgt. Door statistische bewerking van de aldus gevonden resultaten kan worden bepaald of de verschillen op meer dan op toeval alleen berusten (of de verschillen 'significant' zijn).
Ook kennen we het begrip blindering. Om dit te verduidelijken nemen we een grote groep patiënten die op grond van een bepaalde aandoening geschikt bevonden worden om deel te nemen aan een onderzoek naar de werkzaamheid van een nieuw geneesmiddel voor die ziekte. Dit middel wordt vergeleken met een 'nep'-middel, een placebo, dat niet tegen de ziekte werkt. Door het lot wordt bepaald welke patiënt het geneesmiddel en welke de placebo krijgt. De patiënt weet van tevoren niet welk middel hij zal krijgen. We spreken dan van een enkele blindering, deze betreft alleen de patiënt. Wanneer daarbij de dokter ook niet weet welke patiënt hij wat geeft, spreken we van een dubbele blindering. Er is dan sprake van een dubbel blind onderzoek, dat ook nog prospectief en gerandomiseerd kan zijn. Natuurlijk is wel bij iemand anders bekend wie wat krijgt maar niet bij de onderzoeker(s). Als er plotseling vervelende, onverwachte bijwerkingen op zouden treden moet de codering doorbroken kunnen worden om te zien wat er aan de hand is.
Opzet en uitvoering van een onderzoek kunnen in de volgende punten worden samengevat:

1. Definieer het doel van het onderzoek. Formuleer de specifieke hypothese(n) die moet(en) worden onderzocht.

2. Ontwerp vervolgens het onderzoek. Schrijf een protocol waarin precies staat wat moet worden gedaan. In dit protocol moet aandacht worden besteed aan de wetenschappelijke, juridische, logistieke en ethische aspecten.
   Hierna kan een wetenschapscommissie het plan toetsen op zijn wetenschappelijke waarde. Is de beantwoording van de vraag van belang? Kan de vraag nadat het onderzoek is afgelopen inderdaad worden beantwoord? Nemen voldoende patiënten deel om statistische bewerking van de gegevens mogelijk te maken? Et cetera.
   Hierna gaat het plan naar een medisch-ethische toetsingscommissie (METC) voor ethische toetsing. Wanneer beide commissies hun toestemming hebben gegeven:
3. wordt het onderzoek daadwerkelijk uitgevoerd, waarbij vooral gelet moet worden op een goede organisatie van het geheel;
4. worden de gegevens geanalyseerd; de specifieke hypothese wordt statistisch getoetst;
5. worden conclusies getrokken en de resultaten gepubliceerd.

3. Medisch-ethische toetsing

3.1 Historie

In het recente verleden zijn regels en voorwaarden vastgesteld waaronder onderzoek gedaan mag worden en waarbuiten onderzoek verboden is. Het is van belang vast te stellen dat er regels gekomen zijn om ernstige, mensonterende uitwassen in 'medisch-wetenschappelijk onderzoek' te voorkomen en onmogelijk te maken. Wanneer we over regels spreken kunnen we denken aan de Neurenberger Code uit 1947, wat eigenlijk helemaal geen code was maar een uittreksel uit een vonnis gewezen in het proces tegen nazi-artsen in Neurenberg na de Tweede Wereldoorlog. De meest bekende code is de Declaratie van Helsinki uit juni 1964, geamendeerd en opnieuw vastgesteld in Tokio in oktober 1975, in Venetië in oktober 1983, in Hongkong in september 1989 en in Somerset West in Engeland in 1996.
Voor de volledigheid kunnen we ook nog de 'Good Clinical Practice' (GCP) noemen, een Europese richtlijn uit 1991, die vooral regels geeft voor geneesmiddelenonderzoek, de nieuwe Wet Bescherming Persoonsgegevens, over de bescherming van de privacy van persoonsgegevens en de 'Code Goed Gebruik' uit 2002, die regels geeft voor gebruik van lichaamsmateriaal voor onderzoek.
Aanleiding tot het vaststellen van regels was een aantal nu overbekende en mensonterende, verwerpelijke onderzoekingen uit het recente verleden. Enkele voorbeelden:

- Medische experimenten met krijgsgevangenen in de nazi-concentratiekampen in de Tweede Wereldoorlog (experimenten met tweelingen, infectieziekten en de onderkoelingsexperimenten zijn maar enkele voorbeelden).
- Tussen 1945 en 1947 werden injecties met radioactief plutonium toegediend aan 18 ongeneeslijk zieke patiënten van wie er maar 1 zijn toestemming gegeven had. Dit in 1976 in de publiciteit gekomen onderzoek had tot doel de uitwerking van radioactieve straling op mensen na te gaan, ten behoeve van mensen die werkten in de nucleaire industrie aan de vervaardiging van kernbommen.
- Het zgn. Tuskegee-experiment waarbij een groep negers met de geslachtsziekte syfilis meer dan 25 jaar onbehandeld werd gelaten om de effecten van de ziekte op de lange duur te kunnen beoordelen. Toen in 1945 de penicilline als behandelingsmogelijkheid ter beschikking kwam werd dit niet gegeven om het onderzoek niet te verstoren. Publicatie van een en ander in 1973.
- Het zgn. Willowbrook-experiment uit 1956. Zwakzinnige kinderen werden, weliswaar met toestemming van hun ouders, besmet met hepatitis.
- In 1963 injecteerden artsen in het Jewish Chronic Disease Hospital in Brooklyn, levende kankercellen bij 22 patiënten, zonder dat deze waren geïnformeerd en zonder dat ze dus hun toestemming hiervoor gegeven hadden. Het doel van het experiment was het meten van de capaciteit van het lichaam om lichaamsvreemde cellen af te stoten.
- Experimenten met zwakzinnigen in 1979 in Nederland. Diagnostisch zeer belastend onderzoek (pneumencefalografie) werd zonder toestemming verricht om enkel wetenschappelijke redenen.

Bij dit alles vallen twee dingen op. In de eerste plaats dat het wetenschappelijk doel van de experimenten op zich niet onzinnig is te noemen. Er zou best iets nuttigs uit kunnen komen en er is ook inderdaad nuttige en bruikbare kennis uit voortgekomen (bijvoorbeeld afkoeling van patiënten bij hartoperaties in de jaren zestig). In de tweede plaats de categorieën mensen die het slachtoffer werden; mensen die in een oorlogssituatie in de verdrukking zijn geraakt; krijgsgevangenen; chronisch zieken; zwakzinnigen; een in de Verenigde Staten sterk achtergestelde groep mensen, zeker in de jaren veertig: de negers; en verder ongeneeslijk zieken, mensen die nog maar korte tijd te leven hebben. Zwakke en onverdedigde mensen werden als eerste het slachtoffer van ongeoorloofd medisch onderzoek. Het zou onverstandig zijn te menen dat dit in onze tijd niet meer zou kunnen voorkomen.

Naar aanleiding van deze ongeoorloofde experimenten heeft de Amerikaanse National Commission for the Protection of Human Subjects of Biomedical and Behavioral Research het Belmont Report opgesteld in 1978. Dit rapport bevat een drietal eisen waaraan onderzoek moet voldoen. De voorwaarden ex art. 3 WMO zijn hieraan ontleend. De eisen zijn: informed consent, een risk/benefit assessment (wat schiet iemand op met meedoen en wat zijn de risico's) en een bepaalde selectie van te onderzoeken personen.

3.2 Wat wordt getoetst?

We noemen de volgende drie hoofdpunten:

1. Wetenschappelijke deugdelijkheid. Meestal geschiedt dit al voor de ethische toetsing door zogenaamde wetenschapscommissies die de inhoud en de waarde van het onderzoek toetsen. Eerst als deze toestemming hebben gegeven kan het onderzoeksvoorstel voor ethische toetsing worden aangeboden. Om te beginnen geldt dat een niet goed opgezet wetenschappelijk onderzoek in elk geval ethisch onaanvaardbaar is. Omdat er in de METC's ook een aantal wetenschappers zitten, wordt meestal ook naar de wetenschappelijke waarde van een onderzoek gekeken. Hierboven hebben we een aantal van deze aspecten gezien.
2. Juridische aanvaardbaarheid. Naast punten in de sectie over de WMO aangegeven, wordt gekeken naar de aansprakelijkheidsregelingen en de verzekering van de proefpersoon/patiënt. Voor de juridische toelaatbaarheid van medische experimenten gelden verder in het algemeen twee criteria, namelijk de redelijkheid van het experiment en de toestemming van de proefpersoon. Deze beide eisen moeten natuurlijk samengaan. Een redelijk experiment mag geen toestemming vooronderstellen en toestemming maakt een experiment nog niet redelijk. Experimenten die daar niet aan voldoen vallen eigenlijk onder mishandeling of opzettelijke benadeling van de gezondheid.
3. Medisch-ethische aanvaardbaarheid. Hierop gaan we nu in.

3.3 Ethische aspecten van toetsing

Individueel belang en algemeen belang dienen tegen elkaar te worden afgewogen. Een langzamer ontwikkeling in de wetenschap zou men daarbij eerder moeten accepteren dan een aantasting van de rechten van het individu. De gemeenschap wordt minder geschaad door vertraging in de wetenschappelijke vooruitgang dan door een inbreuk op de mensenrechten.

De toestemming van de proefpersoon/patiënt is en blijft een buitengewoon zwaarwegend punt in dit geheel.

Uit ethische en juridische overwegingen moet volledige informatie uitgangspunt zijn bij experimenten. In de praktijk wordt wel als bezwaar aangevoerd dat het onmogelijk is de proefpersoon zodanig in te lichten dat deze alles begrijpt en weet. De zaak is daarvoor soms te gecompliceerd. De eis van volledige informatie in volstrekte zin zou dan misschien alleen experimenten op vakbroeders

mogelijk maken, wat ook regelmatig gebeurt. Zelfs degene die experimenteert weet niet alles (anders zou hij niet hoeven te experimenteren).
Wel moet de eis gesteld worden dat zoveel moet worden meegedeeld dat verondersteld mag worden dat de proefpersoon in essentie het experiment begrijpt en op de hoogte is van de risico's. Het is moeilijk de grenzen precies aan te geven. Nooit mag echter op grond van de gecompliceerdheid van een experiment, informatie aan de patiënt of proefpersoon worden onthouden. Het excuus dat de zaak zo moeilijk is dat de patiënt deze toch niet zou begrijpen kan nooit gelden. Er ligt hier een heel duidelijk verschil met de normale medische behandeling. In bepaalde gevallen mag de arts de toestemming van de patiënt vooronderstellen, bijvoorbeeld bij de behandeling van een in diepe shock binnengebracht ongevalslachtoffer. Bij experimenten mag hij dit nooit.
We zullen hier niet verder op ingaan, maar het zal duidelijk zijn dat in deze tijd van ethisch pluralisme de verschillende leden van een Ethische Toetsingscommissie ook heel verschillende opvattingen kunnen hebben over de toelaatbaarheid van bepaalde onderzoekingen. De voorgeschreven onafhankelijke arts kan patiënten in dezen helpen, maar andere onafhankelijke instanties zoals bijvoorbeeld consulenten van de Nederlandse Patiënten Vereniging kunnen in dit verband ook van groot belang zijn.
De meeste Ethische Toetsingscommissies hanteren een standaard aanvraagformulier waarop systematisch het onderzoek met z'n verschillende aspecten kan worden beschreven. Altijd is ook een protocol, een nauwkeurige omschrijving van het gehele onderzoek, daarbij vereist. Deze protocollen worden soms voor de onderzoeker opgesteld door bijvoorbeeld een farmaceutische firma die een medicijn wil laten testen.
Zoals gezegd is de toetsing van onderzoeksprojecten door een Ethische Toetsingscommissie in Nederland gebaseerd op de Declaratie van Helsinki. Als eerste uitgangspunt geldt dat het onderzoek ook in wetenschappelijk en technisch opzicht correct en aanvaardbaar is. Slecht onderzoek kan ethisch nooit aanvaardbaar zijn. Omgekeerd houdt het feit dat een onderzoeksvoorstel in wetenschappelijk opzicht correct is, nog niet automatisch in dat het ook ethisch aanvaardbaar is.

3.4 Medisch-ethische toetsing

Wanneer hierna *de eigenlijke toetsing* aanvangt, wordt een aantal zaken bekeken waaruit hier de belangrijkste.

- Betreft het onderzoek gezonde vrijwilligers of patiënten? Bij patiënten is het van groot belang dat deze zelf, of de patiëntenpopulatie waartoe hij/zij behoort, nut of potentieel nut van het onderzoek hebben. Een botbiopsie bij een patiënt die aan een oog wordt geopereerd omdat deze toevallig toch onder narcose is en er dus niets van voelt, mag natuurlijk niet. De vraag mag niet eens gesteld worden! Nooit mogen er dingen gedaan worden omdat patiënten of proefpersonen toch aanwezig zijn of omdat men toevallig toch in een bepaald deel van het lichaam moet zijn.

- Bij patiënten dient de vrijwilligheid van de toestemming boven alle twijfel verheven te zijn. De patiënten mogen ook nooit in een afhankelijke positie van de onderzoeker verkeren. In dergelijke situaties is de vrijwilligheid namelijk niet gegarandeerd. Wanneer wetenschappelijk onderzoek en behandeling verward worden kan het zijn dat de patiënt geen nee durft te zeggen omdat hij bang is dat dit zijn of haar behandeling nadelig zal beïnvloeden.
- Het afwegen van de voor- en nadelen van het onderzoek. Is de medische en/of wetenschappelijke winst die men beoogt en verwacht van voldoende belang om blootstelling van proefpersonen aan risico's en ongemakken te rechtvaardigen? Hoe is de voorspelbaarheid van de eventuele risico's? Men beoordeelt wat we noemen de *risk-benefit ratio*.
- Is het onderzoek wellicht overbodig omdat het al eerder verricht werd en herhaling onnodig is? We zien dit nog wel eens bij bepaalde geneesmiddelenonderzoeken en in een dergelijk geval wordt wel gesproken van een 'me too'-onderzoek. Soms vraagt een geneesmiddelenfirma bijvoorbeeld aan huisartsen om een bepaald middel aan 5 of 10 patiënten te geven. En groot aantal van deze onderzoekjes samen leveren dan het gewenste aantal patiënten op. Methodisch is dit meestal geheel onjuist, niet in het minst omdat een controlegroep ontbreekt en geen randomisering of blindering wordt toegepast. Iedere onderzoekende arts afzonderlijk kan met de gegevens niets beginnen alleen de firma die alle gegevens krijgt (en die tevens het grootste belang heeft bij een gunstige uitslag).
- Hoeveel proefpersonen zijn er bij het onderzoek betrokken en van welke leeftijd? De minimum leeftijd van proefpersonen behoort 18 jaar te zijn. (Op minderjarige en onbekwame proefpersonen komen we later nog terug). Is het aantal proefpersonen voldoende om valide statistische bewerking mogelijk te maken? Welke patiënten wil men in het onderzoek betrekken en welke vooral niet.
- In- en exclusiecriteria op grond van de aandoening maar ook op grond van mogelijke bijwerkingen van het te onderzoeken middel. Patiënten met een maagzweer zal men niet betrekken in een onderzoek met een middel dat bloedingen zou kunnen veroorzaken bijvoorbeeld.
- Het allerbelangrijkste is de toetsing van de informed consent procedure. De commissie wil zeer gedetailleerde inlichtingen hebben over de volledigheid en de objectiviteit van de te geven voorlichting, de woordkeus die zal worden gebezigd en de manier waarop zal worden meegedeeld dat de gevraagde medewerking op basis van vrijwilligheid zal geschieden. De voorlichting

moet in gewoon Nederlands gesteld worden. Van groot belang is verder dat de patiënt of de proefpersoon zich te allen tijde uit het onderzoek kan terugtrekken zonder dat dit enige invloed heeft op zijn of haar verdere behandeling. De meeste Ethische Toetsingscommissies eisen een schriftelijke voorlichting aan patiënt of proefpersoon. Zoals al eerder vermeld, hebben de meeste commissies een apart aanmeldingsformulier ontworpen.

- Van groot belang is dat wanneer onderzoek met patiënten verricht gaat worden, de behandelend arts en de onderzoeker niet dezelfde persoon zijn. Behalve de afhankelijkheid van de patiënt die dan bestaat zou het ook kunnen zijn dat de behandelend arts, om zo snel mogelijk veel patiënten bij het onderzoek te betrekken, de toelatingscriteria wat ruimer stelt.

Kort samengevat komt het takenpakket van een Medisch-Ethische toetsingscommissie op het volgende neer:

1. Vaststelling van de wetenschappelijke aanvaardbaarheid van het onderzoekprotocol.
2. Waarborgen van de beveiliging van de proefpersoon, patiënt of gezonde vrijwilliger.
3. Het waarborgen van de belangen van de onderzoeker.
4. Het waarborgen van de belangen van ziekenhuis c.q. het onderzoeksinstituut.

Voortgangscontrole, dat wil zeggen controle door de Commissie dat de onderzoekingen ook inderdaad volgens het goedgekeurde protocol geschieden en dat wordt nagegaan of er toevallig ook experimenten worden uitgevoerd die niet eerst zijn aangemeld, is in het algemeen in grote instellingen waar tientallen onderzoeken tegelijkertijd lopen, feitelijk onmogelijk. Toch eist de nieuwe WMO wel een jaarlijkse voortgangsrapportage over lopend goedgekeurd onderzoek. Hoe hier precies mee om te gaan is nog volop in discussie.

3.5 Bijzondere groepen

Tot slot een laatste woord over groepen proefpersonen die een speciaal probleem vormen bij onderzoeken, namelijk de zogenaamde *wilsonbekwamen*. Dit kunnen kinderen zijn of ook zwakzinnigen, demente bejaarden, bewustelozen enz. Er zijn ook mensen die niet als volledig vrij in hun beslissing kunnen worden beschouwd, zoals militairen en gevangenen.

Kunnen deze mensen wel bij medisch-wetenschappelijk onderzoek worden betrokken? In Nederland zijn minderjarigen handelingsonbekwaam. Een overeenkomst over een te verrichten wetenschappelijk onderzoek kan alleen tot stand komen met toestemming van een wettelijk vertegenwoordiger, ouder(s) of voogd. Aangezien de beschikkingsmacht van een wettelijk vertegenwoordiger zich niet uitstrekt tot inbreuken op de persoonlijkheidsrechten van het kind en slechts bestaat met het oog op het belang van het kind, is toestemming van een wettelijk vertegenwoordiger, ouder of voogd niet altijd voldoende. Kinderen mogen daarom in principe alleen bij therapeutische experimenten worden betrokken. Over eventuele betrokkenheid bij niet-therapeutische experimenten die slechts een minimaal of geen risico inhouden zijn de meningen verdeeld. De WMO staat dit in principe toe, evenals nationale verdragen op dit punt. Uiterste terughoudendheid is in ieder geval geboden. In elk geval zal, boven alle twijfel verheven, moeten worden aangetoond dat het experiment alleen maar bij kinderen kan worden uitgevoerd en niet bij volwassenen. Dit kan het geval zijn bij ziekten die alleen bij kinderen voorkomen.

Indien de minderjarige zelf tot een redelijke waardering van zijn of haar belangen in staat is, en dat is vaak al wel zo vanaf het twaalfde jaar, moet in elk geval ook de toestemming van de minderjarige verkregen worden. Dit zou kunnen gelden voor een experimentele behandeling met medicijnen bij bepaalde vormen van kinderkanker. Er is dan dus een dubbele toestemming nodig.

Ook bij psychische aandoeningen en verstandelijke handicaps geldt dat slechts therapeutische experimenten toelaatbaar zijn. Indien de proefpersoon niet in staat is deze te geven dient toestemming te worden verkregen van de wettelijke vertegenwoordiger, de naast betrokken familie of daarmee gelijk te stellen personen. Ditzelfde geldt ook voor comateuze patiënten en voor spoedsituaties.

De WMO eist dat dergelijk onderzoek getoetst wordt door de Centrale Commissie (CCMO). Het is lokale METC's verboden om dergelijk onderzoek te toetsen. Wanneer een dergelijk onderzoek wordt ingediend dient dit doorgezonden te worden aan de CCMO in Den Haag.

Literatuur

F. M. van Agt, 'Beoordeling mensgebonden onderzoek', *Medisch Contact* 2002; 57(6): 209-212.
N. van Gemund, J. van Roosmalen en J. Schagen van Leeuwen. 'Remmende wetgeving', *Medisch contact* 2002; 57(10): 366-368.
J. K. M. Gevers, 'Medisch-wetenschappelijk onderzoek met mensen', *Nederlands Tijdschrift Gezondheidsrecht* 2001; 1: 22-28.
H. D. C. Roscam Abbing, 'Gebruik van lichaamsmateriaal en zeggenschap', *Nederlands Tijdschrift Gezondheidsrecht* 2001; 1: 8-15.
M. A. J. M. Buijsen en E. van Leeuwen, 'De deskundigheid van medisch-ethische toetsingscommissies voor mensgebonden onderzoek', *Nederlands Tijdschrift Gezondheidsrecht* 1999; 4: 221-232.
H. D. C. Roscam Abbing, 'Medisch wetenschappelijk onderzoek, recht en praktijk', *Nederlands Tijdschrift Gezondheidsrecht* 1999; 4: 205.
Staatsblad van het Koninkrijk der Nederlanden, 1998, 161. Wet van 26 februari 1998, houdende regelen inzake medisch-wetenschappelijk onderzoek met mensen (Wet medisch-wetenschappelijk onderzoek met mensen).
F. C. B. Wijmen, De Wet medisch-wetenschappelijk onderzoek met mensen, *Nederlands Tijdschrift Gezondheidsrecht* 1998; 2: 58-74.
H. Jochemsen, B. S. Cusveller en D. J. Bakker, *Proeven en regelen. Commentaar op het wetsvoorstel medische experimenten en wijziging van de wet inzake medische experimenten in verband met regels inzake handelingen met menselijke embryo's en geslachtscellen,*
Rapport van het Lindeboominstituut no. 8, Ede, 1993.
I. D. de Beaufort, *Ethiek en medische experimenten met mensen,* Assen: Van Gorcum, 1988.
L. Bergkamp, *Het proefdier mens,* Alphen aan de Rijn: Samsom, 1988.
L. Bergkamp, 'Ethische en juridische aspecten van medische experimenten met mensen', in: I. D. de Beaufort, H. M. Dupuis (red). *Handboek Gezondheidsethiek,* Assen/Maastricht: Van Gorcum, 1988
S. Strijbos, 'Een wijsgerige beschouwing over het medische experiment', *Metamedica* 1982; 61 (11): 373-384.

ooo 8 ooo

*Beschrijving van het Nederlandse zorgsysteem**

1. Inleiding

De manier waarop de zorgverlening is georganiseerd en gefinancierd vormt het geheel van randvoorwaarden waarbinnen verantwoorde zorg verleend moet worden. Dit hoofdstuk geeft een beschrijving van het Nederlandse zorgsysteem. Allereerst wordt kort ingegaan op de kosten van de gezondheidszorg. Daarna worden enkele algemene opmerkingen over de gezondheidszorg gemaakt. De verschillende actoren die een rol spelen in de zorg en de verschillende ordeningsprincipes van het zorgsysteem worden besproken. Het huidige financieringssysteem wordt beschreven. Er komen enkele belangrijke ontwikkelingen in de gezondheidszorg aan de orde en tot slot wordt ingegaan op de knelpunten van de gezondheidszorg.
De bedoeling is de lezer een globaal inzicht te geven in de wijze waarop de Nederlandse gezondheidszorg en haar financiering zijn georganiseerd en wat daarvan belangrijke knelpunten zijn.

2. Overheidsvisie en werkelijkheid

Gezondheidszorg is in de visie van de Nederlandse overheid een collectief goed dat voor iedereen beschikbaar, toegankelijk, van goede kwaliteit en betaalbaar moet zijn. Hoe is het in werkelijkheid met deze kenmerken gesteld?
De beschikbaarheid van de zorg is vaak moeilijk te garanderen. De vraag naar zorg in Nederland is de laatste jaren zodanig toegenomen dat er een 'zorgkloof' is ontstaan: de vraag naar zorg is groter geworden dan het aanbod van de zorg, waardoor bijvoorbeeld wachtlijsten ontstaan en de tijdige beschikbaarheid van zorg niet meer gegarandeerd kan worden. Eén van de belangrijkste oorzaken van

---

* Dit hoofdstuk is in belangrijke mate gebaseerd op H. Jochemsen, et al., *Kiezen met zorg: naar meer keuzevrijheid in het zorgstelsel,* Goudriaan: De Groot Drukkerij BV, hoofdstuk 1 en 5.

de toegenomen vraag naar zorg is de vergrijzing en de hiermee samenhangende toename van chronische aandoeningen. Een tweede belangrijke oorzaak van de toegenomen zorgvraag is de groeiende welvaart. Burgers zullen hierdoor een groter deel van hun inkomen aan zorg willen besteden. De zorg zelf verandert ook. Onderzoek en technologische ontwikkelingen leiden tot betere diagnostische mogelijkheden en betere behandeltechnieken, waardoor mensen langer en vaker een beroep doen op de gezondheidszorg. De inrichting van het zorgstelsel zal moeten worden aangepast aan deze ontwikkelingen. De verwachting is dat door een decentrale vraaggerichte inrichting van het zorgstelsel beter zal kunnen worden ingespeeld op de veranderende behoefte van de zorgvrager. Dit wordt ook wel vraaggestuurde zorg genoemd. De toegenomen vraag naar zorg heeft een toename van de kosten tot gevolg. De financiële middelen voor de zorg zijn beperkt en moeten dan ook zo doelmatig mogelijk worden ingezet, zodat een zo groot mogelijk aanbod van zorg bereikt wordt.
Naast beschikbaarheid speelt toegankelijkheid van de zorg een belangrijke rol. Hierbij gaat het om de geografische toegankelijkheid van de zorg. Samenwerking van zorginstellingen gaat veelal gepaard met functiedifferentiatie: de ene specialist zit op deze lokatie, de andere specialist op die lokatie. Voor de patiënt kan dit betekenen dat de afstand tot de zorg groter wordt. Wel is het zo dat op deze manier doelmatiger en kwalitatief hoogstaander zorgverlening gerealiseerd kan worden. Een nadeel is dat de minder goede toegankelijkheid van de zorg één van de oorzaken is van de gemiddeld slechtere gezondheidstoestand van bewoners van achterstandswijken in de grote steden. Men spreekt in dit verband van sociaal economische gezondheidsverschillen.
Een derde belangrijk kenmerk van de gezondheidszorg is dat deze van goede kwaliteit is. Patiëntenorganisaties gaan voor wat betreft kwaliteit uit van drie basale waarden: zelfbeschikkingsrecht, individuele diversiteit en ondeelbaarheid van het individu. Het zelfbeschikkingsrecht wordt bevorderd via keuzevrijheid en toegankelijkheid de patiënt de mogelijkheid te geven de zorg te verkrijgen die het beste bij hem past. De individuele diversiteit komt tot uitdrukking in de persoonlijke behandeling van de zorgaanbieder waarin de patiënt centraal staat. De ondeelbaarheid van het individu komt tot zijn recht in de continuïteit van zorg. Hierbij kan gedacht worden aan samenwerking tussen de eerste en de tweede lijn. De zorg moet patiëntgericht zijn, hetgeen medicalisering en onnodige onderzoeken kan voorkomen.
Tot slot is de betaalbaarheid van de zorg een aspect dat van belang is. De kosten voor het gebruik van zorg zijn hoog. Mensen kunnen in de meeste gevallen echter niet kiezen of ze wel of niet van zorg gebruik willen maken. Als mensen zorg nodig hebben, kan het in veel gevallen erg moeilijk zijn de kosten ervan te beta-

len. De mens probeert doorgaans – vanuit een welbegrepen eigenbelang – zoveel mogelijk (financieel) risico te vermijden. Dit risico dat een patiënt loopt, kan gereduceerd worden door verzekeringen. Door gezamenlijk premie te betalen aan een verzekeraar is elke verzekerde verzekerd van medische zorg. Hierbij is solidariteit het uitgangspunt: de risico's worden gezamenlijk gedragen. Wanneer de verzekerde gezondheidszorg nodig heeft, wordt dit gedeeltelijk of volledig door de verzekeraar vergoed. Voor de verzekerde is het van belang dat de verzekeraar zijn zorgplicht kan nakomen. Hiervoor moet de verzekeraar contracten afsluiten met zorgverleners die bereikbaar zijn en kwalitatief goede zorg verlenen. De verzekerde betaalt voor die risico-overname een premie. Het is voor de verzekerde belangrijk dat die premie zo laag mogelijk blijft. Daarnaast is het belangrijk dat het verzekeringspakket die zorgvoorzieningen omvat die voor hem van belang zijn.

3. *Kosten van de gezondheidszorg*

Bij discussies over problemen in de gezondheidszorg en over het zorgstelsel gaat het vaak ook over de kosten. Het gaat daarbij over grote bedragen. Naar verwachting gaat er in de zorg in 2002 ongeveer 40 miljard euro om. Per inwoner is dat ongeveer € 2.500,–. In onderstaande tabellen wordt een specifieker overzicht gegeven van de uitgaven in de zorgsector en de uitgaven uit de AWBZ en ziektekostenverzekeringen. (Zie voor een nadere uitleg van dit onderscheid par. 6 van dit hoofdstuk.)

Tabel 1. **Uitgaven zorgsector 2001 (€ mln)**

Zorgsector	**Uitgaven**
AWBZ	15.859
ZFW	13.380
Particulier totaal	6.008
Waarvan:	
– *Publiekrechtelijke regelingen ambtenaren*	*896*
– *WTZ*	*1.435*
– *Overig particulier*	*3.677*
Overig gezondheidszorg	2.977
Totaal	**38.224**

Bron: *Zorgnota 2001*

Tabel 2. **Uitgaven uit AWBZ, ziektekostenverzekeringen (ZFW en particuliere verzekeringen) in 2001 (€ mln)**

	AWBZ	Ziektekostenverzekeringen
Gezondheidsbevorderingen	336	0,0
Curatieve somatische zorg	212	13.400
Genees- en hulpmiddelen	11	4.273
Geestelijke gezondheidszorg	2.648	0,0
Gehandicaptenzorg	3.291	0,0
Verpleging en verzorging (incl. thuiszorg)	8.261	0,0
Beheer en diversen	1.100	1.715
Totaal	**15.859**	**19.388**

Bron: *Zorgnota 2001*

4. Actoren die een rol spelen in de gezondheidszorg

Diverse actoren spelen een rol in de Nederlandse gezondheidszorg. In de eerste plaats is er de patiënt aan wie de zorg geleverd wordt. Ten tweede heeft de overheid een belangrijke verantwoordelijke rol in het systeem van gezondheidszorg. Zij is (op grond van haar monopolies op belastingheffing en wetgeving, waaronder de mogelijkheid verplichte verzekeringspremies op te leggen) de machtigste actor in het publieke domein. Tot slot spelen in de gezondheidszorg tevens de zorgverzekeraar (als zorgverstrekker) en de zorgaanbieder (als zorgverlener) een belangrijke rol.

4.1 Patiënten

De hulpvrager heeft twee gezichten. Aan de ene kant is hij de patiënt en aan de andere kant verzekerde. Over beide gezichten valt meer te zeggen.
Patiënten zijn in de laatste decennia mondiger geworden en er is meer dan vroeger sprake van een gelijkwaardige relatie tussen patiënt en hulpverlener. In de relatie tussen de hulpverlener en de patiënt is informatie-uitwisseling en besluitvorming in onderling overleg heel belangrijk. Door het veranderend karakter van de relatie tussen hulpverlener en patiënt verandert ook de rol van de patiënt. De patiënt wordt steeds meer gezien als klant die volledig op de hoogte wil zijn van alle behandelmogelijkheden en eventuele voor- en nadelen daarvan. Kortom, de zorg wordt steeds meer patiëntgericht. Dit heeft ook als gevolg dat voor hulpverleners een tevreden klant belangrijk is. Hun kwaliteitservaring staat centraal.

Deze tendens wordt door de overheid ondersteund en versterkt, onder meer via een aantal wetten die de positie van de consument in de zorgsector proberen te versterken en eisen stellen aan de kwaliteit van de zorgverlening.
De verzekerde heeft een financiële relatie met de zorgverzekeraar. Voor hem is het van belang dat de verzekeraar zijn zorgplicht kan nakomen. Hiervoor moet de verzekeraar contracten afsluiten met zorgverleners die bereikbaar zijn en kwalitatief goede zorg verlenen. Van belang voor de verzekerde is dat de premie die hij betaalt zo laag mogelijk blijft. Daarnaast is het belangrijk dat het verzekeringspakket die zorgvoorzieningen omvat die voor hem van belang zijn. De hoofddoelstelling van de patiënt is het kunnen krijgen van kwalitatief hoogwaardige, betaalbare zorg op momenten dat hij die nodig heeft.
Zo men wil, kunnen we aan deze twee gezichten van de hulpvrager nog een derde toevoegen: hij is ook burger. Hiermee bedoelen we dat de hulpvrager tegenwoordig steeds meer inspraak zal willen hebben in gebruik en dus organisatie van de gezondheidszorg. Op basis van zijn kennis van ziekten, behandeling en financiering zal de moderne hulpvrager zijn eigen belang en voorkeur formuleren en hiermee de zorgverleners confronteren. De rol van patiëntenorganisaties en internet bij het verspreiden, delen en vergaren van kennis moet hierbij niet worden onderschat. Tegelijkertijd moet de mondigheid van een patiënt met een ernstige levensbedreigende ziekte niet worden overschat. Het besef van afhankelijkheid en de behoefte aan zorgverleners die men vertrouwt is dan groot. De nadruk op mondigheid en vraagsturing mag niet betekenen dat patiënten in moeilijke omstandigheden op zichzelf teruggeworpen worden.

4.2 *Overheid*

De overheid heeft de grondwettelijke verantwoordelijkheid voor de kwaliteit, beschikbaarheid en financiële bereikbaarheid van de zorg. Dit wordt ook wel de bevorderingsplicht ten aanzien van de volksgezondheid genoemd. Dit is een lastige taak, want de overheid beheert noch financiert de gezondheidszorg. In Nederland is het aanbod van zorg veelal particulier georganiseerd. Verder wordt de zorgsector grotendeels gefinancierd door middel van verzekeringen. Slechts tien procent van het geld dat naar de zorgsector gaat, is afkomstig van de overheid. De gezondheidszorg kent dus een stelsel van particulier initiatief en verzekeringen. Toch is de overheid ook zelf aanbieder van zorg. Van oudsher zijn bijvoorbeeld de Gemeentelijke Geneeskundige en Gezondheidsdiensten zorgvoorzieningen die uitgaan van de overheid. Zo is de overheid verantwoordelijk voor de uitvoering van de collectieve zorg (preventie, protectie en promotie) die uit belastinggelden wordt betaald en draagt het particulier initiatief de verantwoordelijkheid voor de uitvoering van de individuele zorg (curatief, verplegend/verzorgend) die uit verzekeringspremies wordt betaald. Toch zijn de structuur en het stelsel van particulier initiatief en verzekering wel zaken waar de overheid zich mee dient te bemoeien. Zij zijn namelijk van invloed op de volksgezondheid waarvoor de overheid een bevorderingsplicht heeft. Wel is de vraag wat de reikwijdte en intensiteit van de overheidsbemoeienis dient te zijn. Dat dit een moeilijk punt is, blijkt wel uit de vele veranderingen waaraan de relatie tussen particulier initiatief, verzekeraars en de overheid onderhevig is.

Om haar taak goed te kunnen vervullen kent de overheid twee adviesorganen, de Raad voor de Volksgezondheid en Zorggerelateerde dienstverlening (RVZ) en de Gezondheidsraad. De RVZ adviseert op hoofdlijnen het deel van het overheidsbeleid dat betrekking heeft op de middellange of lange termijn en niet eerder onderwerp is geweest van bestuurlijke of politieke besluitvorming, zoals bijvoorbeeld onderwerpen als preventie, gezondheidsbescherming en zorg. Ook het grensvlak met andere sectoren en de gezondheidszorg (wanneer het de gezondheid betreft) behoort tot het adviesterrein. De Gezondheidsraad is een wetenschappelijk informatie- en adviesorgaan. Zij informeert de regering over de stand van de wetenschap ten aanzien van vraagstukken op het gebied van de volksgezondheid, waaronder ook milieuhygiëne valt. De thema's die de Gezondheidsraad behandeld zijn: het nut en de veiligheid van potentieel nieuwe voorzieningen in de gezondheidszorg; het feitelijk gebruik van gezondheidszorgvoorzieningen en het geëigende gebruik van zorgvoorzieningen.

Tegen de achtergrond van de verantwoordelijkheid die de overheid heeft, wil zij de kosten van zorg beheersen. Tot voor kort was haar aandacht vooral gericht op centrale beheersing van het zorgaanbod. De laatste jaren is marktwerking een steeds belangrijker overheidsinstrument geworden om de doelmatigheid te vergroten.

4.3 Zorgverzekeraars

Een deel van de overheidsverantwoordelijkheden is gedelegeerd aan de verzekeraars. De zorgverzekeraar sluit overeenkomsten met verzekerden, waarbij de verzekerde zich verplicht premie te betalen en de verzekeraar de geïndiceerde zorg dient te leveren. Door het contract met de verzekerde neemt de verzekeraar belangrijke verplichtingen op zich. De verzekeraar moet zorgen dat de zorg van voldoende kwaliteit is en voldoende toegankelijk. Krachtens de Ziekenfondswet moet de zorgverzekeraar voldoende contracten met zorgaanbieders afsluiten om adequate gezondheidszorg aan zijn verzekerden te kunnen leveren. Een belangrijke verandering die in werking werd gezet, is de concurrentie tussen risicodragende zorgverzekeraars. De zorgverzekeraar moet zich onderscheiden van andere zorgverzekeraars om cliënten aan zijn organisatie te binden.

Voordat een overeenkomst tussen individuele partijen kan worden afgesloten, moet eerst op landelijk niveau overlegd worden tussen de landelijke vertegen-

woordigers van de zorgverzekeraars en zorgaanbieders. Zij stellen samen een uitkomst van overleg (UVO) op. Na goedkeuring door het College van Zorgverzekeringen vormt de UVO de basis voor overeenkomsten tussen verzekeraars en hulpverleners en instellingen op regionaal en lokaal niveau over prijs, type en hoeveelheid zorg.
Zorgverzekeraars Nederland (ZN) is een brancheorganisatie van de ziekenfondsverzekeraars en de zorgverzekeraars in Nederland. ZN heeft als doel het realiseren van optimale condities voor een goede uitoefening van het ondernemerschap van het zorgverzekeringsbedrijf. Daarbij creëert zij evenwichtige randvoorwaarden voor het verzekeringsbedrijf en de zorginkoopmarkt. Taken van ZN zijn: belangenbehartiging, representatie, werkgeverszaken, informatiefunctie, communicatie, platformfunctie, beleidsontwikkeling, onderzoek en dienstverlening.

4.4 Zorgaanbieders

De kant van de aanbieder van zorg heeft evenals de hulpvrager twee gezichten. Aan de ene kant is men hulpverlener, aan de andere kant is men ook ondernemer die als het om de individuele hulpverlener gaat er zijn brood mee moet verdienen en, als het om instellingen gaat, rendabel moet werken.
Op grond van de Wet Geneeskundige Behandelingsovereenkomst (WGBO) sluiten zorgverleners een inspanningsovereenkomst met de patiënt. Beiden verplichten zich hiermee zich in te spannen om een goed resultaat te bereiken. Belangrijke zorgverleners zijn huisartsen, specialisten en verpleegkundigen.
Steeds meer huisartsen werken (zeker in de weekenden) samen in een groepspraktijk. Hun werk bestaat uit consulten, diagnostiek en behandeling van aandoeningen. Naast behandelaar fungeert de huisarts ook als verwijzer naar specialistische en paramedische voorzieningen. Medisch specialisten werken veelal in een maatschap binnen het ziekenhuis. De kosten die het ziekenhuis maakt zijn voor een groot deel afhankelijk van beslissingen die medisch specialisten maken. Voor kostenbeheersing is het dan ook belangrijk dat huisartsen en medisch specialisten kostenbewust handelen.
Op grond van de Kwaliteitswet Zorginstellingen is het management van de instelling eindverantwoordelijk voor een goede patiëntenzorg. De instelling heeft op grond van de in de WGBO vastgelegde aansprakelijkheid voor werknemers en niet-werknemers, de uiteindelijke verantwoordelijkheid voor de zorgverlening bij de instelling. Instellingen zullen steeds meer marktgericht gaan werken. Dit betekent dat de organisatie haar beleid nadrukkelijk afstemt op de behoeften van haar doelgroepen zoals patiënten, personeel, publiek, financiers, industrie en verwijzers. De instellingen zijn al geruime tijd bezig met het ontwikkelen van transmurale samenwerkingsverbanden. Eén van de doelen is een verbetering van de kwaliteit van zorg, waarbij de patiënt steeds meer centraal komt te staan. De

kostenfactor van de zorg is de afgelopen jaren steeds meer een belemmerende factor geworden. Contacten met de zorgverzekeraar zijn van belang voor wat betreft de financiële aspecten van de zorg.
Eén van de belangrijkste koepelorganisaties voor en door artsen is de Koninklijke Nederlandse Maatschappij ter bevordering van de Geneeskunst (KNMG). Ze zet zich in voor de belangen van medische beroepsbeoefenaren in Nederland en doet dit in nauwe samenwerking met de beroepsverenigingen; LHV (Landelijke Huisartsen Vereniging), Orde (Orde van Medisch Specialisten), LAD (Landelijke Artsen in Dienstverband) en NVAB (Nederlandse Vereniging voor Arbeids- en Bedrijfsgeneeskunde). Deze beroepsverenigingen zijn in de beleidsdiscussie vaak een machtsfactor van belang, maar profileren zich ook op zorginhoudelijk gebied door bijvoorbeeld streven naar protocollering van zorg en dergelijke.

5. *Het huidige zorgsysteem*

5.1 Sectoren

De Nederlandse gezondheidszorg kent verschillende ordeningsprincipes. Eén ervan is een onderverdeling in sectoren. De zorgnota 2002 gaat uit van zeven hoofdsectoren waarbij beleidsvoornemens zijn geformuleerd.

1. Gezondheidsbevordering en -bescherming: de doelstelling is om de gezondheid van de burger te beschermen en te bevorderen en om de individuele en collectieve positie van de burger in de zorg te versterken.
2. Curatieve somatische zorg: dit heeft als doel het bewerkstelligen van een patiëntgerichte curatieve somatische zorg.
3. Geneesmiddelen, medische technologie en transplantaten: de hoofddoelstelling is om de kwaliteit, veiligheid, toegankelijkheid en blijvende betaalbaarheid van deze medische toepassingen te bevorderen.
4. Geestelijke gezondheidszorg, verslavingszorg en maatschappelijke opvang: de doelstelling is het creëren en in stand houden van een toegankelijk, samenhangend en kwalitatief verantwoord aanbod van geestelijke gezondheidszorg, verslavingszorg en maatschappelijke zorg dat aansluit bij de zorgvraag van de cliënt en de maatschappij.
5. Gehandicaptenzorg en hulpmiddelen: het doel is het bevorderen van de kwaliteit van bestaan voor gehandicapten.
6. Verpleging, verzorging en ouderen: het doel is het streven naar een tijdig, passend, kwalitatief goed en betaalbaar aanbod van verpleging, verzorging en dienstverlening aan mensen die daaraan een maatschappelijk aanvaarde behoefte hebben.

7. Beheer zorgverzekering: het doel is het creëren en onderhouden van een evenwichtig, solide en toegankelijk stelsel van zorgverzekeringen, opdat verzekerden hun aanspraak op zorg kunnen realiseren op een manier die aansluit bij hun behoeften en tegen een aanvaardbare prijs.

5.2 Echelons

Ten tweede is er een ordening die uit gaat van echelons. Het gaat hierbij om de volgorde waarin de verschillende voorzieningen worden ingezet. In tabel 3 is deze indeling in echelons in kernwoorden weergeven.

Tabel 3. **Indeling in echelons**

	Eerste echelon	**Tweede echelon**
Aard van de zorg	Algemeen (niet-gespecialiseerd)	Specialistisch
Toegankelijkheid	Vrij	Na verwijzing door 1e echelon
Locatie t.o.v. doelgroep	Te midden van doelgroep	Op grotere afstand
Wijze van aanbieding van zorg	In thuissituatie, extramuraal, ambulant	Ambulant/intramuraal, poliklinisch/klinisch

Eerste echelon

De zorg in het eerste echelon, ofwel eerste lijn, is voor elke zorgvrager direct toegankelijk. Dit betekent dat er geen verwijzing nodig is om van deze zorg gebruik te maken. Het doel van de zorg in de eerste lijn is het aanvaarden van medeverantwoordelijkheid voor een continue, integrale en persoonlijke zorg in de eigen omgeving voor de zorgbehoevenden en hun naasten in de thuissituatie.

De eerste lijn omvat alle niet-gespecialiseerde voorzieningen. Voorheen had de huisarts een spilfunctie in de eerste lijn. Tegenwoordig wordt in plaats van de centrale functie van de huisarts uitgegaan van een aantal kerndisciplines, te weten: de huisartsgeneeskunde, het kruiswerk, het algemeen maatschappelijk werk en de gezinsverzorging. De huisarts treedt op als 'poortwachter' voor de tweede lijn. Hij moet er zorg voor dragen dat de patiënt niet te snel wordt doorverwezen naar de tweede lijnsvoorzieningen. In de eerste lijn bevinden zich tevens de tandartsenhulp, de geneesmiddelenverstrekking en een aantal paramedische behandelingen. Een andere eerstelijnsvoorziening is de thuiszorg. Deze bestaat voor het grootste deel uit gezinsverzorging. Gezinsverzorging is veelal gericht op ouderen vanaf

65 jaar. Ook wordt er hulp verleend aan gezinnen en chronisch zieken. Er wordt alleen zorg verleend als zelfredzaamheid ontoereikend of niet aanwezig is. Door de toenemende vergrijzing en gezinsverkleining is de zelfredzaamheid van gezinnen afgenomen en als gevolg daarvan de vraag naar gezinsverzorging toegenomen.
Ook algemeen maatschappelijk werk (AMW) valt onder de eerstelijnszorg. Het AMW richt zich op mensen met psychosociale problemen. De kerntaken zijn: 1) psychosociale hulpverlening; 2) concrete en informatieve hulpverlening; 3) onderzoek en rapportage; 4) signalering, belangenbehartiging en preventie.

Tweede echelon
De relatie van de tweede lijn met de eerste lijn is een aanvullende complementaire relatie, en een die met name gericht is op ondersteuning van de eerste lijn. De tweede lijn is niet direct toegankelijk. Daarvoor is een verwijzing van iemand uit de eerste lijn noodzakelijk. De tweede lijn omvat specialistische zorg en de intramurale voorzieningen. Onder intramurale voorzieningen vallen onder meer algemene of psychiatrische ziekenhuizen, verpleeg- en verzorgingshuizen en instellingen voor mensen met een verstandelijk beperking.
Het ziekenhuis wordt ook wel geneeskundig centrum genoemd en heeft als hoofdfuncties: diagnose, therapie, verpleging en isolering. Tevens worden er artsen en verpleegkundigen opgeleid. Een patiënt wordt opgenomen in het ziekenhuis wanneer de therapeutische en diagnostische mogelijkheden buiten het ziekenhuis onvoldoende zijn, of wanneer isolement nodig is. De opnamen verlopen via de polikliniek of de eerste hulp, waarnaar een patiënt door de huisarts, een collega-instelling of een medisch specialist is verwezen.
Het verpleeghuis is opgericht als een goedkoper alternatief voor het ziekenhuis, ten behoeve van mensen die verpleging en verzorging nodig hebben die niet in de thuissituatie of verzorgingshuizen geboden kan worden. Het vormt het verlengstuk van het ziekenhuis. Verzorgingshuizen werken veelal wijkgericht ten behoeve van zelfstandig wonende ouderen. De voorzieningen die hiervoor geleverd worden zijn: warme maaltijdvoorzieningen, sociaal culturele activiteiten, alarmering en tijdelijke opname. Zo veel mogelijk wordt geprobeerd deze voorzieningen thuis aan te bieden, zodat mensen zo lang mogelijk zelfstandig kunnen blijven wonen. Als dit niet meer mogelijk is, wordt iemand in een verzorgingshuis opgenomen. De laatste jaren is het beleid voor opname in een verzorginghuis steeds stringenter geworden, waardoor de verzorgingshuizen (vanwege de zwaardere hulpbehoevendheid van de bewoners) steeds meer het karakter krijgen van verpleeghuizen.

Ook de geestelijke gezondheidszorg (GGZ) valt onder het tweede echelon. Geestelijke gezondheidszorgvoorzieningen bieden hulp aan mensen met psychiatrische, psychische en psychosociale problemen. Jaarlijks doet ongeveer 5% van de Nederlanders een beroep op de geestelijke gezondheidszorg. De zorgverlening in de GGZ kan op drie manieren plaatsvinden: extra-, semi- en intramuraal. Deze indeling is een indeling naar intensiteit van zorg. Extramuraal (ofwel ambulant) houdt in dat de cliënten in hun eigen woonomgeving blijven; intramuraal houdt in dat de cliënt 24 uur per dag is opgenomen en semimurale zorg is voor cliënten voor wie extramurale hulpverlening ontoereikend is en voor wie opname (nog) niet of niet meer nodig is.
Tot slot valt ook de gehandicaptenzorg onder de tweedelijnszorg. Hieronder vallen verblijfvoorzieningen (intra- en semimuraal), overdagvoorzieningen en ambulante maatschappelijke dienstverlening. Een eerste vorm van verblijfvoorzieningen zijn de inrichtingen voor mensen met een verstandelijk beperking. Deze bieden woongelegenheid, verzorging, begeleiding, verpleging, diagnostiek en behandeling voor de bewoners. Ze zijn bestemd voor mensen met een verstandelijk beperking voor wie integratie in de maatschappij niet mogelijk is. Een tweede vorm van verblijfvoorzieningen zijn de kort-verblijftehuizen, waarin de opvangsduur gemiddeld drie maanden is en gezinsvervangende tehuizen die een blijvende woon- en verblijfsituatie beiden. Onder overdagvoorzieningen vallen de dagverblijven voor kinderen en ouderen en scholen voor moeilijk en zeer moeilijk lerende kinderen. De ambulante maatschappelijke dienstverlening heeft als doel maatschappelijke dienstverlening te bieden voor verstandelijk gehandicapten en mensen in hun omgeving. De cliënt blijft daarbij in zijn dagelijkse omgeving.

5.3 Regio's

Een derde ordeningsprincipe is die in regio's. De Nederlandse gezondheidszorg is regionaal georganiseerd. Het is de bedoeling dat er binnen de regio's een overzichtelijk, samenhangend en doelmatig stelsel van gezondheidszorgvoorzieningen bestaat dat is afgestemd op de behoefte van de bevolking in dat gebied. Er zijn verschillende indelingen in regio's. Eén ervan is een indeling in WVZ-regio's. Hierin worden 27 regio's onderscheiden. De WVZ-regio's hebben als doel een regionale opbouw van de gezondheidszorg waarin een samenhangend zorgaanbod wordt afgestemd op de zorgvraag. Er zijn ook instellingen die een aparte erkenning hebben als bovenregionale of landelijke voorziening. Het gaat hierbij om specialistische instellingen en instellingen die zich vanuit een levensbeschouwelijke grondslag landelijk presenteren.

6. Het huidige financieringssysteem

Het financieringsstelsel regelt de financiering van bovenstaande voorzieningen en draagt zorg voor de inkomsten uit premies. De structuur van dit stelsel wordt hieronder uiteengezet.

6.1 Drie compartimenten

Het huidige stelsel van ziektekostenverzekeringen is geordend in drie compartimenten. Het eerste compartiment omvat de dure, onverzekerbare en langdurige zorg en wordt ook wel de care sector genoemd. De financiering van deze zorg vindt plaats via de Algemene Wet Bijzondere Ziektekosten (AWBZ). Het tweede compartiment wordt de cure sector genoemd en bevat acute, veelal op genezing gerichte, medische zorg. In de kosten voor dit deel van de zorg wordt voorzien door diverse verzekeringsvormen. Het derde compartiment bevat alle zorgvoorzieningen die niet in het eerste en tweede compartiment zijn opgenomen. Tabel 4 geeft een overzicht van de inhoud, de financiering en de regulering van de drie genoemde compartimenten.

Tabel 4. **Compartimentenindeling gezondheidszorg**

Compartimenten	**Inhoud**	**Financiering**	**Regulering**
1e compartiment	Dure, onverzekerbare en langdurige zorg	Algemene Wet Bijzondere Ziektekosten (AWBZ)	Volledige overheidsregulering
2e compartiment	Acute medische zorg	Afhankelijk van verzekeringsvorm: – Ziekenfondswet (ZFW) – Particuliere verzekering – Publiekrechtelijke ziektekostenregelingen voor ambtenaren – Wet op de toegang tot ziektekostenverzekering 1998 (WTZ)	Gereguleerde concurrentie

Compartimenten	Inhoud	Financiering	Regulering
3e compartiment	Overige zorg	Aanvullende particuliere of aanvullende ziekenfondsverzekering	Marktregulering

In Tabel 5 is het aantal verzekerden per verzekeringsvorm weergegeven.

Tabel 5. **Aantal verzekerden in 2001 (in mln personen)**

	Totaal	0 t/m 19	20 t/m 64	65+
AWBZ	15,9	3,4	10,3	2,2
ZFW	10,1	1,9	6,7	1,6
Particulier totaal	5,6	1,5	3,5	0,6
Waarvan:				
– Publiekrechtelijke regelingen ambtenaren	0,8	0,2	0,5	0,1
– WTZ	0,7	–	0,2	0,5
– Overig particulier	4,1	1,3	2,8	0,02
Onverzekerd	0,2			

Bronnen: CVZ, Vektis, SUO

6.2 Het eerste compartiment

Het eerste compartiment wordt grotendeels gefinancierd vanuit de Algemene Wet Bijzondere Ziektekosten (AWBZ). Er is sprake van 'bijzondere ziektekosten' vanwege het feit dat in een voorkomend geval de kosten zo hoog zijn dat niemand die kan dragen zonder ondersteuning van overheid en derden.

De AWBZ is een volksverzekering. Dit houdt in dat alle ingezetenen in Nederland (en alle niet-ingezetenen die in loondienst werken) van rechtswege verzekerd zijn. De verzekerden hebben aanspraak op zorg ter voorkoming van ziekten en ter voorziening in hun geneeskundige behandeling, verpleging en verzorging.

De regionale zorgkantoren voeren de AWBZ uit namens ziekenfondsen, particuliere ziektekostenverzekeraars en uitvoeringsorganen van de publiekrechtelijke ziektekostenregelingen voor ambtenaren. Een zorgkantoor is voor een bepaalde regio verantwoordelijk voor de beschikbaarheid van voldoende zorg van voldoende kwaliteit en voor een doelmatige besteding van middelen. Hulpverleners en instellingen verplichten zich tegen een bepaald bedrag en onder bepaalde voorwaarden de nodige zorg te verlenen. Naast het contracteren van zorgaanbieders en instellingen neemt het zorgkantoor deel aan het overleg over zorgaanbod in de regio.
De kosten van de AWBZ worden voor het grootste deel gefinancierd uit inkomensafhankelijke premies die door de rijksbelastingdienst worden geïnd. Naast premies betalen verzekerden voor intra -en extramurale voorzieningen eigen bijdragen. De premie van de AWBZ wordt met de inkomstenbelasting in één som geheven over het belastbaar inkomen. De rijksbelastingdienst stort deze premie in het Algemeen Fonds Bijzondere Ziektekosten dat door het CVZ wordt beheerd. Het CVZ keert geld uit aan de zorgkantoren.

6.3 Het tweede compartiment

In de financiering van zorg uit het tweede compartiment wordt voorzien door verschillende verzekeringsvormen. In de eerste plaats is er de Ziekenfondswet. Naast de ziekenfondsverzekering is er een aantal verzekeringen voor verschillende categorieën van ambtenaren, de publiekrechtelijke ziektekostenregelingen voor ambtenaren genaamd. Tot slot is er voor degenen die niet ingevolge de Ziekenfondswet of een publiekrechtelijke ziektekostenregeling voor ambtenaren verzekerd zijn, de mogelijkheid zich te verzekeren bij één van de particuliere ziektekostenverzekeringsmaatschappijen.

De Ziekenfondswet

De Ziekenfondswet heeft tot doel het waarborgen van geneeskundige verzorging aan verzekerden. De ziekenfondsverzekerden kunnen aanspraak maken op verstrekkingen. In de Ziekenfondswet wordt dit omschreven als 'geneeskundige verzorging'. Bij of krachtens Algemene Maatregel van Bestuur worden de aard, de inhoud en de omvang van de verstrekkingen geregeld.
De uitvoering van de ziekenfondswet is opgedragen aan ziekenfondsen die voldoen aan de in de Ziekenfondswet gestelde toelatingseisen. Van rechtswege is iedereen verzekerd die een bruto-inkomen heeft dat onder de loongrens ligt. De ziekenfondsen leveren medische verzorging in natura. Dit betekent dat ze er zorg voor dragen dat de noodzakelijke medische verzorging aan de verzekerden wordt verstrekt. Tot 1992 werkten ziekenfondsen alleen regionaal. Nu werken ze landelijk en mogen verzekerden zelf een ziekenfonds kiezen.

Financiering van de ziekenfondsverzekering vindt plaats door het heffen van premies, een rijksbijdrage en een bijdrage ingevolge de Wet Medefinanciering Oververtegenwoordiging Oudere Ziekenfondsverzekerden (MOOZ). Iedere verzekerde betaalt een procentuele en een nominale premie. De werkgever en de werknemer betalen elk een deel van de premie. Het Rijk draagt via de Rijksbijdrage aan de Algemene Kas van de ziekenfondsverzekering bij aan de financiering van de ZFW. Tot slot betaalt de particuliere verzekeringsmarkt op grond van de Wet medefinanciering oververtegenwoordiging oudere ziekenfondsverzekerden (MOOZ) mee aan de verplichte ziekenfondsverzekering.
Sinds 1991 lopen de ziekenfondsen (gedeeltelijk) financieel risico, de uitkeringen die zij ontvangen zijn gebudgetteerd. De ziekenfondsverzekeraar moet afspraken maken met de zorgverleners over de hoeveelheid, de kwaliteit en de prijs van de geleverde prestaties. Zo wordt gezorgd dat de ziekenfondsen er belang bij hebben dat de zorg die de verzekerden nodig hebben zo flexibel en doelmatig mogelijk wordt ingekocht en georganiseerd. Op basis van de budgettoewijzing door het ministerie stelt ieder ziekenfonds de hoogte van zijn nominale premie voor het volgende jaar vast. Zo kan een ziekenfonds door een scherpe premiestelling zich aantrekkelijk maken voor de verzekerden.

De publiekrechtelijke ziektekostenregelingen voor ambtenaren
In Nederland bestaan er drie publiekrechtelijke ziektekostenregelingen voor ambtenaren. De genoemde regelingen geven vergoeding voor gemaakte ziektekosten (na verrekening van een eventueel eigen risico). Het pakket komt grotendeels overeen met het ziekenfondspakket, maar is op sommige onderdelen ruimer. Werkgever en ambtenaar betalen elk een deel van de procentuele premie. De ambtenaar betaalt ook een nominale premie. Voor bepaalde zorg gelden eigen bijdragen. Een persoon die in dienst is van een gemeente, provincie of rijks- of gemeentepolitie is van rechtswege verzekerd.
De uitvoering van de regelingen vindt plaats door uitvoeringsorganen voor de publiekrechtelijke regelingen. De publiekrechtelijke ziektekostenverzekeringen zijn gebaseerd op het restitutiestelsel: de verzekerden ontvangen een vergoeding van de gemaakte kosten voor medische zorg. De financiering vindt plaats door middel van inkomensafhankelijke (waarvan een deel voor rekening van de werkgever en een deel voor rekening van de werknemer komt) en nominale premies.

De Wet op de Toegang tot de Ziektekostenverzekering
Iedereen die niet op grond van de ziekenfondswet of een ambtenarenverzekering is verzekerd, kan zich particulier verzekeren. Dit is een privaatrechtelijke overeenkomst tussen een verzekerde en een particuliere verzekeraar. Er wordt wel gesproken van een verzekering met een gemengd karakter vanwege het feit dat er

voor iemand die op de particuliere markt is aangewezen geen verplichting bestaat zich te verzekeren, terwijl de verzekeringsmaatschappij wel verplicht is om, met iemand die aan de wettelijk gestelde eisen voldoet, op zijn verzoek een standaardverzekering te sluiten.

7. Ontwikkelingen in de gezondheidszorg

In deze paragraaf bespreken we enkele betrekkelijk recente ontwikkelingen en knelpunten in de organisatie en financiering van de gezondheidszorg.

7.1 Vraaggestuurde zorg

De gezondheidszorg wordt in plaats van aanbodgestuurd steeds meer vraaggestuurd ingericht. Nu is het zo dat iemand met een gezondheidsprobleem gebruik kan maken van het zorgaanbod dat er is. De zorgorganisaties en -instellingen bepalen welke zorg verleend kan worden. Een patiënt kan daarmee instemmen of niet. Door negatieve ervaringen met starheid van aanbieders, door de toegenomen mondigheid en nadruk op de autonomie van de patiënt en door een sterkere nadruk op marktwerking in heel de samenleving is er meer en meer verzet gerezen tegen aanbodgestuurde zorg. Men vindt dat niet de patiënt zich moet aanpassen aan de zorgverleners maar dat de zorginstellingen en zorgverleners zich dienen aan te passen aan de behoeften en wensen van de patiënt. De zorg moet zorg op maat, conform wensen van de zorgvrager, op basis van adequate informatie en conform professionele indicaties en standaarden zijn. Er kunnen die versies van 'vraagsturing' onderscheiden worden:

- Sturing van de vraag: de overheid houdt bij de aanbodregulering rekening met de vraag van de patiënt (daarbij blijft het aanbod de vraag sturen).
- Sturing op de vraag: verzekeraars (of andere zaakwaarnemers) sturen het zorgaanbod door namens de patiënt zorg in te kopen, uit te voeren of te financieren.
- Sturing door de vraag: de patiënt stuurt zelf bijvoorbeeld via een persoonsgebonden budget (de vraag leidt daarbij het aanbod).
- Van zorgaanbieders wordt een grotere flexibiliteit gevraagd om op de diversiteit aan vraag (zorgbehoeften) in te spelen. In de samenleving is dan ook een herordening van het aanbod te zien. Allerlei vormen van samenwerking ontstaan. In een regio probeert men te komen tot een zorgcontinuüm van thuishulp tot specialistische zorg in academische ziekenhuizen.

7.2 Het persoonsgebonden budget

Een belangrijk instrument in de kanteling van aanbod- naar vraaggestuurde zorg is het Persoons-Gebonden Budget (PGB). Het gaat hier om een relatief nieuwe financieringsvorm, die betrekking heeft op de 'care' en niet op de medisch-technische zorg. Bij deze financieringsvorm krijgen patiënten op indicatie een bepaald bedrag voor zorgvoorzieningen toegekend. Patiënten kunnen met behulp van het gekregen budget in principe zelf de zorg 'inkopen' die men nodig en wenselijk acht.

De AWBZ betaalt hulp via een persoonsgebonden budget (PGB) voor personen die langer dan drie maanden thuiszorg nodig hebben en voor verstandelijk gehandicapten. Het PGB houdt in dat de patiënt met een beschikbaar gesteld budget hulpverlening naar eigen keuze kan zoeken.

Eén van de voordelen van het PGB is dat de patiënt een grotere keuzevrijheid heeft. De patiënt kan zo zelf kiezen voor bijvoorbeeld het tijdstip van zorgverlening en voor zorg die aansluit bij de eigen identiteit. De patiënt krijgt hiermee een belangrijke zeggenschap over de zorg en daarmee ook verantwoordelijkheid voor de zorg die hij vraagt. Daarnaast ligt een grote verantwoordelijkheid bij degene die de indicatie vaststelt waarop het budget is gebaseerd. In de praktijk (o.a. in verzorgingstehuizen) is het zo dat het management van de zorginstelling de aanvraag van het PGB regelt met machtiging van patiënten. Een tweede voordeel van het PGB is dat de zorgverlening meer doelmatig wordt: er is weinig kans op over- of onderaanbod, de zorgverlener doet wat is afgesproken. Bovendien is de zorgverlening gebaseerd op een onafhankelijke indicatie.

Wel ontstaat door het economisch invullen van de relatie patiënt-zorgverlener het gevaar dat in die relatie het contract, de afspraak belangrijker wordt dan de vertrouwensrelatie. (Dit geldt natuurlijk niet voor die situaties waarin de zorgvrager een familielid of bekende tegen een vergoeding de zorg laat verrichten.) Verder kan het feit dat de zorgvrager geld ter beschikking heeft om voor zorg uit te geven ertoe leiden dat de bereidheid tot het verlenen van vrijwilligerszorg afneemt. Dit zou een verdere verzakelijking van de zorgverlening betekenen.

7.3 Het persoonsvolgend budget

Een tweede belangrijk instrument in de kanteling van aanbod- naar vraaggestuurde zorg is het persoonsvolgend budget (PVB). Het PVB is een bekostigingssysteem van zorg in natura. Het PVB-budget wordt namens de cliënt beheerd door de zorgaanbieder. De zorgaanbieder heeft vervolgens de verplichting aan de cliënt de geïndiceerde zorg te leveren. De cliënt kan met de zorgaanbieder afspraken maken over het tijdstip van levering en de wijze waarop de ondersteuning door de zorgaanbieder geboden wordt. Het afgesproken budget wordt onderdeel van het budget van de zorgaanbieder. De nacalculatie vindt plaats volgens de in de zorg in natura gebruikelijke systematiek, namelijk op grond van de toets of de afgesproken aanvullende productie daadwerkelijk is gerealiseerd.

7.4 Diagnose Behandeling Combinatie

Een derde belangrijk instrument in de kanteling van aanbod- naar vraaggestuurde zorg is het streven naar de invoering van diagnose-behandeling-combinaties (DBC's). Dit is een nieuw systeem voor de bekostiging van ziekenhuizen en honorering van medisch specialisten. Aan de huidige financiering van ziekenhuizen en medisch specialisten via gescheiden systemen komt bij de invoering van het nieuwe systeem een eind, omdat de contracten tussen ziekenhuizen en zorgverzekeraars dan namelijk gebaseerd zullen worden op DBC's. De bekostiging van ziekenhuis- en medisch-specialistische zorg geschiedt niet meer op basis van aanbodgerelateerde parameters, maar op basis van vraaggerelateerde productprijzen. Het kernbegrip in het nieuwe systeem van financiering is de hierboven genoemde Diagnose Behandeling Combinatie. Een DBC omschrijft de zorg die een patiënt ontvangt op basis van zijn of haar zorgvraag en omvat alle activiteiten en verrichtingen die een patiënt op basis van de zorgvraag in het ziekenhuis ondergaat. Vrijwel elke zorgvraag is onder te brengen in een DBC. Nadat een patiënt voor een eerste consult is geweest en zijn zorgvraag te kennen heeft gegeven, stelt de specialist een (voorlopige) diagnose vast. Om te bepalen welke DBC moet worden gekoppeld aan de zorgvraag, maakt de specialist gebruik van een zogenaamde DBC-typeringslijst.

Bij het vergoeden van de kosten van het ziekenhuis en het honoreren van medisch specialisten op basis van DBC's staat de vraag van de patiënten centraal. Ziekenhuizen, medisch specialisten en zorgverzekeraars kunnen in onderling overleg het aanbod aan zorg beter afstemmen op de vraag. Behalve tot een beter systeem van bekostiging, moet de DBC-systematiek ook leiden tot efficiëntere ziekenhuiszorg. Aangezien er met DBC's meer transparantie in het zorgproces ontstaat, is de verwachting dat er niet alleen een groter kostenbewustzijn bij alle betrokkenen ontstaat, maar ook dat de planning van het zorgproces wordt verbeterd en daarmee de wachttijden kunnen worden verkort.

Eén van de positieve gevolgen die de DBC-systematiek naar verwachting zal hebben, is dat de zorgvraag van patiënten zichtbaar wordt. Verwacht wordt dat de ziekenhuiszorg via de DBC-systematiek klantgerichter wordt dan nu het geval is, omdat er financiële prikkels in het bekostigingssysteem worden ingebouwd om patiënten sneller en binnen een kortere tijd te helpen. Bovendien zorgt de onderhandelingssituatie tussen verzekeraars en ziekenhuizen voor meer marktwerking. Partijen maken immers afspraken over prijs, volume en kwaliteit van zorg. Maar naast positieve verwachten sommigen ook negatieve effecten van het invoeren van DBC's. Men vreest een nieuwe vorm van bureaucratie met alle kosten en stroperigheid van dien. En verder wordt het denkbaar geacht dat ziekenhuizen en klinieken (heimelijk) aan patiëntenselectie zullen gaan. Men zal proberen patiënten met aandoeningen met een voor dat ziekenhuis minder gunstige DBC door te sturen naar een andere instelling. Verder zou de DBC-systematiek een neiging tot onderbehandeling kunnen bevorderen omdat de instelling bij goedkoop behandelen meer overhoudt van het bedrag dat voor de betreffende DBC geldt. Veel zal op dit punt afhangen van de precieze formulering van de DBC's en van de controle op de kwaliteit van de medische zorg.

7.5 Knelpunten in het huidige zorgstelsel

De Nederlandse gezondheidszorg is in vergelijking met andere landen kwalitatief goed en breed toegankelijk. Toch zijn er enkele knelpunten op het terrein van de gezondheidszorg en ziektekostenverzekeringen.

Mede op grond van adviezen en rapporten onderscheidde het kabinet-Kok II drie belangrijke en onderling samenhangende knelpunten in het huidige zorg- en verzekeringsstelsel.

Ten eerste leidt de dominante, centrale aanbodsturing in het eerste en het tweede verzekeringscompartiment tot onvoldoende ruimte en prikkels bij partijen voor een kwalitatief hoogwaardig en doelmatig functioneren, en tot een gebrekkige aansluiting van het aanbod op de vraag. Zowel in het eerste als het tweede compartiment leidt de thans nog dominante aanbodsturing onder meer tot geringe vraaggerichtheid van het zorgaanbod (het zorgaanbod speelt onvoldoende in op de behoefte van de patiënt); beperkte ruimte voor ondernemerschap, flexibiliteit en innovatie; geringe doelmatigheid (de verdeling van middelen op microniveau is onvoldoende efficiënt) en onvoldoende informatie over en transparantie van het zorgaanbod.

Een tweede knelpunt in het huidige verzekeringsstelsel is volgens het kabinet de dualiteit in het tweede compartiment (nl. ziekenfonds en particuliere verzekering). Dit komt onder meer tot uiting in 1) de verschillende en deels tegengesteld werkende sturingsconcepten, 2) de ondoorzichtige solidariteit en ongelijke lastenverdeling en 3) de beperkte keuzemogelijkheden. We werken deze drie problemen kort uit.

Ad 1) Naast de overheid geven verzekeraars sturing aan de zorg. Zij doen dit op verschillende manieren. De verschillen in het sturingsconcept komen tot uiting in het naturasysteem in de ziekenfondsverzekering waarin een acceptatie- en zorgplicht voor de ziekenfondsen geldt en in het restitutiesysteem in de particuliere verzekering waarin de mogelijkheid is van risicoselectie voor particuliere verzekeraars.

Voor ziekenfondsen is door hun acceptatie- en zorgplicht, in combinatie met het budgetteringssysteem een goede organisatie van de zorg van belang. Zo kunnen ze hun uitgaven beheersen en voldoende zorg voor hun verzekerden contracteren. Op dit moment zijn voor ziekenfondsen meer prikkels aanwezig tot decentrale sturing in de zorg en tot doelmatige inkoop van zorg dan voor particuliere zorgverzekeraars.

Ad 2) Ten aanzien van de ondoorzichtige solidariteit en de ongelijke lastenverdeling kan opgemerkt worden dat vanwege de verbrokkelde verzekerings- en financieringsstructuur burgers in vergelijkbare omstandigheden, maar met verschillende verzekeringen, sterk verschillende premies betalen en dat het overgaan van de ene naar de andere zorgverzekering (bijvoorbeeld vanwege het overschrijden van de loongrens of verandering van werkgever) vaak leidt tot flinke veranderingen in het netto besteedbaar inkomen van mensen.
Ad 3) Een derde gevolg van de dualiteit in het tweede compartiment is dat er sprake is van ongelijkheid ten aanzien van de keuzemogelijkheden voor verzekerden ten aanzien van de samenstelling van het pakket, het eigen risico en de mogelijkheden om van verzekeraar te wisselen.
Het derde knelpunt is dat de uitvoeringsstructuur in het eerste en tweede compartiment de totstandkoming van een samenhangend zorgaanbod belemmert en leidt tot afwentelingsmechanismen. In tegenstelling tot het tweede compartiment is de zorg in het eerste compartiment voor alle burgers uniform verzekerd via de AWBZ. Ook in de AWBZ is er momenteel sprake van een omslag van een centraal aanbodgestuurd model naar een decentraal, vraaggericht stelsel. Daarbij hoort een passende uitvoeringsstructuur, met prikkels die stimuleren tot een vraaggericht zorgaanbod. Zo worden de 'schotten' tussen het eerste en tweede compartiment steeds meer als problematisch ervaren. Zowel vanuit de patiënt als vanuit het oogpunt van een doelmatige zorgverlening zou in veel gevallen zorg uit het tweede compartiment zonder al te veel belemmeringen te combineren moeten zijn met de zorg die onder het eerste compartiment valt.
Uit de genoemde knelpunten in de gezondheidszorg heeft het kabinet geconcludeerd dat het zorg- en verzekeringsstelsel niet meer voldoende aansluit bij de huidige ontwikkelingen en niet voldoende toekomstbestendig is. Daarom heeft het in het licht van deze knelpunten plannen ontwikkeld voor de vernieuwing van het zorgstelsel.
Ten aanzien van de inrichting van het nieuwe stelsel geldt dat er keuzes gemaakt moeten. Deze keuzes zijn normatief van aard. Voordat keuzes gemaakt kunnen worden moet dan ook eerst nagegaan worden welke waarden en normen voor het zorgstelsel gelden. In de volgende paragraaf zal daarom uitgaande van christelijke waarden en normen heel kort een normatief kader geschetst worden voor het zorgstelsel en de gezondheidszorg.

8. Christelijke uitgangspunten voor het zorgsysteem

De belangrijkste elementen van een christelijke visie op het zorgstelsel zijn als volgt samen te vatten. In de christelijke levensovertuiging liggen de waarde en waardigheid van de mens verankerd in het geschapen zijn naar het beeld van God. Leven en gezondheid zijn gaven van grote waarde die een verantwoordelijkheid meebrengen jegens de Gever, allereerst voor de eigen gezondheid maar ook voor die van anderen met wie men in samenlevingsverbanden is verbonden. Dit betekent een verantwoordelijkheid tot een gepast gebruik van de mogelijkheden van de gezondheidszorg voor zo goed mogelijke instandhouding van het leven en van de gezondheid. Tegelijkertijd wordt erkend dat de mens sterfelijk is en dat gezondheid niet het hoogste goed is. Dit brengt ook een zekere relativering mee van gezondheid en van de medische mogelijkheden. De mens verliest met zijn gezondheid niet zijn waardigheid, en tegen een onevenredige behandeldrift bij het onafwendbare levenseinde moet worden gewaakt. Wel is zorg voor een zo goed mogelijke kwaliteit van leven tot het (niet opzettelijk te veroorzaken) einde een blijvende verantwoordelijkheid.
Voor de organisatie van het gezondheidszorgstelsel leidt dit tot de volgende oriëntatiepunten.

1. Voor de inrichting van het zorgstelsel dienen de volgende normatieve ijkpunten gehanteerd te worden:
   - Het stelsel behelst een belangrijke mate van solidariteit; dit beïnvloedt de omvang van het basispakket en de wijze van bekostiging.
   - Het stelsel kent een verzekerplicht, een acceptatieplicht en een zorgplicht voor een basispakket; voor moeilijk verzekerbare risico's komt een vereveningssystematiek.
   - Het zorgstelsel moet gepast gebruik van zorg bevorderen door een adequate indicatiestelling door zorgverleners en verantwoord gebruik door de zorggebruikers te bevorderen.
   - Het stelsel biedt de patiënt op verschillende punten keuzevrijheid, onder meer om mede op grond van levensbeschouwelijke overwegingen keuzes te kunnen maken met betrekking tot de aanbieder en de zorg. Dit houdt ook in dat ethisch zeer omstreden handelingen niet voor iedereen verplicht verzekerde voorzieningen zijn.
2. Gezien het karakter van de zorg heeft het onze voorkeur dat zorginstellingen maatschappelijke organisaties zijn met een not-for-profit karakter. Prijsconcurrentie tussen instellingen en verzekeraars dient de professionele behandelvrijheid van de zorgverleners ongemoeid te laten en dient alleen toegelaten te worden in de mate dat een goed en onafhankelijk kwaliteitsbeleid bij instel-

lingen en zorgverleners functioneert. Uitsluiting van aanbieders van contracten mag alleen op basis van bewezen ondermaatse kwaliteit, van weigering mee te werken aan een kwaliteitsbeleid en -toetsing, of op basis van principieel ethische overwegingen.

3. Het streven te komen tot een algemene verzekering curatieve zorg en – op termijn – de integratie van de algemene verzekering curatieve zorg en de AWBZ verdient steun. Wel zullen de stappen waarlangs dit gerealiseerd kan worden zorgvuldig afgewogen en genomen moeten worden. Met het oog op concurrentie tussen verzekeraars is een verdergaande nominalisering van de premie gewenst, mits inkomenssolidariteit gehandhaafd blijft via aanpassingen van het belasting- of sociale verzekeringsstelsel.
4. De onverdeelde inzet van de zorgverlener voor het gezondheidsbelang van de patiënt staat niet toe dat het stelsel directe financiële belangen van de zorgverlener een rol laat spelen in de individuele behandelrelatie; dit houdt in dat er tussen zorgverleners geen prijsconcurrentie wordt toegestaan en dat honorering niet uitsluitend via het verrichtingentarief plaatsvindt. Diagnose-behandelcombinaties als bekostigingssystematiek van (curatieve) zorg kan aanvaardbaar zijn mits effectieve controle op de kwaliteit bestaat.
5. Onderlinge professionele toetsing van de zorg is noodzakelijk en instellingen dienen een adequaat kwaliteitsbeleid te voeren waarvan ook de (levensbeschouwelijke) identiteit een integraal aspect is. Wij achten dit zo belangrijk dat zonder dat dit algemeen is ingevoerd en functioneert, geen verdergaande concurrentie tussen verzekeraars en nog minder tussen instellingen geaccepteerd kan worden.
6. Er dient tegen gewaakt te worden dat regionalisering in de organisatie en financiering van de zorg, het opzetten van zorgketens, verdere concentratie van zorgverzekeraars en het afsluiten van collectieve contracten tussen verzekeraars en verzekerden, de keuzevrijheid van de patiënt voor door hem gewenste aanbieders en voorzieningenpakket in gevaar brengen.
7. Het zorgstelsel dient ruimte te bieden aan verzekeraars om (onder meer) op levensbeschouwelijke gronden gedifferentieerde pakketten (basispakket en aanvullende pakketten) aan te bieden.
8. Over zorgpolissen die een levensbeschouwelijk bepaald zorgpakket betreffen, dienen vertegenwoordigers van de betreffende bevolkingsgroep een zo groot mogelijke zeggenschap te hebben.

Literatuur

H. Jochemsen, N.A. de Ridder-Sneep, J.J. Polder, C. Hendrix, H. Foekema, *Kiezen met zorg: naar meer keuzevrijheid in het zorgstelsel,* De Groot Drukkerij BV, Goudriaan, 2002.
Ministerie van Volksgezondheid, Welzijn en Sport, *Ziektekostenverzekeringen in Nederland: Stand van zaken per 1 januari 2002,* Den Haag, januari 2002.
Ministerie van Volksgezondheid, Welzijn en Sport, *Zorgnota 2002,* Den Haag, 2001.
Ministerie van Volksgezondheid, Welzijn en Sport, Het *stelsel op de schop? Verslag van een debatserie in De Balie,* Den Haag, februari 2001.
Per Saldo, *Zelf aan zet met een persoonsgebonden budget* (PGB), 2001. (http://www.pgb.nl/info.html)
Ministerie van Volksgezondheid, Welzijn en Sport, *Vraag aan bod: hoofdlijnen van vernieuwing van het zorgstelsel,* Tweede Kamer, Den Haag, 2000-2001 27855 nrs. 1-2.
Raad voor de Volksgezondheid en Zorg, *De rollen verdeeld,* Zoetermeer, 2000.
Ministerie van Volksgezondheid, Welzijn en Sport, *CTG beleidsregels en het PVB,* Den Haag, 2000.
P.P.M. Harteloh en A.F. Casparie, *Kwaliteit van zorg: van een zorginhoudelijke benadering naar een bedrijfskundige aanpak.* Maarssen: Elsevier/De Tijdstroom 1998.
J. Visser, Een goede sfeer is snel weer verziekt, *Zorgvisie.* 1998 (14) p.6-8.
S.P.M. de Waal, Transparantie en maatschappelijke verankering van zorgconglomeraten: is dat een issue dan? *ZM-magazine.* 1998 (9).
G.J.A. Hamilton, Zorgplicht en hulpverleningsplichten binnen het kader van de wettelijke ziektekosten-verzekering, Rechtspraak zorgverzekering ziekenfondsraad – 10 jaar, 1997, p.2-18.
Mol, A. De patiënt in drie talen, in: M. Verkerk (red.), *Denken over zorg,* Utrecht: Elsevier/De Tijdstroom, 1997.
J.M. Boot en M.H.J.M. Knapen, *De Nederlandse gezondheidszorg,* Den Haag: Het Spectrum 1996.
J.J. Polder, J. Hoogland en H. Jochemsen, *Professie of profijt.* Amsterdam: Buijten & Schipperheijn, 1996.
W.P.M.M. van de Ven, E.M. van Barneveld, F.T. Schut, R.C.J.A. van Vliet, *Premiebandbreedte en acceptatieplicht op een concurrerende zorgverzekeringsmarkt,* Rotterdam: Instituut Beleid en Management Gezondheidszorg, Erasmus Universiteit Rotterdam, april 1995.

ooo 9 ooo

Alternatieve geneeswijzen

1. *Inleiding*

Ondanks de enorme prestaties van de reguliere (of conventionele) geneeskunde, zoals die op de universiteiten aan aankomende artsen geleerd wordt, blijft er een grote belangstelling voor alternatieve geneeswijzen bestaan. In par. 2.2 geven we hierover enige kwantitatieve gegevens.
De maatschappelijke betekenis van de alternatieve geneeskunde is zo groot dat artsen én leken er niet schouderophalend aan voorbij kunnen gaan. Van artsen – en in het bijzonder van huisartsen – wordt op z'n minst een standpuntbepaling verwacht; al is het maar ter wille van de relatie met de patiënt die om raad vraagt. Een globale oriëntatie over de verschillende vormen van alternatieve geneeskunde is daarom voor iedere arts aan te bevelen.
Er is ten eerste over de vraag of alternatieve geneeswijzen nu *wel of niet werkzaam* zijn. Zijn de geclaimde resultaten aantoonbaar of zijn ze inbeelding? Critici spreken in dit verband van 'pseudo-wetenschap': magisch handelen waar een rookgordijn omheen hangt van wetenschappelijk klinkende kreten. Verdedigers wijzen er op dat ook de reguliere geneeskunde gebruik maakt van methoden die gebaseerd zijn op nog maar deels begrepen werkingsmechanismen. In par. 2.2 melden we de aanbevelingen van de Gezondheidsraad in deze.
De gang naar de alternatieve genezer roept echter niet alleen vragen op van medische aard, maar bovendien dringt zich de vraag op of *christenen* gebruik mogen maken van alle diensten van alternatieve therapeuten. De uitgangspunten van de alternatieve genezers en geneeswijzen staan in een aantal gevallen namelijk haaks op wat de Bijbel ons leert. Bij deze vraag gaat het niet primair om de vraag naar de werkzaamheid of effectiviteit van alternatieve geneeswijzen, maar om de levensbeschouwelijke bron waaruit geput wordt.
In dit hoofdstuk richten we ons vooral op deze tweede vraag. Hiertoe zullen we eerst enkele achtergronden van alternatieve geneeswijzen bespreken (par. 2), waarbij we ook specifiek ingaan op enkele bijbelse noties (par. 2.4) en tenslotte nemen we enkele veel voorkomende geneeswijzen onder de loep (par. 3).

2. *Achtergronden van alternatieve geneeswijzen*

2.1 *Enkele kenmerken van onze moderne cultuur*

Onze westerse cultuur wordt voor een belangrijk deel bepaald door wetenschap en techniek, waarin God geen rol (meer) speelt. Dit heeft geleid tot een *materialistisch mensbeeld*, hetgeen ook de natuurwetenschappelijke universitaire geneeskunde grotendeels beheerst. Hoewel deze vorm van geneeskunde veel goeds heeft gebracht, zijn er onmiskenbaar ook negatieve gevolgen van de gedachte op het gebied van de gezondheidszorg dat geest en lichaam twee strikt gescheiden delen van ons bestaan zijn.
Een ander kenmerk van onze cultuur is, dat alle aandacht van de mens valt op het 'hier en nu', met als gevolg dat gezondheid voor de meeste mensen het allerbelangrijkste in hun leven is. Dat heeft zo'n hoge waarde dat men zelfs gezondheid van de moderne geneeskunde *eist*, zonder dat men er zelf veel moeite voor hoeft te doen. Als er iets hapert aan de 'machine' – al of niet door eigen schuld – dan moet de arts in de rol van monteur zo snel mogelijk het euvel verhelpen. Lukt dit niet snel of goed genoeg, dan moeten alternatieve 'reparateurs' gezocht worden.
Het toenemend gebruik van de alternatieve geneeswijzen kan gezien worden als een uitvloeisel van het 'hier en nu'-denken en als protest tegen het materialistische denken. Men wil een holistische geneeskunde, waar aandacht is voor 'de hele mens' in plaats van voor zijn organen; voor de 'zieke' in plaats van voor de 'ziekte'. Veel alternatieve geneeswijzen gaan uit van een holistisch mensbeeld; een denken dat de hele natuur ziet als uitvloeisel en verlengstuk van een goddelijke zelfstandigheid. Deze denkbeelden zijn afkomstig uit de oude oosterse mystiek en we vinden ze ook weer terug in de huidige new age-beweging.

2.2 *Medische en maatschappelijke aspecten*

Per jaar gaan 2,3 miljoen mensen naar een alternatieve behandelaar (CBS, 1992). Dat is 16% van de bevolking. De ca. 6000 alternatieve genezers – artsen niet meegerekend – krijgen bij elkaar 15 miljoen bezoeken per jaar (CBS, 1992). Ter vergelijking: huisartsen krijgen 60 miljoen bezoeken per jaar. Met name voor bepaalde chronische klachten wendt men zich (ook) tot alternatieve genezers, zoals voor hoofdpijn, eczeem, maag- en darmklachten en vermoeidheidsklachten. Daarnaast worden alternatieve genezers geraadpleegd wanneer men zich door de reguliere hulpverlener onbegrepen voelt. En van de kankerpatiënten blijkt meer dan 30% wel eens een alternatieve geneeswijze uit te proberen. Het bedrag dat in Nederland jaarlijks aan alternatieve middelen (en aan voedingssupplementen) wordt uitgegeven bedraagt vele miljoenen; het marktaandeel van de homeopathie en de fytotherapie (kruidengeneeskunde) bedroeg in 1996 4,5% van het geheel

aan geneesmiddelen, aldus de website van de NEHOMA waarin toonaangevende fabrikanten/importeurs van deze middelen verenigd zijn.
Tot de gebruikers van de alternatieve geneeskunde behoren verschillende categorieën mensen. Zo zijn er de pragmatici ('baat het niet, het schaadt ook niet'), de gefrustreerden (die teleurgesteld zijn in de reguliere geneeskunde), en de principiëlen (zij, die op grond van hun levensbeschouwing kiezen voor de alternatieve therapeuten). Onder deze laatste groep bevinden zich ook veel christenen uit de reformatorische gezindte.
De aanduiding 'alternatief' staat nogal eens voor 'niet wetenschappelijk te verifiëren'. De reguliere geneeskunde eist objectief onderzoek. Van een behandeling die bij één of meer patiënten lijkt 'te werken' kan men namelijk niet zomaar stellen, dat die behandeling de enige of belangrijkste oorzaak van het gunstige effect is geweest. Andere factoren kunnen meegespeeld hebben: het natuurlijk verloop van de ziekte, andere medicatie, toevalligheden of het placebo-effect. De meest overtuigende manier om zoiets vast te stellen is door middel van een *gerandomiseerd, dubbelblind onderzoek* (zie hfdst. 7). De geneeskunde realiseert zich intussen onvoldoende, dat haar eigen therapieën vaak ook niet aan deze eis voldoen. Bovendien zijn er in de medische wetenschap – zoals op het gebied van de zogenaamde psycho-neuro-immunologie – nieuwe inzichten aan het ontstaan over de complexe interactie tussen onder andere psychisch welbevinden en lichamelijk functioneren, waaronder immunologische afweer.
Toch wordt ook bij alternatieve geneeswijzen de behoefte aan wetenschappelijke onderbouwing gevoeld. De Commissie Alternatieve Behandelwijzen van de Gezondheidsraad adviseerde in 1993 om wetenschappelijk onderzoek naar de eventuele effectiviteit te doen. Hierbij werd wel aangegeven dat de gebruikelijke vormen – randomisatie, cross-over onderzoek en onderzoek met placebo-controle – op problemen zouden stuiten. Men pleitte dan ook voor een aangepaste onderzoeksmethode: een 'black box' methode waarbij alleen naar begin- en eindpunt van de behandeling wordt gekeken. Tevens werd vermoed dat de typische definities van ziekte en gezondheid een herijking zouden behoeven; ook een pleidooi voor een onderzoek naar de essentie van 'genezen' en 'het genezingsproces'. Het rapport kreeg in zijn algemeenheid een koel onthaal. Overigens had de Commissie Alternatieve Geneeswijzen (commissie-Muntendam) de regering in 1983 ook al geadviseerd dergelijk wetenschappelijk onderzoek te bevorderen. Dit deed de commissie-Muntendam overigens met een positievere houding. Het pleitte er verder namelijk voor om bepaalde verstrekkingen in het ziekenfondspakket op te nemen; om een betere informatievoorziening naar beroepsbeoefenaars en publiek te arrangeren; daarnaast beval het de bestrijding van kwakzalverij aan. Overigens blijkt dat mensen genezers raadplegen, onafhankelijk van bewezen werkzaamheid.

De reguliere geneeskunde heeft zeker veel tekortkomingen. Er is daarom geen enkele reden tot kritiekloze verheerlijking ervan. Daar staat tegenover, dat er door de bloei van de alternatieve geneeskunde twee gevaarlijke tendensen mogelijk zijn.

In de eerste plaats is er het gevaar van *kwakzalverij*, waartegen de patiënt beschermd dient te worden. Onder kwakzalvers verstaan we niet-bevoegde 'genezers' die hulpvragers oplichten. Sinds de Wet BIG van kracht is geworden, is geneeskunst uitoefenen niet meer voorbehouden aan artsen. Voorbehouden handelingen zijn een uitzondering; alleen aangewezen deskundigen zijn hiertoe bevoegd. Alternatieve behandelaars die tevens arts zijn vallen wél onder de Wet BIG en het hiermee verbonden tuchtrecht. Voor niet-gekwalificeerden is er alleen repressief toezicht. Dat wil zeggen dat bij het veroorzaken van schade er wel sprake kan zijn van strafbaarstelling.

Ten tweede is er het gevaar van *shoppen*. Dat wil zeggen dat wanneer men niet tevreden is met de medische behandeling, men van de ene arts naar de andere gaat, waardoor er een nog hogere medische consumptie ontstaat en er nauwelijks consistentie in behandeling zal zijn. Het aanbod van alternatieve genezers vormt een extra uitnodiging tot dit *shoppend* gedrag.

2.3 Levensbeschouwelijke en filosofische achtergronden

De vraag: mag ik alternatief behandeld worden?, heeft niet alleen een medische, maar ook een christelijk-ethische kant. De Bijbel spreekt over de mogelijkheid dat geestelijke machten de mens aftrekken van God. Ook in het zoeken naar genezing kunnen mensen in contact komen met deze geestelijke, demonische machten. We zagen reeds, dat in reactie op het mechanistische mensbeeld het nieuwe holistische denken in opkomst is.

Nu is het belangrijk om onderscheid te maken tussen het *antropologisch holisme*, dat de mens als één geheel beziet, en het *kosmologisch holisme*, dat de mens beziet als organisch deeltje van de kosmos. Tegen de eerste vorm van holisme is weinig bezwaar. Integendeel, het herinnert ons aan het eenzijdige van het reductionisme van de reguliere geneeskunde. Voor de tweede vorm van holisme dienen we beducht te zijn. We komen hier in aanraking met het oosterse magische denken, dat ook terug te vinden is bij een aantal alternatieve geneeswijzen. Dit denken kan ons gemakkelijk naar de occulte wereld voeren en kan ons in contact brengen met een hogere kosmische werkelijkheid, waaruit zogenaamde helende krachten of energieën zouden ontspringen, waarin de onderscheidingen tussen goed en kwaad en tussen Schepper en schepsel vervagen.

Nu moeten we er voor waken om overal demonen te zien, zeker waar ze niet zijn. Daarom is het belangrijk om criteria te ontwikkelen aan de hand waarvan we bepaalde geneeswijzen kunnen toetsen.

2.4 Wat leert de Bijbel ons over het occultisme?

Het woord 'occult' is afgeleid van het Latijnse *occultus* dat 'verborgen' betekent. Occultisme is de leer van de verborgen dingen; dingen die alleen voor ingewijden bekend zijn. Gewoonlijk houdt de wetenschap zich niet bezig met het occultisme. Een uitzondering vormt de parapsychologie, waar men liever niet spreekt van occulte, maar van 'paranormale' verschijnselen.

In de oude culturen was in het algemeen de grens tussen wat wij natuurlijk en bovennatuurlijk noemen zeer vloeiend. Men zag een duidelijke relatie tussen ziekte en invloeden vanuit de geestelijke wereld. De functie van de 'arts' viel in veel gevallen samen met die van priester of tovenaar. Tegelijkertijd kwamen gebruiken en methoden voor die wij nu als 'natuurlijk' zouden kunnen beschouwen, al beleefden de mensen toen dat onderscheid niet zo.

Vanuit christelijk oogpunt kan men occultisme definiëren als het gebruikmaken van elementen uit dat gedeelte van de geesteswereld dat vanouds tegen God in opstand is gekomen. Concreet vinden we occultisme doorgaans in bepaalde, in Gods Woord verboden methoden, waardoor 1) een mens dingen kan opmerken die normaal voor hem verborgen blijven (waarzeggerij); en/of 2) een mens handelingen kan verrichten en woorden kan spreken, waardoor iets veranderd wordt in mensen of in de natuur (toverij). Dit zijn methoden die in de Bijbel worden genoemd, bijvoorbeeld in Deuteronomium 18, vs. 10 en 11. Het gaat hierbij om methoden die door de volkeren rondom Israël gebruikt werden, vaak in de context van hun religie. Deze methoden brengen een contact tot stand met verkeerde geestelijke machten. Deze machten stellen de mens in staat gebruik te maken van 'ongewone' krachten. Met andere woorden, ze geven de mens 'paranormale gaven'.

Na de zondeval zijn vele krachten, mogelijkheden en gaven overgebleven, die de mens mag gebruiken voor het instandhouden van zijn leven en voor de genezing van zijn aandoeningen. Bij het gebruik van al die mogelijkheden en krachten dient de mens zich wel te houden aan Gods richtlijnen ten leven zoals die ons gegeven zijn in de Bijbel. Mensen hebben gewoonlijk niet de beschikking over ongewone krachten. 'Paranormaal begaafde' mensen beschikken wel over ongewone krachten, zoals helderziendheid en 'magnetisme'. Wij spreken echter liever niet van een paranormale *gave*, maar van een paranormale *gebondenheid.* Door het raadplegen van occulte genezers kan men namelijk gedwongen of ongedwongen onder de dwingende invloed van kwade machten, een strik van satan komen. Dit kan zich bijvoorbeeld uiten in angsten, vloekdwang, verslavingen, ongeremde seksualiteit etc., maar ook in dingen als trots of zelfs zelfvergoddelijking.

Nu is het zeker zo dat soms ook dienstknechten van God gebruik maken van ongewone krachten. Denk bijvoorbeeld aan de oudtestamentische profeten en de

wonderen die sommige van hen deden. Ook Jezus verrichtte veel wondertekenen. En de christelijke gemeente ontving geestesgaven, waaronder gaven van genezing. Bij het gebruik van goede krachten gaat het echter om een gebruik in de naam van God of van Jezus en staat het uitdrukkelijk in de context van de verkondiging van Gods Woord en de opbouw van Gods volk (profetie, genezingen). Toch kan het soms moeilijk zijn te onderscheiden tussen het geoorloofde en het ongeoorloofde gebruik van ongewone krachten, met andere woorden te onderscheiden of het door de kracht van de Heilige Geest of door demonische krachten gebeurt. Daar is de gave van het onderscheiden van geesten voor nodig.
We geven hieronder een aantal punten aan, waarop we alternatieve geneeswijzen dienen te toetsen. Ze kunnen helpen te oriënteren op de ethische (en soms pastorale) vraag: Mag ik alternatief behandeld worden? Deze oriëntatiepunten waarop alternatieve geneeswijzen getoetst kunnen worden:

- Ten aanzien van de genezer. Is het mens- en wereldbeeld van de therapeut bepaald vanuit het kosmologische holisme?
- Ten aanzien van de diagnose. Maakt de therapeut gebruik van een vorm van waarzeggerij of helderziendheid?
- Ten aanzien van de therapie. Maakt de therapeut gebruik van een vorm van toverij of bezwering (bijvoorbeeld 'magnetisme')? En: wordt de patiënt in een toestand gebracht van mentale passiviteit (bijv. trance, hypnose)?
- Ten aanzien van de medicijnen. Worden geneesmiddelen gebruikt, die op een of andere wijze 'bezworen' of 'besproken' (betoverd) zijn?

Een christen zal genezers mijden die op één of meer van deze criteria bedenkelijk scoort. De methoden van waarzeggerij of toverij die in de Schrift worden genoemd – zoals waarzeggen, wichelen, uitleggen van voortekenen, toveren, bezweren, de geest van een dode of een waarzeggende geest ondervragen of doden raadplegen – zijn namelijk in geen enkele context toegestaan. Zij kunnen mensen onder invloed van boze machten brengen.

3. *De praktijk van alternatieve geneeswijzen*

Onder de noemer 'alternatief' worden geheel verschillende zaken verstaan. Men kan denken aan 'onconventionele' en aanvullende (complementaire) behandelwijzen zoals hoge doses vitamine C, rustgevende massage, enz. Een heel ander chapiter betreft de met veel bombarie aangeprezen nepproducten waarvan de makers hopen dat goedgelovigen tot een aankoop te bewegen zijn; deze betrekken we niet in deze beschouwing. Ook zijn er behandelwijzen die gebruikmaken van bovennatuurlijke krachten, de zogenaamde 'paranormale' geneeswijzen.

Hieronder bespreken we vier van de in Nederland meest populaire alternatieve geneeswijzen: acupunctuur, homeopathie, paranormale geneeswijzen (met als voorbeelden 'magnetiseren' en reiki) en natuurgeneeswijzen.

3.1 Acupunctuur

Bij acupunctuur wordt de zieke behandeld met naalden die op speciale plaatsen van het lichaam worden ingebracht. Daarna worden er met de naaldjes draaiende bewegingen gemaakt of worden er stroompjes doorheen geleid. Dit alles is gebaseerd op meer dan 2000 jaar oude overleveringen uit China.
Acupunctuur is gebaseerd op het uit China afkomstige *taoïstische denken* dat stelt dat alles in de kosmos in evenwicht is: een evenwicht tussen *yin* en *yang*. Deze twee polariteiten zijn niet zoiets als goed en slecht, maar neutrale componenten. Een verstoring van de balans tussen die twee componenten in het lichaam levert echter ziekte op, in deze gedachtegang. Acupunctuur zou in staat zijn die balans te herstellen, doordat het via prikkeling van het juiste *acupunctuurpunt*, gelegen op één van de vele *meridianen* (denkbeeldige lijnen op het lichaam), de 'levensenergie' kan sturen. Het Chinese begrip voor 'levensenergie' ofwel *qi* heeft nog andere betekenissen, waaronder die van het vermogen tot paranormale werkingen. De paranormale geneeswijze *qigong* maakt hier gebruik van. De diagnose wordt volgens de klassieke acupunctuur mede gesteld door een speciale manier van *de pols voelen*; een vorm van diagnostiek die alleen door ervaring opdoen zou kunnen worden geleerd.
Het taoïsme kenmerkt zich door een *kosmologisch holistische mensvisie* en het gebruik van occulte methoden. Niet alle acupuncturisten hangen de taoïstische religie aan of passen occulte methoden toe in hun behandelingen. Maar een aantal van hen doen dat wel; en hen zouden christenen in ieder geval niet moeten raadplegen. Er is echter onderscheid te maken tussen de 'occulte achtergrond' van een behandelwijze en de 'occulte werking' van die behandelwijze. Zo is het mogelijk dat acupunctuur wordt losgekoppeld van het taoïsme. Er zijn acupuncturisten, die puur pragmatisch bezig zijn en zich – tenminste voor zover wij kunnen beoordelen – in het geheel niet bezighouden met de taoïstische religie en haar occulte methoden. Een dergelijk empirisch gebruik van acupunctuur behoeft ons inziens op grond van de Bijbel niet te worden afgewezen.
Over de werkzaamheid van acupunctuur nog het volgende. De Commissie Alternatieve Behandelwijzen van de Gezondheidsraad adviseerde in 1993 reeds tot onderzoek naar de effectiviteit van acupunctuur. Voor het verkrijgen van inzicht in de betekenis van acupunctuur zou men ook het placebo-effect in dit onderzoek moeten betrekken, aldus de commissie. Op het gebied van de pijnbestrijding zijn aanwijzingen voor de werkzaamheid van acupunctuur. Andere

onderzoekers zijn hier echter sceptischer over. Beoordeling van de medische werkzaamheid valt echter buiten het bestek van deze bespreking.

3.2 Homeopathie

Van het totale gebruik aan alternatieve geneeswijzen is homeopathie met 67% de meest toegepaste alternatieve methode (CBS, 1992). Overigens wordt deze methode ook door veel artsen toegepast; naar schatting o.a. door 10% van de huisartsen. Daarnaast vooral door een groep van ca. 8000 homeopathische therapeuten.

De homeopathie maakt gebruik van middelen volgens het *similia*-principe. Klachten van patiënten worden behandeld met middelen – maar dan in extreme verdunningen – die in normale hoeveelheden juist diezelfde klachten veroorzaken. Volgens de theorie stimuleert het sterk verdunde en geschudde middel juist de zelfgenezende energie van de patiënt. Na een uitvoerige anamnese wordt in een naslagwerk op grond van het klachtenpalet het meest passende middel uitgekozen. Deze methode is bedacht door de Duitse arts Samuel Hahnemann (1755-1843). Hij ontwikkelde met name de methode van het verdunnen of, zoals de homeopathie dat noemt, het 'potentiëren'. Dit potentiëren dient te gebeuren door middel van voorgeschreven schud- of wrijfbewegingen met de vloeistoffen of poeders. Eén keer verdunnen van 1 op 10 levert verdunning D1 op; D4 is vier maal 1 op 10 verdund, enz. Verdunnen in stappen van 1 op 100 levert verdunningen van C1 en verder op. Ook worden verdunningen gebruikt waarin geen molecuul van de oorspronkelijke stof meer aanwezig kan zijn. Overigens hebben sommige homeopathische artsen een voorkeur voor de nauwelijks verdunde producten, hetgeen deze therapie in de buurt brengt van de kruidengeneeskunde ofwel 'fytotherapie'.

We kunnen niet direct bijbelse argumenten vinden om de homeopathie af te wijzen als een occulte geneeswijze. Wel mag gewezen worden op de volgende feiten.

- Over de werkzaamheid. Vele jaren van klinisch onderzoek hebben slechts een schamele oogst aan resultaten opgeleverd; de meeste van deze onderzoeken zijn verder nog methodologisch slecht uitgevoerd. Patiëntenonderzoek zou ook moeilijk uit te voeren zijn, omdat de behandelingen 'zo individueel' zijn, aldus de homeopathie. Hiermee doelt men o.a. op het gegeven dat een homeopathische behandeling vaak niet alleen een symptoomcontrole tot doel heeft, maar ook een verbetering van de algehele constitutie.
- Over het algemeen zijn homeopathische middelen niet farmaceutisch getoetst op de wijze waarop normale geneesmiddelen dat worden vóór ze officieel geregistreerd kunnen worden. In het kader van een nieuw vergoedingensysteem wordt wel aan zo'n registratie gewerkt.

- De grondlegger van de homeopathie, Hahnemann, was een praktiserend vrijmetselaar. Voor sommigen zal dit een reden zijn huiverig te zijn voor diens geesteskind homeopathie. (Over het onderscheid tussen een 'occulte achtergrond' van een behandelwijze en een 'occulte werking' daarvan spraken we al bij par. 3.1.)

Opnieuw willen we wijzen op het onderscheid tussen de (eventuele) werkzaamheid van een behandelmethode en de toelaatbaarheid ervan voor christenen. Beoordeling van de werkzaamheid is niet onbelangrijk – een adequate therapie zou niet of te laat ingesteld kunnen worden wanneer men zich verlaat op een niet werkzame – maar is niet het doel van dit hoofdstuk. Daarnaast is er de vraag hoe een behandeling werkt, maar ook dat is niet het doel van dit hoofdstuk. Hoe homeopathie 'precies' helpt, weten trouwens ook aanhangers van homeopathie niet, maar dat is op zich geen doorslaggevend argument om het te wantrouwen. Ook van veel oude én moderne geneesmiddelen is het effect (dát het werkt) onomstotelijk vastgesteld, terwijl het precieze werkingsmechanisme (hóe het werkt) nog grotendeels onbekend is.

Ook homeopaten dienen we te toetsen aan de in par. 2 genoemde criteria. Er zijn namelijk homeopaten, die bij hun behandelingen gebruikmaken van zaken als spiritisme, pendelen en magnetiseren. Zij maken gebruik van occulte methoden. In dat geval is een ernstige waarschuwing tegen het bezoeken van deze genezers op z'n plaats. Onder homeopaten zijn eveneens antroposofische artsen te vinden. Zij vermengen de homeopathie als geneeswijze met een onchristelijke levensvisie. Nadrukkelijk willen we echter ook stellen, dat er relatief 'veilige' homeopaten zijn, waaronder homeopathisch werkende huisartsen, die geen gebruikmaken van 'besproken' middelen.

3.3 Paranormale geneeswijzen

Paranormale geneeswijzen hebben een eeuwenlange en wereldwijde geschiedenis. Paranormaal wil zeggen 'naast het normale'. We rekenen hiertoe uiteenlopende zaken als het zogenaamde 'magnetiseren' en de traditionele *voodoo* praktijken (zoals in Haïti), maar ook de recent in het Westen geïntroduceerde *reiki* uit Japan en *qigong* uit China. Ook therapieën die geassocieerd worden met new age behoren hiertoe, zoals *therapeutic touch*. We bespreken twee voorbeelden, het 'magnetiseren' en reiki. Voor al deze methoden geldt, menen wij, het bijbelse verbod van tovenarij, waarzeggerij en geesten bezweren (Deut. 18: 9-14).

Magnetiseren

Een paranormale geneeswijze wordt ook uitgevoerd door mensen die we 'magnetiseurs' of 'strijkers' noemen. Het heeft overigens niets met het natuurkundige verschijnsel magnetisme te maken. Naar de Oostenrijkse arts Mesmer, een

pleitbezorger hiervan in de 18e eeuw, wordt het ook wel 'mesmerisme' genoemd. Veel paranormale genezers zeggen niet alleen in staat te zijn te 'magnetiseren' – geneeskracht doorgeven – maar ook door helderziendheid te weten, wat de kwaal is en waar de kwaal zit. Sommigen zeggen dat te zien aan de *aura*, dat een lichtgevend omhulsel om iedere mens zou zijn.
Ter geruststelling moet worden gesteld, dat iemand die bij zichzelf een bijzondere 'gave' als een genezend vermogen 'per ongeluk' ontdekt, daarmee nog geen tovenaar of occult belaste hoeft te zijn. Wel kan er sprake zijn van occulte belasting vanuit het voorgeslacht, zodat pastorale counseling aangewezen kan zijn. Het is verder van groot belang dat zo'n persoon deze 'gave' niet verder gaat exploiteren, gaat ontwikkelen. Een dergelijke 'gave' is volgens sommigen een restant van de door de zondeval verloren macht, zoals Adam die had. De satan zou dit restant echter willen ontwikkelen in de mens om hem zo de illusie te geven, dat er goddelijke krachten in hem schuilen. Het exploiteren van dit restant (het magnetiseren) brengt evenwel de mens onder invloed van satan. Hoe het ook zij, iemand die het magnetiseren als 'praktijk' beoefent en tracht zijn geneeskracht of 'kosmische energie' naar de zieke plek over te brengen, kan vanuit de Bijbel beschouwd worden als een tovenaar (zie par. 2.4).

Reiki
Het vermogen om reiki te gebruiken wordt niet op de gebruikelijke manier aangeleerd; het is 'iets' dat de leerling 'ontvangt' van de reiki-meester. Wat is dat 'iets'? Het woord reiki is samengesteld uit de woorden 'rei' en 'ki'. 'Rei' wordt wel vertaald als 'bovennatuurlijke kennis' of als 'god-bewustzijn'; het woord 'ki' zou hetzelfde betekenen als 'qi' in het Chinees of 'prana' in het Sanskriet en zoiets betekenen als 'levenskracht'. Deze 'levenskracht' stroomt in ons lichaam volgens bepaalde patronen zoals 'chakra's' en 'meridianen'; daarnaast is het aanwezig in een energieveld om het lichaam heen: de 'aura'. Reiki herstelt het juiste patroon van de levenskracht; reiki kan per definitie geen kwaad doen, aldus de theorie. Het raakt ook nooit op, want de reiki genezer is slechts het kanaal voor deze universeel aanwezige kracht. Overigens bestaan er meerdere graden van reiki.
De term reiki wordt in Japan voor meerdere zaken gebruikt. Gewoonlijk wordt er nu echter het Usui reiki systeem van genezen mee gebruikt, dat een zekere Dr. Mikao Usui ontwikkelde en naar hem genoemd is. Deze Usui was getraind in boeddhistische technieken en in een Japanse vorm van *qigong*. Tijdens een meditatiecursus in 1914 op de heilige berg Kurama zou hij de reiki kracht zelf ontvangen hebben. Vanuit Japan kwam reiki naar het Westen door een zekere mevrouw Hawayo Takata. Na zelf behandeld en genezen te zijn in Japan, ontving ze de reiki kracht ook zelf en begon ze een behandelcentrum in Hawaii. Er zouden nu wereldwijd zo'n 50.000 reiki meesters actief zijn.

Reiki zou effectief zijn bij een variëteit aan kwalen: van brandwonden en beenbreuken tot slaapstoornissen en gebrek aan zelfvertrouwen. Reiki wordt niet 'geleerd' maar ontvangen in een initiatie waarbij de 'chakra's' geopend worden en een speciale band tussen leerling en meester ontstaat; een mystieke ervaring, aldus de reiki-bronnen. Hierbij ontstaat soms ook een bepaalde mate van helderziendheid.

Kruidengeneeskunde en andere natuurgeneeswijzen

Tot natuurgeneeswijzen worden uiteenlopende zaken gerekend, zoals bepaalde diëten en kruidenthee, maar ook het gebruik van bloedzuigers, modderbaden, zweettherapie en klysma's. Er bestaat hierin een enorme variatie. Alleen al op het gebied van voeding kennen we talloze diëten: macrobiotisch, rauwkostdieet, fruitdieet, enz. Er wordt gedacht in termen als 'afvalstoffen' die het lichaam ziek maken en waarvoor 'reinigingskuren' aangewezen zijn. Of men spreekt van het 'stimuleren van het eigen afweersysteem'. De gedachte leeft wel dat als het maar uit de natuur komt, het goed is. Geneesmiddelen uit de fabriek zouden 'chemisch' zijn en per definitie minder goed.
Dit laatste is niet zo terecht. Ten eerste zijn natuurlijke producten veel meer van wisselende samenstelling en zuiverheid dan farmaceutisch bereide producten; incidentele ongelukken door het gebruik van gevaarlijke samenstellingen komen helaas voor. Maar belangrijker is het feit dat alle actieve substanties, dus ook geneeskrachtige kruiden, naast hun gewenste effecten óók bijwerkingen hebben. En een niet gedocumenteerd gebruik van alternatieve middelen kan bovendien onverwachte interacties hebben met andere medicijnen. Voorbeelden hiervan zijn ginseng (heeft invloed op de bloedstolling en het bloedsuikergehalte) en sint-janskruid (beïnvloedt neurotransmitters en vertraagt de afbraak van allerlei geneesmiddelen).
Naast deze waarschuwende woorden moet wel een andere kant ook belicht worden. Geneeskrachtige kruiden zijn de eeuwen door een belangrijk hulpmiddel geweest. Zo heeft de *belladonna* (wolfskers) nuttige medicijnen opgeleverd; andere voorbeelden zijn aspirine uit wilgenschors, digitalis uit vingerhoedskruid bij bepaalde hartklachten, kinine uit kinabast tegen koorts, opium uit papaver tegen pijn en sint-janskruid tegen depressie. En nog steeds wordt er veel moeite gedaan om nieuwe, farmacologisch actieve substanties te winnen uit de flora van bijvoorbeeld Zuid-Amerika.
Overigens vormt de toediening van geneesmiddelen maar een beperkt aspect van de gehele natuurgeneeskundige benadering. Andere aspecten zijn bijvoorbeeld voedingsadviezen en adviezen met betrekking tot de levensstijl.
Een ander aspect dat genoemd mag worden ten gunste van de natuurgeneeswijzen is het ervaringsfeit dat met 'natuurlijke methoden' het zelfherstellend vermo-

gen van het lichaam ondersteund kan worden. Gezonde, afwisselende voeding of voeding die aangepast is aan de kwaal van de patiënt; wikkels en kompressen; stomen bij verkoudheid; massage bij pijnklachten – voor al deze behandelingen bestaan goede argumenten. Het feit dat de reguliere geneeskunde deze behandelingen veelal onbenut laat, maakt ze dan wel tot 'onconventioneel' of 'alternatief' – maar dat doet niets af aan hun effectiviteit.

4. Besluit

Sommige alternatieve geneeswijzen zijn als complementaire therapieën in staat de tekortkomingen van de conventionele geneeswijzen aan te vullen. Daarnaast hebben ze bepaalde zwakten van de laatste aangetoond: zoals een te materialistisch mensbeeld en te weinig aandacht voor de hele persoon. Aan de ander kant echter zijn onder de noemer 'alternatief' ook meerdere behandelwijzen te duiden, die een christen beter mijdt, daar ze je in contact kunnen brengen met de occulte geesteswereld.

Literatuur

M.J. Paul, *Geestelijke strijd : demonie en bevrijding in christelijk perspectief,* Zoetermeer: Boekencentrum, 2002.
D.P. O'Mathuna, W.L. Larimore, *Alternative medicine. The Christian handbook,* Grand Rapids (Michigan): Zondervan Publishing House, 2001.
W. Rand, *Reiki, The healing touch,* Vision Publications, 2000.
C. Zollman, A.J. Vickers, *ABC of complementary medicine,* uitgave van 'British Medical Journal', Londen, 2000.
E.C. van Balen, H. Jochemsen, J. Koppelaar, R. Matzken, C. Steyn, *Mag ik alternatief behandeld worden?* Leiden: Groen, 1993.
Gezondheidsraad: Commissie Alternatieve Behandelwijzen, *Alternatieve behandelwijzen en wetenschappelijk onderzoek,* Den Haag, 1993.
W.J. Ouweneel, *Het domein van de slang,* Amsterdam: Buijten & Schipperheijn, 1978.

ooo 10 ooo

Rechten van patiënten in de Nederlandse wetgeving*

1. Inleiding

Gezondheidsrecht en medische ethiek hebben vergelijkbare zaken tot onderwerp. Bij beide gaat het om een bezinning op waarden en normen en hun uitwerking in de gezondheidszorg. Daarbij legt, in principe, het recht een bepaald verplicht minimum vast, terwijl de ethiek ook iets zal zeggen over een ethisch behoren en zelfs over een ethisch ideaal dat verder gaat dan een wettelijk minimum. In de praktijk is het mogelijk dat het gezondheidsrecht zaken bevat die haaks staan op een christelijke ethiek. Vandaar dat in dit hoofdstuk een bespreking wordt gegeven van de juridische regelgeving van de gezondheidszorg.

In Nederland is de afgelopen jaren, met name na 1990, een groot aantal nieuwe wetten aangenomen die deel uitmaken van het gezondheidsrecht. Terwijl de overheid op een aantal gebieden van de gezondheidszorg een terugtredend beleid voert en meer ruimte aan de instellingen geeft om een eigen beleid te voeren, wordt op wettelijk gebied het omgekeerde gedaan. Belangrijke onderwerpen in deze nieuwe wetten zijn 1) de versterkte positie van de patiënt en 2) de kwaliteit van de zorg.

Talloze regels hebben de zorg voor gezondheid tot onderwerp. En meerdere wetten hebben betrekking op meer dan één onderwerp. Een van de mogelijke onderverdelingen van deze onderwerpen waarop wetgeving van toepassing is, is de volgende:

a. Organisatie van de gezondheidszorg. Hiertoe behoren o.a. de verschillende adviesorganen en de Wet ziekenhuisvoorzieningen.

---

* Dit hoofdstuk is in aanzienlijke mate gebaseerd op: E. P. van Dijk, 'Patiëntenrechten in de Nederlandse wetgeving', in: H. Groenenboom, E. P. van Dijk, H. Jochemsen, *Naar een christelijke-ethisch kader voor een verantwoord zorgverzekeringspakket*, Katwijk: DVZ Zorgverzekeringen, 2001, hoofstuk 3.

b. Beroepsuitoefening. Hiertoe behoren onder meer de wgbo en de Wet big en allerlei richtlijnen en protocollen.
c. Preventie van ziekten. Hiertoe rekenen we zaken als inentingen en de registratie van besmettelijke ziekten.
d. Geestelijke gezondheidszorg. Hiertoe behoort bijvoorbeeld de gedwongen opname.
e. Curatieve gezondheidszorg. Onderwerpen die hiertoe behoren zijn geneesmiddelen, orgaantransplantatie en medische experimenten.
f. Financiering van de gezondheidszorg. Hiertoe behoren de wettelijke ziektekostenverzekeringen (zoals awbz) en de Wet tarieven gezondheidszorg.
g. Rechten van patiënten. Een overzicht vindt u in par. 2 en 3.
h. Daarnaast zijn er nog onderwerpen van algemenere aard of die zich niet bij bovenstaande indeling laten inpassen. We denken hierbij aan internationale regelgeving (voorbeelden: Verklaring van Helsinki; richtlijnen van de who); strafrechtelijke aansprakelijkheid (voorbeelden: plegen van ontucht met een patiënt; nalaten hulp te verlenen bij ogenblikkelijk levensgevaar); grondwettelijke rechten (voorbeelden: recht op gezondheidszorg, artikel 22 Grondwet; recht op gelijke behandeling).

Een deel van de wetten betreft rechtstreeks de rechten van patiënten. Hieronder rangschikken we de belangrijkste daarvan eerst puntsgewijs. In de volgende paragrafen bespreken we ze apart.

Wetten die de verhouding tussen hulpverlener en patiënt regelen (par. 2.)
- Wet op de geneeskundige behandelingsovereenkomst;
- Wet bijzondere opnemingen in psychiatrische ziekenhuizen;
- Wet klachtrecht cliënten zorgsector;
- Wet medezeggenschap cliënten zorgsector.

Andere wetten waar patiënten mee te maken kunnen krijgen (par. 3.)
- Wet afbreking zwangerschap;
- regelgeving inzake levensbeëindiging op verzoek;
- Wet bescherming persoonsgegevens;
- Wet op de orgaandonatie;
- Wet bevolkingsonderzoek;
- Wet geneesmiddelenvoorziening.

Wetten die specifiek de kwaliteit van de zorgverlening regelen (par. 4):
- Wet beroepen in de individuele gezondheidszorg;
- Kwaliteitswet zorginstellingen.

In het vervolg van dit hoofdstuk zullen de hierboven genoemde wetten kort worden behandeld op de volgende punten:

- beknopte weergave van (de achtergrond van) de wet;
- kansen;
- bedreigingen.

Dit zal gebeuren vanuit de opvatting van gezondheidszorg als het geheel van mogelijkheden die God de mens heeft gelaten en geschonken *om ziekten te voorkomen of te behandelen en om lijden en sterven te verlichten*. Dit mede om de mogelijkheid om te leven in relaties zoveel mogelijk in stand te houden dan wel te herstellen. De notie van het rentmeesterschap is hierbij van belang.

2. *Wetten die de verhouding tussen hulpverlener en patiënt regelen*

2.1 *Wet op de geneeskundige behandelingsovereenkomst* (WGBO)

Beknopte weergave van de wet

De WGBO is in 1995 in werking getreden. De wet maakt deel uit van boek 7 van het Burgerlijk Wetboek, dat handelt over regels van het overeenkomstenrecht. Doel is de rechtspositie van de patiënt te versterken, daarbij rekening houdend met de eigen verantwoordelijkheid van de hulpverlener. Zo heeft de wetgever getracht te komen tot een evenwichtige regeling van de relatie tussen hulpverlener en patiënt, waarbij men er vanuit gaat dat hulpverlener en patiënt zo veel mogelijk gezamenlijk beslissen. Een kernpunt van het handelen naar de 'geldende professionele standaard' is dat de behandeling medisch geïndiceerd moet zijn met het oog op een concreet behandelingsdoel. Er moet een rechtstreekse relatie zijn tussen de ziekteverschijnselen en de toe te passen diagnostische methoden en tussen de diagnose en de toe te passen therapie.

Centraal in de geneeskundige behandelingsovereenkomst staat het verrichten van handelingen op het gebied van de geneeskunst. Hieronder worden verstaan:

- alle verrichtingen rechtstreeks betrekking hebbende op een persoon en ertoe strekkende hem van een ziekte te genezen, hem voor het ontstaan van een ziekte te behoeden of zijn gezondheidstoestand te beoordelen, dan wel deze verloskundige bijstand te verlenen;
- andere dan de onder *i*) bedoelde handelingen, rechtstreeks betrekking hebbende op een persoon, die worden verricht door een arts of tandarts in die hoedanigheid.

Andere belangrijke onderwerpen in de WGBO zijn de volgende:

- Informatieplicht. Dit is in de WGBO een centraal thema. De informatie dient alles aspecten van het onderzoek en de behandeling te betreffen: aard en doel ervan, de mogelijke risico's, mogelijke alternatieven, te verwachten vooruitzichten. Er kan hierop sporadisch een uitzondering gemaakt worden ('therapeutische exceptie'), maar alleen in het belang van de patiënt en na consultering van een andere hulpverlener.
- Toestemmingsvereiste. Dit toestemmingsvereiste is gebaseerd op het zelfbeschikkingsrecht en moet gebaseerd zijn op goede informatie: 'informed consent'. Een noodsituatie vormt hierop een uitzondering. Indien een patiënt een zogenaamde wilsverklaring heeft opgesteld, mag hiervan alleen met gegronde redenen afgeweken worden.
- Wilsonbekwamen. De WGBO spreekt niet van 'wilsonbekwame' patiënten, maar van 'de patiënt die niet in staat kan worden geacht tot een redelijke waardering van zijn belangen ter zake'. Dit kunnen zijn dementen, psychiatrische patiënten en verstandelijk gehandicapten. De WGBO vermeldt een rangorde van personen die als vertegenwoordiger van wilsonbekwamen kunnen optreden.
- Positie van minderjarigen. De wgbo maakt onderscheid tussen drie leeftijdscategorieën. Patiënten onder de 12 jaar worden vertegenwoordigd door hun ouders of voogd; tussen 12 en 16 jaar moet de hulpverlener niet alleen van de ouders of voogd maar ook van het kind toestemming hebben; boven de 16 jaar wordt de minderjarige geacht zelf te beslissen.
- Zorg van een goed hulpverlener. De hulpverlener moet bij zijn werkzaamheden de zorg van een goed hulpverlener in acht nemen en handelt daarbij in overeenstemming met de op hem rustende verantwoordelijkheid, voortvloeiende uit de voor hulpverleners geldende professionele standaard.
- Dossierplicht. De hulpverlener richt een dossier in met betrekking tot de behandeling van de patiënt; dit kan in voorkomend geval ook een 'patiëntenkaart' of een andere vorm van verslaglegging zijn. Hij noteert in dit dossier alle gegevens die gaan over de gezondheid van de patiënt, die gaan over uitgevoerde verrichtingen en alle overige gegevens die nodig zijn om een goede hulpverlening te kunnen geven. Dit dossier blijft 10 jaar bewaard. De patiënt kan tussentijds verzoeken (een deel van) het dossier te vernietigen. Daarnaast is er een recht op inzage en kopie. Dit geldt niet voor de zogenaamde persoonlijke werkaantekeningen; veelal geheugensteuntjes voor de eigen gedachtevorming Patiënten hebben bij de inzage het recht op correctie van hetgeen in het dossier is genoteerd.
- Geheimhoudingsplicht. Gegevens over de patiënt mogen alleen aan anderen dan de patiënt worden verstrekt indien de patiënt hiervoor toestemming heeft gegeven.

- Privacybescherming. Dit punt hangt met het vorige samen. Het betreft het privacyaspect van informatie over personen (databank) en de inbreuk op de privacy die medische behandelingen met zich meebrengen. De hulpverlener dient daarnaast in de instelling ruimtelijke faciliteiten te creëren ter bescherming van de privacy.

Overigens geldt de WGBO ook voor het verplegen en verzorgen van patiënten, evenals de hotelfunctie van de instelling, en geldt derhalve niet alleen voor artsen.

Kansen

- In het algemeen: de WGBO gaat uit van een recht van de patiënt op het verkrijgen van goede zorg en van de plicht van de hulpverlener goede zorg te geven.
- Adequaat informeren leidt tot betere aanpassing aan de zorgsituatie, acceptatie en verwerking van gevolgen van ziekte en/of behandeling, gezondere leefstijl, beter volgen van preventievoorschriften, voorkomen van klachten, voorkomen van *shopping*-gedrag enz. Voor het rentmeesterschap van de mens is het adequaat informeren een belangrijke zaak. Denk ook aan zaken als erfelijkheidskwesties en het meedoen aan medisch wetenschappelijk onderzoek, e.d. Ook het toestemmingsvereiste is een belangrijk punt voor de realisering van het rentmeesterschap. In dit verband mag ook gewezen worden op de regeling van het vertegenwoordigingsvraagstuk. Op grond van deze regeling kunnen naaste familieleden of andere daartoe aangewezen personen de belangen van de patiënt behartigen.
- Op grond van de 'professionele autonomie' kan voorkomen worden dat er zorg wordt geclaimd die geen medisch doel (meer) dient. Dit kan goed aansluiten bij de door ons bepleite erkenning van de begrensdheid van dit aardse leven.
- Een *second opinion* is mogelijk als deze voor de patiënt medisch geïndiceerd is.
- De dossierplicht bevordert inzicht in het handelen van de hulpverlener, ook bij het eventueel daarvan rekenschap moeten afleggen.

Bedreigingen

- De WGBO zou kunnen bevorderen dat de patiënt gaat claimen wat hij maar wenst. Daarbij tekenen we aan dat de rechter een dergelijk gedrag niet zonder meer volgt. Maar in elk geval lost de WGBO het probleem van *shoppen* niet op.
- Adequaat informeren vraagt meer tijd en extra vaardigheden van de hulpverlener. Patiënten kunnen informatie soms niet goed op waarde schatten.

- De inhoud van een schriftelijke wilsverklaring (niet is bedoeld: een euthanasieverklaring) kan een hulpverlener in een persoonlijk ethisch conflict brengen: de patiënt vraagt afzien van een behandeling waar nog goede medische mogelijkheden voorhanden zijn.
- Op grond van de professionele standaard kan een hulpverlener gedwongen worden tot handelingen die in strijd zijn met zijn ethiek (bijvoorbeeld het verplicht wijzen op de mogelijkheid van vruchtwateronderzoek bij zwangere vrouwen vanaf 36 jaar).
- Het toestemmingsvereiste van minderjarigen kan conflicten met ouders in de hand werken.
- Het begrip 'handelingen op het gebied van de geneeskunst' is ruim gedefinieerd en kan de arts ertoe brengen oneigenlijke handelingen te verrichten; handelingen die niet rechtstreeks een therapeutisch doel dienen.
- Tot slot kan de dossierplicht leiden tot een te grote bureaucratie.

2.2 *Wet bijzondere opnemingen in psychiatrische ziekenhuizen (Wet BOPZ)*

Beknopte weergave van de wet

De Wet BOPZ heeft in 1994 de uit 1884 stammende Krankzinnigenwet vervangen. Deze wet regelt de rechtspositie van onvrijwillig opgenomen patiënten; zowel de procedure inzake de opname als de positie tijdens zijn onvrijwillige verblijf. Voor vrijwillig opgenomen patiënten geldt de WGBO (par. 2.1). De Wet BOPZ is niet alleen van toepassing op de psychiatrie maar ook op de zorg voor verstandelijk gehandicapten en de psychogeriatrische verpleeghuizen.

De discussie over het 'bestwil-criterium' (de beschermingsfunctie van de overheid vanuit een paternalistische achtergrond) en het 'gevaarscriterium' (afzwakking van de beschermingsfunctie ten faveure van de eigen verantwoordelijkheid van de betrokkene) duurt al vele tientallen jaren voort. Onder de Krankzinnigenwet gold het bestwil-criterium, maar de rechter schoof steeds meer op naar het gevaarscriterium. In de Wet BOPZ geldt het gevaarscriterium, maar momenteel wordt weer gezocht naar mogelijkheden om toch meer te kunnen doen voor psychiatrische patiënten, bijvoorbeeld in de vorm van gedwongen ambulante hulpverlening. Het streven om te komen tot een waarborgen van de rechten van de patiënt en zijn toegenomen mondigheid lijkt namelijk wel eens ten koste te gaan van een goede zorg met schrijnende gevallen van tekortschietende hulpverlening waar de patiënt zelf onvoldoende ziekte-inzicht heeft om tijdig die hulp te vragen. Zo kunnen zelfs noodsituaties ontstaan die niet geheel onvoorzien waren.

In de Wet BOPZ is ook een klachtenregeling opgenomen voor zowel gedwongen als vrijwillig opgenomen patiënten. Daarnaast zijn er in de psychiatrische ziekenhuizen patiëntenvertrouwenspersonen; deze bestonden al langer, maar hun werkzaamheden hebben nu een wettelijke basis.

Kansen

De Wet BOPZ geeft ruime aandacht aan de totstandkoming en uitvoering van het behandelingsplan. Als de patiënt/bewoner zijn eigen belangen niet kan behartigen, treedt de regeling met betrekking tot het vertegenwoordigen van de patiënt in werking. Op deze wijze kunnen naasten bij de zorg aan de patiënt worden betrokken.
De Wet BOPZ gaat uit van het respect voor de patiënt/bewoner en is daarmee ook gericht op het voorkomen van willekeur en misbruik. Dat blijkt onder meer uit de regeling van patiëntenrechten en de regeling met betrekking tot dwangbehandeling en het toepassen van middelen en maatregelen. Hierover worden naasten steeds geïnformeerd. De registratie van het nemen van middelen en maatregelen bevordert een rationeel gebruik.

Bedreigingen

De voorwaarden voor gedwongen opname en dwangbehandeling zijn erg strikt. Dit is bedoeld om te voorkomen dat te gemakkelijk mensen tegen hun wil worden opgenomen. Anderzijds kan de strikte omschrijving ertoe leiden dat te weinig bescherming wordt geboden voor bepaalde (potentiële) patiënten/bewoners. Bijvoorbeeld psychiatrische patiënten die op straat zwerven die geen ernstig gevaar vormen voor zichzelf of anderen en daardoor niet gedwongen kunnen worden opgenomen, maar die op termijn wel ernstig kunnen lijden onder hun zwerfneigingen. Andere voorbeelden zijn gevaar voor valpartijen in verpleeghuizen en ongelukken in algemene zwakzinnigeninstellingen.

2.3 Wet klachtrecht cliënten zorgsector (Klachtwet)

Beknopte weergave van de wet

De Klachtwet, die in 1995 werd aangenomen, wil wettelijke regels stellen voor de behandeling van klachten van cliënten van zorgaanbieders op het terrein van de maatschappelijke zorg en gezondheidszorg. Het gaat hier om het creëren van een laagdrempelige mogelijkheid ter verkrijging van een gezaghebbende uitspraak in een geschil met de zorgaanbieder. De Klachtwet geldt zowel individuele beroepsbeoefenaren (huisartsen, fysiotherapeuten, logopedisten, enz.) als ook instellingen (ziekenhuizen, RIAGG's, GGD'en, enz.). Op deze wijze wordt de mens in zijn kwetsbaarheid gerespecteerd.

Uitgangspunt is dat de zorgaanbieder verantwoordelijk is voor de kwaliteit van de zorgverlening en dat de cliënt recht heeft op goede zorg. De zorgaanbieder is dus zelf primair aan te spreken bij klachten over de kwaliteit van de zorgverlening.
De Klachtwet regelt het instellen van de klachtencommissie. Hiervoor wordt de zorgaanbieder verantwoordelijk gesteld. Daarnaast dient de zorgaanbieder de klachtenregeling op passende wijze onder de aandacht van zijn cliënten te stellen. Omdat het wel eens onduidelijk is welke regelgeving van toepassing is op welk soort aansprakelijkheid, volgt hier een vereenvoudigd schema in tabelvorm (naar Van Reijsen, 'De aansprakelijkstelling', in: *Vraagbaak Medisch Specialist*, 2000).

	Wie klaagt	**Over wie wordt geklaagd**	**Wettelijke basis**	**Welke norm is in het geding**	**Wie oordeelt**	**Welke straf**
Strafrecht	Openbaar Ministerie	Persoon of instelling	Wetboek van Strafrecht	Strafbaar feit	Strafrechter	Vrijheidsstraf, boete
Tuchtrecht (par. 4.1)	Belanghebbende, Inspectie	BIG-geregistreerde	Wet BIG (par.4.1)	In strijd met goede beroepsuitoefening	Regionaal tuchtcollege	Waarschuwing, boete, schorsing, enz.
Civiel recht	Die schade lijdt	Persoon of instelling	Burgerlijk Wetboek	Schade door toerekenbare tekortkoming	Civiele rechter	Schadevergoeding
Klachtrecht par. 2.3	Patiënt of iemand namens de patiënt	Elke beroepsbeoefenaar of instelling	Klachtwet	N.v.t.	Klachtencommissie	Klacht gegrond verklaard

Voor een beroepsbeoefenaar blijkt met name een strafzaak een schrikbeeld. Verder maken procedures van klachtenbehandeling en tuchtrecht ook veel meer indruk dan een civiel proces; de procedure zelf al wordt veelal ervaren als een aanval op zijn persoon. Een goede klachtenregeling kan echter vaak al voorkomen dat een zaak escaleert; tijdig erkennen van eventueel gemaakte fouten speelt daar een rol bij.

Kansen

- Het bevorderen van evenwicht in de relatie tussen hulpverlener/hulpverlenende instelling en de patiënt. Het zoeken naar vrede en gerechtigheid.
- Het bieden van een mogelijkheid om op korte termijn een uitspraak te verkrijgen kan deëscalerend werken.

- Gratis advies van de patiënt voor verbetering van de kwaliteit van de zorgverlening in de instelling.

c) Bedreigingen

- Verzakelijking of verharding van de relatie tussen hulpverlener en patiënt.
- Verder bestaat het risico dat klager niet eerst de persoon zelf aanspreekt op zijn fouten, maar alleen via de omweg van de klachtencommissie. Aan de andere kant zijn er instellingen die zelf in een vroeg stadium de klachtencommissie inschakelen bij klachten om een betere klachtenbehandeling te garanderen.

2.4 Wet medezeggenschap cliënten zorgsector (WMCZ)

Beknopte weergave van de wet

Deze wet vormt de wettelijke basis voor zeggenschap van de cliënten van uit collectieve middelen gefinancierde instellingen op het terrein van de maatschappelijke zorg en gezondheidszorg.

De kern van de regeling is gelegen in de plicht van zorgaanbieders om per instelling een cliëntenraad in te stellen. Hierbij moet de zorgaanbieder voldoen aan de representatie-eis en de faciliteiteneis. De zorgaanbieder is verplicht de cliëntenraad over een aantal onderwerpen – limitatief opgesomd in de wet – advies te vragen. De cliëntenraad regelt zelf zijn werkwijze.

Verder bevat de wet een minimumregeling met betrekking tot de invloed op de bestuurssamenstelling en een regeling met betrekking tot openbaarheid van bepaalde stukken.

Kansen

- Bij het goed functioneren van de cliëntenraad in relatie met de zorgaanbieder kan er optimaal gebruik worden gemaakt van ervaringsdeskundigheid en kunnen klachten en conflicten worden voorkomen.
- Met name voor bepaalde typen voorzieningen, zoals verpleeghuizen, is de wettelijke basis een steun in de rug voor de al langer bestaande 'bewonersraden' e.d. Deze zijn niet langer een vrijblijvende aangelegenheid.

Bedreigingen

- Met name bij zaken die vallen onder het verzwaard adviesrecht geldt de dreiging van vertraagde besluitvorming.
- Deze wet geldt voor alle instellingen; met de verschillen – zoals tussen een psychiatrisch ziekenhuis en een revalidatiecentrum – wordt geen rekening gehouden. De indruk bestaat dat dit vooral een modieuze wet is, waaraan maar in weinig sectoren van de gezondheidszorg behoefte bestaat.

3. *Andere wetten waar patiënten mee te maken kunnen krijgen:*

3.1 Wet afbreking zwangerschap (WAZ)

In hoofdstuk 2 spraken wij uitvoerig over abortus provocatus. Hieronder beperken we ons tot een korte bespreking van de juridische regeling.
De WAZ is er in 1984 gekomen omdat de wetgever, gelet op de ontwikkeling van de opvattingen met betrekking tot het afbreken van zwangerschap, dit wenselijk vond met het oog zowel op de rechtsbescherming van ongeboren menselijk leven als op het recht van de vrouw op hulp bij ongewenste zwangerschap (aldus de preambule). Feitelijk is de strafbaarheid vervallen. Wel dient aan een aantal eisen voldaan te worden. Deze betreffen de omgeving waar de ingreep mag plaatsvinden – afhankelijk van de zwangerschapsduur – en een registratieplicht. Daarnaast moet er sprake zijn van een 'noodsituatie voor de vrouw' en is er de eis van een 'beraadtermijn'. Volgens de WAZ kan de 'noodsituatie' aanwezig zijn zonder dat er sprake is van dreigend lichamelijk of psychisch letsel. Afbreking van de zwangerschap mag volgens de WAZ niet plaatsvinden zodra de vrucht zelfstandig levensvatbaar is.
Van een evenwichtige wet kan echter geen sprake zijn omdat bij het gebruik van het zogenaamde recht van de vrouw op hulp bij ongewenste zwangerschap het ongeboren kind per definitie het kind van de rekening is. Deze wet vormt dus vooral een bedreiging. De WAZ geeft de ongewenst zwangere vrouw het recht afbreking van de zwangerschap te claimen.
Abortus provocatus kan vrouwen die de ingreep hebben ondergaan in psychische problemen brengen. Om deze reden én vanuit christelijk perspectief zou er juist de ruimte moeten zijn voor echte hulp bij ongewenste zwangerschap met instandhouding van de zwangerschap, welke hulpverlening de VBOK al jaren met veel succes praktiseert. In de zorgvuldigheidseisen waaraan voldaan moet worden, wordt met zoveel woorden ook aandacht besteed aan het overwegen van alternatieven.
Een ander aspect betreft de positie van artsen met gewetensbezwaren. De WAZ stelt dat niemand verplicht is abortus provocatus te verrichten of daaraan mee te werken. Zo'n artikel is eigenlijk overbodig omdat het hier gaat om een algemeen aanvaard principe; een beroep op gewetensbezwaren kan de arts doen ongeacht zo'n wetsartikel. Wel dient de arts de patiënt tijdig van zijn gewetensbezwaren op de hoogte te brengen.

3.2 Regelgeving inzake levensbeëindiging

Voorgeschiedenis

In hoofdstuk 5, par. 3 bespraken we reeds een aantal juridische aspecten van de huidige regelgeving inzake euthanasie en hulp bij zelfdoding. We gaven daar een kort historisch overzicht en vermeldden onder meer de volgende ontwikkelingen:

- In 1984 wordt het eerste wetsvoorstel ingediend dat de strafbaarstelling van euthanasie door artsen beoogt op te heffen, door het D66-kamerlid Wessel-Tuinstra.
- In dat zelfde jaar spreekt de Hoge Raad een arts vrij van rechtsvervolging na het plegen van euthanasie, omdat hij zich beroept op 'ondraaglijk en uitzichtloos lijden'. Dit verwijst naar het overmachtsartikel.
- In 1994 treedt de *meldingsprocedure* in werking. Artsen die zich houden aan een aantal zorgvuldigheidseisen, hoeven niet langer te vrezen voor vervolging.
- In hetzelfde jaar wordt door de Hoge Raad het begrip 'ondraaglijk en uitzichtloos lijden' ook toegepast op psychisch lijden in zijn uitspraak inzake de psychiater B. E. Chabot. Hierbij wordt verwezen naar art. 40 van het Wetboek van Strafrecht dat zegt: 'Niet strafbaar is hij die een feit begaat waartoe hij door overmacht is gedrongen.' Wat overmacht is, bepaalt de rechter.
- In 1995 ontslaat het Amsterdamse hof de gynaecoloog Prins van rechtsvervolging (na beschuldiging van moord), nadat hij een gehandicapte baby met een slechte medische prognose op verzoek van de ouders heeft gedood door middel van een dodelijke injectie. Dit betrof strikt genomen geen euthanasie (geen verzoek van de patiënt), maar toont het oprekken van de praktijk van levensbeëindiging.
- In 2001 wordt het wetsvoorstel *Toetsing levensbeëindiging op verzoek en hulp bij zelfdoding* (de Euthanasiewet) aangenomen en de daarmee samenhangende wijzigingen in het Wetboek van Strafrecht en de Wet op de Lijkbezorging (zie hieronder).

In deze hele ontwikkeling valt op dat steeds gekozen wordt voor een pragmatische insteek: aansluiten bij de reeds bestaande ontwikkeling en acceptatie – voor zover hiervan kan worden gesproken.
Over de laatste wetswijziging spreken we in onderstaande punten iets uitvoeriger. Op de ethische kant van levensbeëindigend handelen gaan we in hoofdstuk 5 in. Welke regelgeving geldt op dit moment?

Wetboek van strafrecht (WvS)
Euthanasie ('opzettelijk het leven van een ander op diens uitdrukkelijk en ernstig verlangen beëindigen'), en hulp bij zelfdoding ('opzettelijk een ander tot zelfdoding aanzetten') zijn in het WvS twee verschillende delicten, namelijk artikel 293 en 294, maar het onderscheid is in de juridische interpretatie toch niet groot. Artikel 293 en 294 zijn na de wijziging in 2001 aangevuld met de tekst dat het bedoelde feit niet strafbaar is indien het is begaan door een arts die daarbij voldoet aan de *zorgvuldigheidseisen*, bedoeld in de Euthanasiewet (par. 8.3) en hiervan *mededeling* doet aan de gemeentelijke lijkschouwer.

Wet op de lijkbezorging (WLB)
De WLB die in 1994 van kracht werd, voorziet sinds de wijziging in 2001 in een *meldingsprocedure*; eén procedure die de jaren daarvoor feitelijk al bestond als afspraak tussen KNMG en Minister van Justitie.
De melding doet de arts aan de gemeentelijk lijkschouwer, waarvoor een aantal aandachtspunten is opgesteld, ofwel 'een beredeneerd verslag inzake de inachtneming van de zorgvuldigheidseisen'. De gemeentelijke lijkschouwer brengt hierover verslag uit aan de *regionale toetsingscommissie* zoals bedoeld in de Wet toetsing levensbeëindiging op verzoek en hulp bij zelfdoding.

Wet toetsing levensbeëindiging op verzoek en hulp bij zelfdoding (Euthanasiewet)
Toen de Euthanasiewet werd aangenomen – en de daarbij behorende wijzigingen in het WvS en de WLB (zie boven) – werd euthanasie feitelijk gelegaliseerd, zij het niet in formele zin. In formele zin blijven levensbeëindiging op verzoek en hulp bij zelfdoding nog steeds strafbaar volgens het WvS. Artsen zijn echter niet meer strafbaar indien zij voldoen aan twee voorwaarden: (1) voldoen aan de 'zorgvuldigheidseisen' en (2) voldoen aan de 'meldingsplicht'. De rechterlijke macht liep echter al langere tijd vooruit op deze nieuwe wet. Er zijn namelijk verschillende gerechtelijke uitspraken gedaan waarbij euthanasie, mits zorgvuldig toegepast, niet tot strafoplegging heeft geleid.
Euthanasiegevallen dienen nog wel gemeld te worden bij één van de vijf regionale toetsingscommissies – elk bestaande uit een jurist, een ethicus en een arts – die ze toetst of er wel aan de zorgvuldigheidseisen is voldaan. Deze zorgvuldigheidseisen houden in dat de arts:

a. de overtuiging heeft gekregen dat er sprake was van een vrijwillig en weloverwogen verzoek van de patiënt;
b. de overtuiging heeft gekregen dat er sprake was van uitzichtloos en ondraaglijk lijden van de patiënt;
c. de patiënt heeft voorgelicht over de situatie waarin deze zich bevond en over diens vooruitzichten;
d. met de patiënt tot de overtuiging is gekomen dat er voor de situatie waarin deze zich bevond geen redelijke andere oplossing was;
e. tenminste een andere, onafhankelijke arts heeft geraadpleegd, die de patiënt heeft gezien en schriftelijk zijn oordeel heeft gegeven over de zorgvuldigheidseisen, bedoeld in de onderdelen a) tot en met d);
f. de levensbeëindiging of hulp bij zelfdoding medisch zorgvuldig heeft uitgevoerd.

Wanneer de toetsingscommissie van oordeel is dat de arts alle zorgvuldigheidseisen heeft nageleefd, blijft het Openbaar Ministerie (OM) buiten spel. Alleen bij gegronde twijfel kan de lijkschouwer of de toetsingscommissie de zaak aan het

OM voorleggen. Let wel: de toetsing gebeurt volgens de regelgeving pas achteraf. De zorgvuldigheidseisen zijn gebaseerd op de mogelijkheid van de arts om zich op 'overmacht' te beroepen (WvS art. 40). Maar het is eigenlijk merkwaardig om zorgvuldigheidseisen vast te stellen die een beroep op overmacht mogelijk maken. Het was volgens onze wetgeving immers altijd al mogelijk om zich in noodsituaties op overmacht te beroepen. Maar het is, juist omdat het noodsituaties betreft, per definitie niet goed vast te stellen wanneer men zich op overmacht kan beroepen.
Een bijkomende wijziging is het ruimte bieden aan minderjarigen van 12 tot 16 jaar; ook zij kunnen om toepassing van euthanasie verzoeken maar hebben voor de toepassing van euthanasie wel de toestemming van de ouders nodig, aldus de Euthanasiewet.

Internationaal recht

Een belangrijke ontwikkeling ten aanzien van het vraagstuk van de levensbeëindiging op verzoek is de uitspraak van het Europese Hof voor de rechten van de mens in de zaak van Pretty tegen het Verenigd Koninkrijk van 29 april 2002. Mevrouw Pretty leed aan een ongeneeslijk aandoening die menselijkerwijs zeker tot haar dood zou leiden. Zij wilde dat haar man haar leven zou beëindigen. Haar man was daartoe bereid, maar wilde van de overheid de verzekering dat hij niet vervolgd zou worden. Die verzekering kon hij niet verkrijgen en beroep daartegen bij de Engelse rechter mocht niet baten. Mevrouw Pretty diende daarop een klacht in bij het Europese Hof voor de rechten van de mens in Straatsburg, onder meer wegens schending van artikel 2 (recht op leven) en artikel 8 (recht op privacy) van de Europese Conventie voor de rechten van mens (EVRM).
Namens mevrouw Pretty werd naar voren gebracht dat het recht op leven in artikel 2 EVRM zou inhouden dat individuen zelf mogen bepalen of zij al dan niet doorgaan met leven, met andere woorden: de zelfbeschikking van individuen met betrekking tot zaken van leven en dood. Deze benadering wordt door het Hof uitdrukkelijk van de hand gewezen. Het recht op leven mag naar het oordeel van het Hof niet zodanig geïnterpreteerd worden dat daarin het tegendeel, het recht om te sterven besloten zou liggen. Daarmee wordt ook een streep gehaald door de door de Nederlandse regering tijdens de kamerbehandeling van de euthanasiewet naar voren gebrachte uitleg van artikel 2 EVRM.
Naar het oordeel van het Hof omvat het recht op privacy, dat is neergelegd in artikel 8 EVRM het recht om niet onderworpen te worden aan medische behandelingen die het leven kunnen rekken, als de betrokkene aftakeling vreest. Ook wat de situatie in casu betreft sloot het Hof niet uit dat het feit dat de klaagster verhinderd werd om een 'onwaardig en pijnlijk levenseinde' te voorkomen, een inbreuk betekent op art. 8 lid 1. Deze (mogelijke) inbreuk kan echter gerechtvaardigd worden

op grond van de in artikel 8 lid 2 voorziene beperkingsgronden. In het kader van deze beperkingsclausulering moet getoetst worden of deze gebaseerd zijn op de wet en nodig in een democratische samenleving met het oog op een aantal limitatief opgesomde doeleinden, waaronder de bescherming van de gezondheid en de openbare veiligheid en van de rechten en vrijheden van anderen.
Het Hof beschouwt de Engelse wetgeving als gericht op een legitiem doel, te weten de bescherming van het leven en daarmee ter bescherming van de rechten en vrijheden van anderen. Het onderzoek naar de noodzaak van de wetgeving in een democratische samenleving noopt tot een afweging tussen enerzijds het belang van overwegingen van gezondheid en veiligheid van anderen en anderzijds het beginsel van de persoonlijke autonomie. De door de Engelse overheid gemaakte afweging is volgens het Hof gerechtvaardigd. Het is interessant om te zien dat het Hof daarbij niet alleen let op het effect van de wetgeving in het concrete voorliggende geval, maar ook de implicaties die een doorbreking van het algemene verbod van hulp bij zelfdoding zou hebben ten aanzien van kwetsbare personen in het algemeen. De prioriteit die het Hof in deze zaak geeft aan het beginsel van de heiligheid van het leven boven dat van de persoonlijke autonomie is een steun in de rug van allen die de bescherming van het menselijk leven in alle fasen van zijn ontwikkeling voorstaan tegenover levensbedreigende tendensen.

3.3 Wet medisch-wetenschappelijk onderzoek met mensen (WMO)

Beknopte weergave van de wetgeving

De wetgever vond het wenselijk, mede in verband met de artikelen 10 en 11 van de Grondwet, regels te stellen met betrekking tot medisch-wetenschappelijk onderzoek met mensen. In zekere zin gaat het hier om een verbijzondering ten opzichte van de WGBO: geen medische ingrepen zonder informed consent.
Belangrijk is verder dat de WMO mensgebonden onderzoek alleen toestaat dat is goedgekeurd door een ethische toetsingscommissie. De WMO regelt verder de samenstelling en de erkenning van dergelijke commissies. (Zie verder hfdst. 7.)

Kansen

- De bescherming van vrijwilligers en patiënten bij medisch-wetenschappelijk onderzoek is van fundamenteel belang. Tegelijkertijd wordt door de aandacht voor het geven van passende informatie en de wijze waarop toestemming wordt gegeven, terecht de eigen verantwoordelijkheid benadrukt.
- Verder bevordert deze wet het creëren van mogelijkheden voor nieuwe behandelingen e.d. Ook dit past bij het rentmeesterschap.

Bedreigingen

- Doordat de beoordeling bij commissies wordt gelegd en de wet geen inhoudelijke ethische normen geeft, bestaat er ruimte voor medisch-wetenschappelijk onderzoek en voor het ontwikkelen van behandelingsmethoden die vanuit christelijk perspectief ethisch gezien onverantwoord zijn.

3.4 Wet bescherming persoonsgegevens (WBP)

Beknopte beschrijving van de wet

De Wet bescherming persoonsgegevens (WBP) vervangt de Wet persoonregistraties van 1988. In de WBP staat de toelaatbaarheid van de verwerking van persoonsgegevens centraal alsmede de verwerking van bijzondere categorieën van persoonsgegevens, waaronder gegevens die de gezondheid van mensen betreffen. Verwerking van persoonsgegevens omvat het gehele proces dat een gegeven doormaakt vanaf het moment van verzamelen en opslaan tot het moment van vernietiging.

Kansen

- De veiligheidseisen met betrekking tot persoonsgegevens zijn verscherpt.
- Door de aanstelling van een privacyfunctionaris door de instelling, wordt niet alleen zelfregulering bevorderd, maar wordt het probleemgebied als zodanig erkend. De privacyfunctionaris moet aangemeld worden bij de Registratiekamer.
- In de WBP is een bepaling opgenomen met betrekking tot erfelijkheidsgegevens, d.w.z.: in beginsel mogen erfelijkheidsgegevens alleen worden verwerkt die betrekking hebben op betrokkene (en dus niet op verwante anderen).

Bedreigingen

- Er blijft grote ondoorzichtigheid bestaan voor de betrokkene en daarmee blijft de controleerbaarheid een moeilijk punt.

3.5 Wet op de orgaandonatie (WOD)

Beknopte weergave van de wet

De wetgever vond de totstandkoming van deze wet wenselijk met het oog op de rechtszekerheid van de betrokkenen, ter bevordering van het aanbod en de rechtvaardige verdeling van geschikte organen en ter voorkoming van handel in organen. Centraal in de wet staat het ter beschikking stellen van organen ten behoeve van de geneeskundige behandeling van anderen (solidariteit). Voor een

ethische en medische bespreking van orgaantransplantatie, zie hoofdstuk 6. De WOD betreft niet de donatie van bloedproducten (voor bloedtransfusie) of van geslachtscellen (voor in-vitrofertilisatie behandeling).
Een belangrijk onderdeel in de WOD is de paragraaf over donatie na overlijden. In principe kunnen namelijk ook levende personen voor explantatie (uitname) van weefsels of organen in aanmerking komen, maar dit betreft in de praktijk een minderheid. Het ziekenhuis dient te beschikken over een protocol over de verschillende aspecten van orgaandonatie (raadpleging van het donorregister, hersendoodcriteria, enz.).
In Nederland is na veel discussie in 1996 gekozen voor een 'toestemmingssysteem' en niet voor een 'geen-bezwaarsysteem'. Dit betekent dat alleen indien de overledene vóór zijn overlijden toestemming heeft gegeven voor uitname van organen, hij in aanmerking komt om donor te zijn. Het geven van toestemming gaat via een ingevuld donorcodicil waarvan de gegevens bijgehouden worden in een centraal donorregister. Bij ontbreken van zo'n wilsverklaring kan de echtgenoot of een meerderjarig familielid alsnog toestemming verlenen.

Kansen

- Door de WOD zou bevorderd kunnen worden dat meer mensen bereid zijn hun organen te doneren, waardoor mensen op de wachtlijst geholpen zouden kunnen worden. Overigens blijken de resultaten in dit opzicht teleurstellend.
- Verder kan de wet de rechtszekerheid bevorderen van potentiële orgaandonoren door vastlegging van de procedure en de criteria van orgaanverwerving.

Bedreigingen

- Verzakelijking van het sterven en van de visie op het lichaam (als bestaande uit vervangbare onderdelen).
- Uitoefenen van druk op nabestaanden van hersendode mensen die hun wens niet hebben laten vastleggen, tot het geven van toestemming.
- Onzorgvuldige vaststelling van de hersendood.
- Psychische problematiek bij nabestaanden.
- Eerlijkheidshalve moet er wel bij worden vermeld dat deze bedreigingen deels ook bestonden bij de praktijk van orgaantransplantatie voordat de wet van kracht was.

3.6 Wet bevolkingsonderzoek (WBO)

Beknopte weergave van de wet

Deze wet is in 1992 tot stand gekomen. Bevolkingsonderzoek dat een gevaar kan vormen voor de lichamelijke of psychische gezondheid van de te onderzoeken personen, wordt aan een vergunningstelsel onderworpen met het oog op de bescherming van de bevolking.

Als een bevolkingsonderzoek (screening) voldoet aan de reikwijdtecriteria van de WBO valt het onderzoek onder het regime van de wet. Een extra bepaling in de WBO is dat een vergunning van de minister is vereist voor 1) bevolkingsonderzoek waarbij gebruik gemaakt wordt van ioniserende straling, 2) bevolkingsonderzoek naar kanker en 3) bevolkingsonderzoek naar ernstige ziekten of afwijkingen waarvoor geen behandeling of preventie mogelijk is.

Kansen

- Door een bevolkingsonderzoek kan een ziekte in een vroegtijdig en dus op een behandelbaar moment ontdekt worden. Tegelijkertijd kunnen dergelijke onderzoeken een druk op mensen leggen en een medicalisering bevorderen. De wet zoekt een goede balans tussen voor- en nadelen van een bevolkingsonderzoek.

Bedreigingen

- De vraag is wel wanneer er nu sprake van is van een 'ziekte', van een 'niet behandelbare afwijking', enz. Discussie is er bijvoorbeeld over de prenatale screening middels vruchtwateronderzoek bij zwangere vrouwen vanaf 36 jaar. Op dit moment valt dit niet onder de WBO.

3.7 Wet geneesmiddelenvoorziening (WG)

Beknopte omschrijving van de wet

De WG heeft als doelstelling het bewaken en bevorderen van de kwaliteit van het bereiden en afleveren van medicijnen door een apotheker en degenen die hem daarbij assisteren.

De apotheker houdt zich bezig met de farmacie, het bereiden van geneesmiddelen. Hieronder wordt zowel het bereiden van medicijnen verstaan (met inbegrip van de verdere afwerking, zoals het etiketteren) als het afleveren (met inbegrip van informatie geven).

Van belang is wat onder een geneesmiddel moet worden verstaan. Het gaat hierbij om substanties die geschikt zijn voor:

- het genezen, lenigen of voorkomen van enige aandoening, ziekte, ziekteverschijnselen, pijn, verwonding of gebrek bij de mens;
- het herstellen, verbeteren of wijzigen van het functioneren van organen bij de mens;
- het stellen van een medische diagnose door toediening aan of aanwending bij de mens.

Kansen
- De patiënt heeft alle mogelijkheden om in de apotheek geïnformeerd te worden over te gebruiken medicijnen (rentmeesterschap).
- Goede kwaliteit van de bereiding van geneesmiddelen.

Bedreigingen
- Uitholling van het begrip geneesmiddel (euthanatica, abortieve middelen, seksuele genotsmiddelen).
- Patiënten kunnen informatie soms niet goed op waarde schatten.

4. *Wetten die specifiek de kwaliteit van de zorgverlening regelen*

4.1 *Wet op de beroepen in de individuele gezondheidszorg (Wet BIG)*

Beknopte beschrijving van de wet
De Wet BIG werd in 1993 aangenomen en daarna in fasen ingevoerd. De wet bestaat namelijk uit globale regelingen waarvan de details geregeld worden in afzonderlijke besluiten (Algemene Maatregelen van Bestuur). De doelstellingen van de Wet BIG zijn:
- het bevorderen en bewaken van een goede beroepsuitoefening van hen die werkzaam zijn in de individuele gezondheidszorg;
- het beschermen van de patiënt tegen ondeskundig en onzorgvuldig handelen van deze beroepsbeoefenaars.

Deze doelstellingen worden nagestreefd door instelling van registers waarin bepaalde beroepsbeoefenaren ingeschreven worden. Dit betreft artsen, tandartsen, apothekers, klinisch psychologen, psychotherapeuten, fysiotherapeuten, verloskundigen en verpleegkundigen. Hiermee is een zekere harmonisatie van deze beroepen geregeld. Voor deze beroepen zijn ook tuchtcolleges ingesteld; dus niet alleen voor artsen zoals vóór de Wet BIG.
Naast de registratie van deze beroepen die ook een *beroepstitel* krijgen is er een registratie van beroepsbeoefenaren met een *opleidingstitel.* Voorbeelden van dat laatste zijn ziekenverzorger, diëtist en logopedist.

Het tuchtrecht – voorheen geregeld in de Medische Tuchtwet – is tevens gemoderniseerd; de norm 'ondermijning van het vertrouwen in de stand' werd door velen als gedateerd beschouwd. Normen zijn nu: (1) handelen of nalaten in strijd met de zorg die de geregistreerde beroepsgroep behoort te betrachten en (2) enig ander handelen of nalaten in strijd met een goede beroepsuitoefening. Praktijkvoorbeelden van dergelijke gedragingen zijn het meerdere malen gebruiken van dezelfde injectienaald door een hulpverlener; het schenden van de zwijgplicht; het uit eigen beweging toedienen van medicijnen die niet door een arts zijn voorgeschreven. Dit soort gedragingen wordt beoordeeld door één van de vijf regionale tuchtcolleges met mogelijkheid van beroep bij het centraal tuchtcollege in Den Haag. Deze terechtzittingen zijn nu in principe openbaar.
Verder is van belang dat met de inwerkingtreding van de Wet BIG het algemene verbod om onbevoegd de geneeskunst uit te oefenen is opgeheven. Ook alternatieve genezers mogen nu de geneeskunst uitoefenen. Alleen bepaalde risicovolle handelingen zijn voorbehouden aan bevoegd verklaarde beroepsbeoefenaars. Voorbeelden van dit soort handelingen zijn het geven van injecties, het onder narcose brengen en het verrichten van verloskundige handelingen. Er is hierbij nog een gradatie van bevoegdheden.

Kansen

- Deskundige en bekwame zorgverleners worden herkenbaar gemaakt.
- De eigen verantwoordelijkheid van patiënten wordt vergroot door de bewuste keuze voor deskundige en bekwame zorgverleners.
- Patiënten hebben de mogelijkheid handelen of nalaten van handelen door een beroepsbeoefenaar, vallend onder de in de wet genoemde beroepsgroepen, ter beoordeling voor te leggen aan de tuchtrechter.

Bedreigingen

- Alternatieve genezers van allerlei aard kunnen hun eigen gang gaan, tenzij er bij hun hulpverlening sprake is van het toebrengen van schade, dan wel dat hierop een aanmerkelijke kans bestaat.
- Toename van tuchtzaken.

4.2 *Kwaliteitswet zorginstellingen (Kwaliteitswet)*

Beknopte weergave van de wet

De Kwaliteitswet is tot stand gekomen om de kwaliteit van zorg, verleend door instellingen, te waarborgen en daarvoor nieuwe regels op te stellen. Zoals de Wet BIG (par. 4.1) de individuele beroepsbeoefenaar betreft, zo geldt de Kwaliteitswet de instelling.

In de wet staat niet de goede kwaliteit van zorg centraal, maar 'verantwoorde zorg'. Hiervoor gelden vier basisvereisten: de zorg moet van een *goed niveau* zijn, de zorg moet *doeltreffend* en *doelmatig* zijn, de zorg moet *patiëntgericht* zijn en de zorg moet afgestemd zijn op de *reële behoefte van de patiënt.*
'Verantwoorde zorg' komt tot stand door een adequate organisatie, door voldoende personeel en materieel en door een adequate toedeling van verantwoordelijkheden.
Daarnaast is de instelling verplicht te beschikken over een kwaliteitssysteem. Te denken valt aan toetsingscommissies. Over het gevoerde kwaliteitsbeleid dient de instelling jaarlijks verslag uit te brengen.
Als er sprake is van zorgverlening aan patiënten die langer dan één etmaal duurt, dient de zorgaanbieder tevens te zorgen voor geestelijke verzorging die zorgverlening aan patiënten die langer dan één etmaal duurt, dient de zorgaanbieder tevens te zorgen voor geestelijke verzorging die zoveel mogelijk aansluit bij de godsdienst of levensovertuiging van de patiënt/cliënt.

Kansen

- Van belang is dat 'verantwoorde zorg' centraal staat. Daarop kan altijd worden teruggevallen. Het betekent dat de zorgaanbieder hetgeen hij doet, goed doet. Een certificeringprocedure kan een zorgaanbieder hierbij behulpzaam zijn.

Bedreigingen

- Deze wet inspireert tot structuren en systemen; en mogelijk tot een te grote bureaucratie.
- Een terugvallen op wettelijke voorschriften zonder de ethische intentie daarin proberen waar te maken.
- De norm 'verantwoorde zorg' laat (te) veel ruimte voor eigen inkleuring.

5. *Conclusie*

Uit het voorgaande kan de conclusie getrokken worden dat aan veel van de hierboven genoemde wetten waarden ten grondslag liggen die ook in een christelijke levensovertuiging hoog gehouden worden. We denken hierbij aan de rechtsbescherming van patiënten en zorgverleners, aan de eigen verantwoordelijkheid en keuzevrijheid (invulling aan het rentmeesterschap) van de patiënt en aan de bevordering van een goede zorgverlening in de gezondheidszorg, ten goede van mensen met aandoeningen en handicaps.

Aan de andere kant kan de nadruk op de eigen verantwoordelijkheid er ook toe leiden dat aan mensen die moeite hebben om voor zichzelf op te komen, tekort wordt gedaan. Een heldere bescherming van het recht op leven ontbreekt rond abortus en euthanasie. De nadruk op rechten en plichten kan er voorts toe leiden dat zorgverleners en instellingen zich beperken tot de vastgelegde regels, ten nadele van deugden als zorgzaamheid, persoonlijke aandacht en zelfopoffering. Dit zou een verzakelijking van de zorg kunnen meebrengen.

Literatuur

M. Daverschot, E.P. van Dijk, *Juridische aspecten van het verpleegkundig beroep*, Leiden: Spruyt, Van Mantgem & De Does, 1997.
H.J.J. Leenen en J.K.M. Gevers, *Gezondheidsrecht voor opleidingen in de gezondheidszorg*, Houten/Diegem: Bohn Stafleu Van Loghum, 1996 (4e druk).
H. Groenenboom, E.P. van Dijk, H. Jochemsen, *Naar een christelijke-ethisch kader voor een verantwoord zorgverzekeringspakket*, Katwijk: DVZ Zorgverzekeringen, z.j.
H.J.J. Leenen, *Handboek gezondheidsrecht* (Deel I. *Rechten van mensen in de gezondheidszorg* en Deel II. *Gezondheidszorg en recht*), Houten: Bohn Stafleu Van Loghum.

Over de auteurs

Drs. Adri van Beest: gynaecologe en onder meer adviseur van de VBOK.

Dr. Dirk-Jan Bakker: chirurg en oud medisch directeur van het AMC.

Drs. Paul Lieverse: anesthesioloog en pijnarts verbonden aan het Erasmus Medisch Centrum – Daniel den Hoed Oncologisch Centrum in Rotterdam.

Dr. Dick Pranger: huisarts en medisch ethicus.

Prof. dr. Henk Jochemsen: directeur van het Prof. dr. G.A. Lindeboom Instituut, bijzonder hoogleraar Lindeboomleerstoel, VU.

Dr. Bart Cusveller: verpleegkundige en filosoof, is wetenschappelijk medewerker bij het Prof. dr. G.A. Lindeboom Instituut en docent Ethiek, Opleiding tot verpleegkundige, Christelijke Hogeschool Ede.

Drs. Nelleke de Ridder-Sneep: project-/beleidsmedewerker bij het Prof. dr. G.A. Lindeboom Instituut.

Verschenen in de Lindeboomreeks

1. S. Strijbos (red.), *De medische ethiek in de branding. Een keuze uit het werk van Gerrit Arie Lindeboom*, 1992.
2. W.G.M. Witkam, W.H. Velema, A.P. van der Linden, *Reageerbuisbevruchting – verantwoord?*, 1990.
3. Prof. dr. G.A. Lindeboom Instituut (red.), *De grenzen bereikt? Over ethische vragen bij financiële begrenzing van de gezondheidszorg*, 1991.
4. Prof. dr. G.A. Lindeboom Instituut (red.), *De mens en zijn erfgoed. Ethische en maatschappelijke aspecten van de moderne gentechnologie*, 1992.
5. H. Jochemsen (red.), *Zorg voor wilsonbekwame patiënten*, 1994.
6. Prof. dr. G.A. Lindeboom Instituut (red.), *De grenzen gewaardeerd. Keuzen in de gezondheidszorg na 'Dunning'*, 1994.
7. E.J. Westerman, T. van Laar, H. Jochemsen, *De foetus als donor?*, 1995.
8. B.S. Cusveler (red.), *Zorg dragen. Naar een christelijke visie op zorg*, 1996.
9. J.J. Polder, J. Hoogland, H. Jochemsen, *Professie of profijt?*, 1996.
10. H. Jochemsen, G. Glas, *Verantwoord medisch handelen. Proeve van een christelijke medische ethiek*, 1997.
11. B.S. Cusveller (red.), *Volwaardige verpleging. Morele beroepsverantwoordelijkheid in de zorgverlening*, 1999.
12. H. Jochemsen (red.), *Toetsen en begrenzen. Een ethische en politieke beoordeling van de moderne biotechnologie*, 2000.
13. B.S. Cusveller, N.A. de Ridder-Sneep, H. Jochemsen (red.), *Christelijke oriëntatie in medisch-ethische onderwerpen*, 2003.